Collection dirigée par Glenn Tavennec

L'AUTEUR

Matt de la Peña est l'auteur de quatre romans pour jeunes adultes, unanimement salués par la critique internationale. Il a également publié un livre illustré primé plusieurs fois. Matt a obtenu son mastère en Creative Writing à l'université de San Diego, et son master 2 à l'université du Pacifique où grâce à ses talents de basketteur, il a obtenu une bourse. Il habite désormais à Brooklyn, où il enseigne l'écriture. Il fait régulièrement des tournées dans les lycées et sur les campus aux quatre coins des États-Unis.

MATT DE LA PEÑA

LES VIVANTS

Livre I

traduit de l'anglais (États-Unis) par Magali Duez

roman

Titre original : THE LIVING

ISBN 978-2-221-13933-2 ISSN 2258-2932
(édition originale : ISBN : 978-0-385-74120-0, Delacorte Books for Young Readers, Random House Inc., New York)

Prologue

Shy est seul sur le pont Lune de Miel avec, en bandoulière, une glacière remplie de bouteilles d'eau fraîche.

Il attend.

C'est le sixième jour de son premier voyage à bord du bateau de croisière de la Compagnie Paradis au sein de laquelle il a décroché un job d'été : garçon de piscine le jour, et porteur d'eau la nuit. Un boulot peu reluisant, mais très bien payé. Suffisamment pour faire une réelle différence. Il calcule une fois de plus combien il aura gagné avant de reprendre les cours. Trois fois huit jours, plus les pourboires, moins les taxes. Assez pour aider sa mère, et en plus s'acheter des fringues ainsi qu'une paire de pompes. Peut-être lui restera-t-il même de quoi inviter une fille au restaurant.

Le jeune homme marche jusqu'au bastingage en imaginant le rendez-vous.

Une réservation dans un établissement chic. Avec des serviettes en tissu. Une jolie fille assise en face de lui dans un décor luxueux. Jessica, de l'équipe de volley-ball. Ou Maria, qui habite dans sa rue. Il offrira son plus beau sourire à l'heureuse élue, tandis qu'elle le regardera par-dessus son menu.

— Choisis ce que tu veux, dira-t-il. Quoi, tu n'as jamais goûté un terre et mer ? Vas-y, c'est moi qui invite.

La classe.

Quand le ciel est couvert la nuit, la lune n'est plus qu'une vague tache aux contours flous surplombant l'océan d'un noir d'encre. C'est à peine si on distingue où se termine l'air et où commence l'eau ; en revanche, on entend les clapotements réguliers contre la coque.

Encore une chose à laquelle Shy n'avait jamais songé avant de s'embarquer pour cette croisière de luxe. L'océan parle. Surtout la nuit. Des voix qui murmurent à ton oreille et jamais ne se taisent, pas même quand tu dors.

À tel point que tu as parfois l'impression de perdre la tête.

L'attention du jeune homme est attirée par un passager quittant le Grand Salon. Le temps que les épaisses portes en verre s'ouvrent et se referment, quelques notes de musique s'échappent sur le pont. À l'intérieur, une soirée dansante bat son plein : le traditionnel bal du Phare. Avec un véritable orchestre, des harpes, des violons et tout le tralala. Des centaines de riches sur leur trente et un bavardent en sirotant du champagne. Pour l'heure, le travail de Shy consiste à offrir de l'eau à toute personne sortant prendre l'air.

Comme ce type d'âge mûr, dégarni et habillé d'un costume deux fois trop petit pour lui.

Shy s'avance rapidement à sa rencontre et demande :

— Désirez-vous de l'eau fraîche, monsieur ?

Le passager contemple quelques secondes la bouteille parsemée de gouttelettes glacées d'un air hagard. Puis un sourire éclaire son visage. Il extirpe de son portefeuille un billet plié qu'il tend à Shy entre deux doigts blancs et boudinés aux veines apparentes.

— Désolé, monsieur. Il nous est interdit de...

Mais il n'a pas l'occasion de finir sa phrase.

— Ah bon ? Allez, prends-le, gamin.

Après une courte pause, pour la forme, Shy s'empare de l'argent et le range au fond de sa poche. Comme chaque fois.

L'homme débouche la bouteille, boit une longue gorgée et s'essuie la bouche d'un revers de manche.

— J'ai consacré ma vie à faire ce qu'il fallait pour en arriver là, dit-il, les yeux dans le vide. Je suis l'un des meilleurs scientifiques dans mon domaine. Cofondateur de ma propre entreprise. (Il se tourne vers Shy.) Assez riche pour acheter des maisons de vacances dans trois pays différents.

— Félicitations, monsieur...

— Arrête ça !

Shy le dévisage, perplexe.

— Arrêter quoi ?

— De me passer de la pommade. (Il secoue la tête en affichant une moue dégoûtée.) Dis-moi plutôt quelque chose de vrai. Que je suis gros, par exemple.

Confus, le garçon porte son regard sur l'océan.

Sûr, ce type est gros, mais si Shy a tiré une leçon de ses premiers jours de boulot, c'est que les passagers d'une croisière de luxe n'ont que faire de la vérité. Ils veulent qu'on les brosse dans le sens du poil. « Pâme-toi devant eux, et ramasse l'argent. » Telle est la devise de Rodney, son compagnon de cabine. Toutefois, ce gars-là semble différent.

L'homme pousse un profond soupir.

— D'où viens-tu, gamin ?

— San Diego.

— Tiens donc, de quel côté ?

Shy change la glacière d'épaule.

— Otay Mesa. C'est un tout petit village. Je doute que vous en ayez entendu parler, monsieur.

Son interlocuteur laisse échapper un rire amer.

— Et tu me félicites ? (Il secoue la tête, une fois de plus.) Quelle ironie.

— Pardon ?

Il agite la main en direction de Shy et rebouche sa bouteille.

— Je connais bien Otay Mesa. C'est un peu plus bas, sur la côte.

Shy acquiesce. Il ignore où ce type veut en venir, mais Rodney l'a aussi prévenu que ces gens se montraient parfois particulièrement excentriques. Surtout ceux qui, à trop boire de vin, arborent sur les dents de vilaines taches rouges.

Après quelques secondes de silence, Shy se prépare à prendre congé, mais soudain l'homme le pointe du doigt.

— Accorde-moi une faveur, gamin.

— Oui, monsieur.

— Souviens-toi de ce visage. (Il se tapote la tempe.) Voilà à quoi ressemble la corruption.

Shy fronce les sourcils, perplexe.

— Tu regardes le visage de celui qui vous a trahis. Mon nom est David Williamson. Ne l'oublie jamais ! Tout est expliqué dans la lettre que j'ai laissée à l'intérieur de la grotte.

— Je ne vois pas de quoi vous parlez, monsieur.

— Bien sûr que non.

Il rouvre sa bouteille et se tourne vers l'océan sans boire.

— C'est sur le dos de gens comme toi que j'ai fait carrière. Dis-moi, gamin, comment puis-je continuer à vivre avec tout ce sang sur mes mains ?

Shy cesse d'essayer de comprendre et reporte son attention sur la calvitie de son interlocuteur. Elle commence moins de trois centimètres au-dessus de l'oreille et s'étend sur tout le dessus de la tête. Il a rarement observé une tentative de dissimulation aussi pathétique. Le gars croit qu'une pauvre mèche de cheveux filasse va suffire à couvrir son crâne d'œuf. Cela lui rappelle la logique des tout-petits, et la façon dont son neveu Miguel se cachait autrefois le visage dans un coussin, convaincu que quand il ne voyait pas les personnes qui l'entouraient, celles-ci ne pouvaient pas le voir non plus.

Le son des flûtes et des harpes parvient jusqu'à Shy qui se retourne pour accueillir deux femmes vêtues de robes de soirée scintillantes, leurs escarpins à la main. Toutes deux sont en train de rire.

— Bonsoir, mesdames, dit-il en allant à leur rencontre. Un peu d'eau fraîche ?

— Oh, oui !

— Quelle merveilleuse idée, mon chou.

Il leur donne une bouteille à chacune, s'étonnant une fois de plus que des femmes aussi riches s'extasient à ce point sur de l'eau gratuite.

— Merci, répond la plus grande des deux en s'inclinant pour lire son badge. Shy ?

— Oui, m'dame.

— Quel nom étrange, commente son amie.

— Mon père est un homme étrange.

Tout le monde s'esclaffe, puis les passagères ouvrent leurs bouteilles et sirotent leur eau à petites gorgées distinguées.

Suivant les directives de la compagnie, Shy bavarde quelques minutes avec les clientes avant de prendre congé et de retourner contempler la mer d'encre qui les entoure. Des milliers de kilomètres d'une mystérieuse eau salée où vivent une multitude de créatures. Des anguilles électriques qui sillonnent les fonds marins aux baleines hautes comme des immeubles qui tournent en rond en pestant parce qu'elles n'ont pas de vraies dents.

Et lui, Shy, sur le pont de ce gigantesque paquebot d'un blanc étincelant. Un bâtiment d'une capacité de deux cent mille tonneaux et d'une longueur démesurée qui parvient tout de même à rester à flot.

La réaction de sa grand-mère en apprenant qu'il postulait pour un job d'été sur un navire de croisière lui revient en mémoire. C'était deux semaines avant qu'elle ne tombe malade. Elle avait disparu dans sa chambre puis en était ressortie en brandissant l'un de ses vieux albums remplis de coupures de presse. À l'intérieur, plusieurs articles alarmistes sur l'augmentation des attaques des requins au cours de la dernière décennie.

Shy avait dû la traîner jusqu'à la bibliothèque municipale afin d'accéder à Internet pour lui montrer à quoi ressemblaient les paquebots Paradis.

— Oh, *mijo*, avait-elle murmuré avec excitation. Je n'avais jamais vu un aussi gros bateau.

— Regarde, grand-mère. Comment un pauvre requin pourrait-il se mesurer à ça ?

— Je ne sais pas. (Elle l'avait observé un moment, puis s'était tournée vers son petit-fils.) Mais j'ai des photos de leurs dents, *mijo*. C'est qu'ils en ont des tas de rangées. Tu ne crois pas qu'ils pourraient s'en servir pour trouer le fond ?

— Pas quand la coque est en acier, et fait dans les cinq mètres d'épaisseur.

Perdu dans ses souvenirs, Shy rêvasse les yeux rivés sur l'océan quand, à la périphérie de son champ de vision, il distingue une forme floue qui escalade le bastingage.

Il pivote brusquement.

C'est l'homme à la calvitie.

— Monsieur ! s'exclame Shy, mais ce dernier ne semble pas l'entendre.

Il met alors ses mains en porte-voix, et l'appelle à nouveau. Plus fort cette fois.

— Monsieur !

Toujours aucune réaction.

À présent les deux femmes regardent également du côté de la rambarde, mais ni l'une ni l'autre ne bouge.

Shy se débarrasse de la glacière et traverse le pont à toute vitesse. Lorsqu'il arrive, l'homme est déjà de l'autre côté du bastingage et se lâche. Tendant une main, le garçon parvient à lui attraper le bras, tandis que de l'autre il lui empoigne le col. Il réussit ainsi à le retenir, suspendu contre la coque du bateau.

Tout se passe en un éclair.

Pas le temps de réfléchir.

Le type se balance dans le vide à plus de vingt étages des ténèbres liquides de l'océan. Il est trop lourd pour une seule personne, et Shy sent qu'il lui glisse entre les doigts.

Il passe une jambe à travers les barreaux du bastingage afin de ne pas basculer à son tour, et tourne la tête pour crier.

— Allez chercher de l'aide !

L'une des femmes se précipite à l'intérieur, tandis que son amie hurle dans les oreilles du garçon.

— Oh, mon Dieu ! Oh, mon Dieu ! Oh, mon Dieu !

L'homme croise le regard de Shy, le sien est fuyant, comme déconnecté. Alors que jusque-là il s'était agrippé à l'avant-bras du garçon, il lâche prise.

— Qu'est-ce que vous faites ? s'exclame Shy. Prenez ma main !

Mais l'homme baisse les yeux sur l'océan.

Shy se cramponne plus fermement puis, serrant les dents, il tire dans l'espoir de le faire remonter. Mais c'est impossible. Il n'est pas assez fort. Et leur position ne lui facilite pas la tâche.

Il jette un nouveau coup d'œil par-dessus son épaule.

— À l'aide !

La seconde femme recule vers le salon, l'air horrifié, une main devant la bouche. Les bouteilles d'eau qui se sont échappées de la glacière roulent sur le pont derrière elle.

Shy sent le coude de l'homme qui commence à glisser sous ses doigts. Il doit faire quelque chose. Mais quoi ?

Plusieurs secondes s'écoulent avant qu'il ne se décide.

Il lâche le col afin de lui attraper le bras à deux mains, formant ainsi un étau. Tout le corps du garçon tremble sous l'effort. La sueur dégouline de son front et lui coule dans les yeux.

Une crampe est en train de s'installer dans sa jambe accrochée au bastingage.

Il se passe encore quelques secondes, puis il entend un craquement. C'est le costume du type qui cède au niveau de l'épaule. Shy observe, impuissant, la couture qui se dépique. Il a l'impression de voir la scène au ralenti. Les fils noirs cassent un à un et se tortillent dans la brise tels de minuscules asticots.

S'ensuit un bruit de tissu qui se déchire, et l'homme tombe en hurlant. Il bascule en arrière, les yeux emplis de terreur et battant l'air de ses membres.

Puis il disparaît, englouti par les ténèbres, sans même l'écho d'une éclaboussure.

Un cri retentit :

Shy !

Mais ce dernier, penché au-dessus de la rambarde, scrute l'obscurité tout en essayant de reprendre son souffle. Et ses esprits.

Shy, je sais que tu m'entends.

D'autres passagers sortent sur le pont qui s'anime du murmure de leurs conversations. Un spot allumé au-dessus d'eux balaie l'eau. Rien.

Arrête ton petit jeu, mon pote. Il faut qu'on se dépêche de rejoindre le pont Sud.

L'océan continue à chuchoter. Comme avant. Comme si rien ne s'était passé. Comme si rien ne pouvait arriver.

Shy baisse les yeux sur ses mains.

Il tient toujours la manche de costume désormais vide.

JOUR 1

1

Rodney

— Sérieux, Shy. Lève-toi !

Ce dernier se retourne dans son lit.

— Ne m'oblige pas à te donner des baffes.

Le garçon ouvre péniblement les yeux.

L'immense carcasse de Rodney est penchée au-dessus de lui, les mains sur les hanches.

Il parcourt du regard leur minuscule cabine en reprenant pied dans la réalité. Ses mains sont vides. Ce n'est pas le même voyage. Ils naviguent cette fois à destination d'Hawaï, et non de Mexico. Cela fait six jours, bientôt une semaine, que l'homme a sauté.

— Tu n'as pas oublié, quand même ? demande son ami.

— Oublié quoi ?

Shy s'assied en se frottant les yeux.

Sachant que sa réponse a dû provoquer une montée de stress chez Rodney – qui est du genre à s'inquiéter pour tout et n'importe quoi –, il sourit et s'empresse d'ajouter :

— Je te fais marcher. Bien sûr que non, je n'ai pas oublié. Tu vois bien que je suis déjà habillé.

— C'est ce que je me disais, aussi, réplique Rodney en se baissant pour s'engouffrer dans leur salle de bains miniature.

Il en ressort aussitôt, une brosse à dents électrique dans la bouche, en marmonnant des paroles inintelligibles.

Shy se lève et se dirige vers sa penderie. Il extirpe un sachet en papier marron de derrière le coffre-fort qu'il n'a jamais pris la peine d'utiliser.

Ce soir, Rodney fête ses dix-neuf ans. Un petit groupe est censé se retrouver pour célébrer l'événement à la terrasse du salon Sud, sur le pont réservé au personnel. À la fin de son service à la piscine, Shy est descendu dans leur cabine afin de prendre une douche et de se changer. Sauf qu'il est tombé comme une masse. Ce qui constitue en soi un miracle étant donné qu'il n'a pas dormi depuis plusieurs nuits.

Il jette un coup d'œil à son réveil, il est 23 heures passées.

Rodney retourne dans la salle de bains pour cracher, puis réapparaît en s'essuyant la bouche avec une serviette. Ce gars est étonnamment agile pour un joueur de football américain, surtout un défenseur de première ligne.

— Je disais que ton sommeil était super agité. Tu rêvais encore du type qui a fait le grand saut ?

— Je rêvais de ta mère, rétorque Shy.

— Oh, je vois. Nous avons un second comique à bord.

Le suicide a eu lieu six jours plus tôt, lors du voyage précédent. Depuis, chaque fois que Shy baisse les paupières, il voit l'homme à la calvitie. Sirotant sa bouteille d'eau ou parlant de corruption, ou de l'autre côté du bastingage, son bras adipeux échappant inexorablement à la poigne sans force de Shy.

Pire : parfois, à la moitié du rêve, les traits de l'homme s'effacent et laissent place à ceux de la grand-mère de Shy, dont les yeux se remplissent lentement de sang à cause de sa monstrueuse maladie.

Le garçon lance le sac de papier à son camarade.

— Quoi, tu m'as acheté un cadeau ? Qu'est-ce que c'est ?

— Que voudrais-tu que ce soit ?

Rodney regarde le plafond et se tapote le menton en faisant mine de réfléchir. Puis il répond :

— Et si je te disais une magnifique jeune femme en petite tenue ?

Shy s'esclaffe :

— Pour qui me prends-tu ? Un faiseur de miracles ?

— Je plaisante, mon pote. Tant pis si elle n'est pas magnifique. Je ne suis pas difficile.

— Contente-toi d'ouvrir le paquet.

Rodney défait l'emballage et en sort un livre : *Douceur et Passion de la cuisine mexicaine.*

— Je l'ai trouvé à la boutique de cadeaux.

Rodney retourne le livre et parcourt la quatrième de couverture.

— Si tu dois un jour être un grand chef, ajoute Shy, tu dois absolument savoir faire les vrais *tamales* et les *empanadas*, pas cette pseudo-bouffe mexicaine qu'on nous sert dans les chaînes de restaurant. Tu pourras tester sur Carmen et sur moi.

Rodney lève la tête, ému aux larmes.

Ce cadeau lui prouve que Shy se souvient de leur première conversation, quand il lui a parlé de son rêve de devenir chef cuisinier à New York.

Mais de là à pleurer ?

Quand même !

— Viens par là, mon pote, dit Rodney en ouvrant les bras.

— Non, merci. Ça va, décline Shy en se dirigeant vers la porte.

Rodney adore prendre les gens dans ses bras, sauf qu'il n'a pas conscience de sa force. Sans compter que Shy, lui, n'est pas du genre tactile.

— Allez, Shy. Un peu de tendresse, bordel !

Au lieu de ça, Shy tend la main vers la poignée.

— Nous devons nous dépêcher de rejoindre la fête…

Trop tard.

Rodney lui saisit le bras et l'attire à lui pour une étreinte digne d'un ours.

Shy soupçonne qu'être étouffé à mort par un grand anaconda doit faire à peu près le même effet.

— Tu es un véritable ami. Je suis sincère, Shy. Quand je deviendrai un chef mondialement réputé et que les chaînes de télé se battront pour m'avoir sur leur plateau, il faudra que tu regardes. Je donnerai le nom de mon pote mexicain à une de mes créations. Que dirais-tu du soufflé Shy ?

Ce dernier aimerait lui balancer qu'il a davantage une tête à faire de la radio, ou une vanne du même acabit, mais il est incapable d'aligner deux pensées cohérentes. L'étreinte de Rodney empêche tout bonnement l'oxygène d'arriver à son cerveau.

2

Une équipe dans l'équipe

Shy et Rodney vont s'asseoir à une table sur la terrasse bondée où Carmen, Kevin et Marcus les attendent avec une pile de pizzas fumantes dans leurs boîtes.

— Vous en avez mis du temps, leur reproche Marcus.

— C'est sa faute, réplique Rodney en désignant Shy. Il était encore en train de cauchemarder sur le type qui a sauté.

Shy lance à Rodney un regard assassin. Il n'y a pas quinze minutes, ce gars pleurait comme une fillette à cause d'un livre de cuisine. Et maintenant, il se moque des cauchemars des autres ?

Carmen ouvre la boîte du dessus.

— Ils viennent juste de livrer ça pour toi, Rod. Joyeux anniversaire, mon grand !

— Joyeux anniversaire ! reprend en chœur le reste du groupe.

Rodney remercie ses amis en se penchant par-dessus la table pour les serrer dans ses bras, manquant d'écraser les pizzas au passage. Puis il se sert une première part. Bientôt suivie d'une deuxième, et d'une troisième.

L'odeur de fromage et de *pepperoni* fait tellement saliver Shy qu'il prend à peine le temps d'admirer Carmen. Son estomac gronde. Il saisit une part, tamponne l'excès de graisse avec une serviette en papier, et la replie comme il peut avant de mordre dedans.

Le bateau est équipé de deux espaces de détente à l'usage des employés. Un à chaque extrémité du bâtiment. Mais celui-ci, le salon Sud, est leur préféré.

Les passagers payants ont droit à toutes les commodités imaginables : piscines et spas luxueux, salles de sport, casinos, restaurants cinq étoiles, boîtes de nuit, théâtres… Mais c'est là, dans les endroits réservés à l'équipage, que se passe l'essentiel de l'action. Vers minuit, une fois que la majorité du personnel a fini son service, c'est la fête dans les couloirs, les bars et les salons. Y participent une multitude de jeunes, tous séduisants, venus des quatre coins du globe.

Cette nuit, les lieux sont particulièrement bondés, car c'est le début d'un nouveau voyage. Pour l'instant, personne n'est fatigué, et il y a plein de nouveaux visages à découvrir. Ce qui est l'un des passe-temps favoris de Shy. Les tables sont surchargées. Tout le monde boit, rit et discute. Certains jouent au poker. Un groupe de Japonaises s'envoient des coups au bar, tandis que des Brésiliennes remuent leurs superbes hanches sur fond de reggae.

Un Afro-Américain d'âge mûr que Shy avait déjà vu à bord la semaine précédente est assis seul, près du bastingage. Il écrit dans un carnet à couverture de cuir. Avec ses cheveux gris ébouriffés et sa barbe tressée, il ressemble à un Einstein noir, ou à un terroriste, mais sur ce bateau il est cireur de chaussures.

C'est étrange de voir une personne de cet âge parmi les membres du personnel, mais Shy doute qu'aucun des jeunes de sa génération sache comment cirer des chaussures.

Plus riche de deux mille dollars

Tandis que chacun raconte ses quelques jours passés à terre, Shy se remémore l'un de ses anniversaires. C'était environ deux ans auparavant. Sa sœur, sa mère et sa grand-mère l'avaient emmené à un match de basket-ball universitaire. À la mi-temps, les organisateurs avaient appelé trois numéros de siège et demandé aux spectateurs qui occupaient ces places de venir sur le terrain pour essayer de remporter un prix. Quand sa sœur lui avait fait remarquer qu'il faisait partie des heureux élus, Shy avait eu du mal à y croire.

Il était descendu sur le terrain avec les deux autres concurrents, puis avait attendu devant des gradins bondés que le présentateur ait fini d'expliquer les règles du défi. Chacun d'eux devrait faire un tir en courant, un lancer franc, un panier à trois points et un depuis le milieu de terrain. Un tir réussi faisait gagner un bon cadeau chez Pizza Hut. Deux, des places gratuites pour le prochain match à domicile. Trois, une nuit pour six personnes dans une luxueuse suite. Et si vous arriviez à marquer les quatre paniers, le prix était un chèque de deux mille dollars offert par la banque sponsorisant le stade.

Le premier participant, un vieux type avec des touffes de poils gris lui sortant des oreilles, avait manqué tous ses tirs.

Il avait été suivi d'une nana à l'allure masculine, chaussée de Timberland, qui avait rentré les deux premiers.

Puis ça avait été au tour de Shy.

Il avait mis le premier panier avec un rebond sur le panneau, et le lancer franc dans la foulée. Après qu'il eut réussi le trois-points, la foule avait commencé à pousser des cris d'enthousiasme.

« Si ce jeune homme parvient à marquer ce panier, il repartira chez lui plus riche de deux mille dollars », avait annoncé le présentateur tandis que Shy rejoignait la marque au sol pour le dernier tir.

Shy s'était mis en position à quelques pas de la ligne de milieu de terrain, puis avait balayé les gradins du regard. Certains des spectateurs s'étaient levés pour l'encourager.

Il n'avait jamais ressenti une telle excitation.

Sa mère et sa sœur applaudissaient à tout rompre. Quant à sa grand-mère, elle le mitraillait avec son appareil photo afin, par la suite, d'alimenter l'un de ses fameux albums. Il avait pris une profonde inspiration et s'était retourné pour faire face au panier. Puis il avait couru en dribblant sur deux pas, avant de lancer.

Il était ensuite resté immobile, avec l'impression que la scène se déroulait au ralenti, les yeux fixés sur le ballon. Ce dernier avait rebondi sur le panneau avant de passer à travers le cerceau.

Le panier avait été accueilli par une véritable ovation.

Le représentant de la banque était alors allé retrouver Shy sur le terrain avec un chèque géant. Deux mille dollars ! Shy l'avait levé au-dessus de sa tête en se retenant d'éclater de rire. Ce genre d'aubaine n'était pas censée arriver à quelqu'un comme lui. Il n'était qu'un jeune Hispano-Américain quelconque. Ne le voyaient-ils donc pas ?

Encore sous le coup du souvenir qu'il vient d'évoquer, Shy se ressert une part. Il se demande combien de temps il lui faudra pour être à nouveau capable de rire de la sorte. Il ne l'a jamais avoué à personne, mais voir ce type passer par-dessus bord a détraqué quelque chose dans sa tête. Et il a du mal à s'en remettre.

Il mord dans sa pizza et décide de reporter son attention sur les gens qui l'entourent, histoire de voir si, parmi les nouvelles filles, il y en a d'aussi belles que Carmen. C'est un petit jeu auquel il aime s'adonner de temps en temps. Il a passé au crible presque la moitié de la terrasse quand il prend conscience que Kevin, en face de lui, le regarde avec insistance.

— Qu'est-ce qu'il y a ? lui demande-t-il.

— Quand tu auras fini de manger, il faudra que je te parle, répond Kevin avec son léger accent australien.

— Je dois d'abord fermer le pont Lido.

— Je te filerai un coup de main.

Shy hausse les épaules. Pourquoi pas, si ça lui fait plaisir. Tout en prenant une autre part de pizza, il s'interroge sur ce que Kevin peut bien avoir de si important à lui dire. Il se rassure en se rappelant qu'ils ne travaillent pas ensemble, il n'y a pas donc de raison qu'il soit en mauvaise posture.

Rodney brandit alors une part de pizza.

— Vous savez qui a fait ça pour nous ? (Il se désigne lui-même du pouce.) Mon service venait juste de se terminer, et voilà le chef cuistot qui se pointe et me dit : « Attends, Rodney. On a une commande pour quatre pizzas qui vient juste de tomber. Ça nous dépannerait si tu pouvais les mettre au four avant de partir. » J'étais encore en tenue, mon pote.

— Et tu les as faites ?

— J'avais pas vraiment le choix, Marcus.

— Elle est bien bonne celle-là, s'exclame Carmen à l'intention de Shy. Ton coloc a préparé son propre dîner d'anniversaire.

— Dommage qu'ils ne lui aient pas fait livrer. On aurait pu lui sucrer son pourboire.

Tout le monde rigole, même Rodney qui en profite pour enchaîner :

— En parlant de ça, Shy, montre un peu aux autres ce que le suicidé t'a filé avant de sauter.

Celui-ci plonge la main dans la poche de son uniforme et en sort un billet de cent dollars.

— Je l'avais complètement oublié jusqu'à ce qu'on remonte à bord aujourd'hui.

Rodney secoue la tête en se resservant.

— Non mais, sérieux, qu'est-ce que tu lui as fait ? Tu l'as emmené au septième ciel ?

— Je lui ai seulement offert une bouteille d'eau, rétorque Shy, les yeux rivés sur le billet.

Normalement, les membres de l'équipage ne sont pas censés accepter les pourboires, mais personne ne s'en prive. Toutefois, celui-ci est différent. Le jeune homme a le sentiment qu'il serait déplacé de le dépenser en futilités.

Carmen tend la main.

— Tu ferais mieux de me le donner, *vato.* C'est justement ce que tu me dois pour mon amitié.

Shy fait mine d'obéir, mais à la seconde où la jeune femme referme ses doigts manucurés dessus, il le rempoche.

— Il faut être plus rapide.

Carmen lui répond par une grimace et lui pince le bras.

Leurs camarades éclatent de rire. Shy est soulagé de constater que Kevin partage l'hilarité générale. Quel que soit le sujet dont il veut l'entretenir, cela ne doit pas être bien grave.

— Donc si j'ai bien compris, intervient Marcus en s'essuyant les mains avec une serviette de papier, si tu avais jeté un coup d'œil au billet quand il te l'a refilé, tu aurais pu lui sauver la vie ?

— Je ne te suis pas.

— C'est simple, si quelqu'un me file une telle somme, je passe direct en mode alerte.

— Peut-être que c'est juste parce que je suis doué, réplique Shy en affichant un sourire sarcastique.

— C'est ça, bien sûr, s'esclaffe Marcus avant de mordre dans sa pizza.

— Il y a des passagers qui pensent impressionner la galerie avec de gros pourboires, commente Kevin.

— Une fois, pas le voyage précédent, mais celui d'avant, j'ai reçu cinquante dollars pour avoir réglé le micro du karaoké, renchérit Carmen.

— Homme ou femme ? demande Rodney.

— Un homme, pourquoi ?

— Tu sais bien que tous ces riches blancs-becs craquent pour toi, Carm. Tu es aussi bien roulée qu'un *burrito.*

Carmen se lève légèrement pour lui donner un coup de poing sur l'épaule en se penchant devant Shy. Ce dernier, confus, fait son possible pour détourner les yeux du T-shirt qui, en remontant, laisse entrevoir le dos bronzé de la jeune femme.

— Arrête ton char ! Cinquante, ça me paraît cher pour une assiette mexicaine, rétorque Marcus.

Carmen attrape un morceau de croûte dans la boîte de pizza à moitié vide et le lui lance à la tête. Mais le jeune homme esquive le projectile qui s'en va finir sa course par-dessus la rambarde dans l'océan Pacifique.

— Je suppose que là d'où tu viens, le poulet et les gaufres sont considérés comme de la cuisine gastronomique.

— Comparés à une pauvre salade taco ? Carrément.

Shy remarque que tout le monde plaisante maintenant, y compris les Suédois de la table voisine.

— Au cas où vous ne vous en seriez pas rendu compte, commente Rodney, toutes les personnes ici présentes pourraient être au menu d'un restaurant gastronomique. C'est vrai quoi, regardez autour de vous. Pour la compagnie Paradis, la beauté est un critère de recrutement.

Shy observe ses camarades qui s'examinent les uns les autres. Mais c'est inutile. Rodney a raison. Presque tous les membres de l'équipage sont séduisants. Et ceux du groupe avec lequel traîne Shy encore plus.

Kevin est l'archétype de l'Australien sexy, avec son corps musclé, sa peau bronzée, ses cheveux blonds en bataille et sa barbe de trois jours. À vingt-deux ans, c'est le plus vieux et le plus expérimenté de la bande. Quand il n'est pas en train de préparer des cocktails sur l'un des bateaux de la compagnie, ses contrats de mannequin pour sous-vêtements le font voyager à travers toute l'Europe.

Marcus a été embauché pour ses talents de danseur. C'est un beau gosse noir, originaire de Crenshaw, mais aussi un petit génie concernant tout ce qui touche aux nouvelles technologies, même s'il n'est pas du genre à s'en vanter. Il a des coupures un peu partout à force de faire des acrobaties et de se contorsionner dans des positions improbables. Et chaque fois que, lors d'une représentation sur la scène de la piscine, il enlève le haut de son uniforme, tous les yeux sont rivés sur ses abdominaux, même ceux des vieilles rombières coincées des États confédérés.

Carmen, la seule fille du groupe, a dix-huit ans et est à moitié mexicaine, comme Shy. De plus, elle vient de National City, une ville située à seulement quelques kilomètres d'Otay Mesa. Elle anime le karaoké tous les soirs et chante également dans certains des spectacles. La première fois qu'il avait posé les yeux sur elle, Shy était resté bouche bée. Elle avait agité la main devant son visage en riant et demandé à Rodney s'il était muet.

Le problème avec Carmen, c'est le fiancé qui l'attend sur le continent. Un étudiant en droit, blanc et riche. Toutefois, elle ne porte pas sa bague, car, à l'entendre, c'est la kryptonite des pourboires, les faisant fuir aussi sûrement qu'elle fait disjoncter Superman.

Au bout d'un moment, tous les regards convergent vers Rodney qui, prêt à mordre dans sa pizza, suspend son geste.

— Quoi ?

Tout le monde autour de la table affiche un grand sourire.

— Oh, mais moi, c'est différent, réplique-t-il. D'ailleurs, ce n'est pas pour rien qu'ils me planquent en cuisine.

Fou rire général.

En effet, Rodney est un garçon de la campagne d'un mètre quatre-vingt-quinze avec une affreuse coupe en brosse et les dents de travers. Il a quitté son Iowa natal quelques mois plus tôt pour rejoindre l'équipe de football américain de l'université d'Irvine. Et c'est son entraîneur qui lui a trouvé ce boulot d'aide-cuisinier à bord.

Paradoxalement, pendant son temps libre, ce grand gaillard lit des romans à l'eau de rose en dévorant des quantités astronomiques d'oursons en gélatine, avec sur les oreilles un énorme casque qui diffuse en boucle du Christina Aguilera.

Pendant que les autres terminent de manger, Shy réfléchit à sa place dans le groupe. Contrairement à Kevin, il n'est pas mannequin, mais il est tout de même grand malgré ses origines mexicaines. Et puis, il joue au basket. Chez lui, les filles le qualifient de « beau mec » et le considèrent comme un bon parti, même si un bon parti à Otay Mesa n'a probablement rien à voir avec un bon parti à bord d'une croisière de luxe.

Toujours perdu dans ses pensées, Shy se fraye un chemin jusqu'à la poubelle positionnée à côté du bar où il se débarrasse de son assiette en carton pleine de graisse. Il se retourne pour partir et tombe nez à nez avec Kevin.

— On y va ?

— OK, lui répond Shy. Qu'est-ce qui se passe ?

— J'ai surpris une conversation tout à l'heure, répond Kevin en jetant lui aussi son assiette, et je me suis dit que je devais t'avertir.

L'avertir ? Shy sent une boule se former dans son ventre.

— Pont Lido, c'est ça ?

— Oui, confirme le jeune homme en suivant son collègue à travers la foule jusqu'à la sortie.

Alors qu'il est presque arrivé à la porte, il se tourne pour jeter un dernier coup d'œil à Carmen.

— Ça va ? articule-t-elle en silence.

Il lui adresse une moue dubitative en haussant les épaules et quitte la terrasse.

3

L'homme au costume noir

Shy sur les talons, Kevin monte plusieurs escaliers et traverse l'atrium du bateau, qui semble tout droit sorti d'un magazine d'art et décoration. Des tableaux gigantesques accrochés aux murs, des fleurs fraîchement coupées savamment arrangées dans des vases colorés, des lustres somptueux. Et, en fond sonore, de la musique classique diffusée par des haut-parleurs habilement dissimulés.

Ils sourient et hochent légèrement la tête chaque fois qu'ils croisent un couple de passagers en train de se promener.

« Madame. »

« Monsieur. »

Après une longue marche, ils parviennent enfin au pont Lido, à l'autre extrémité du navire. C'est là où Shy travaille le plus souvent à présent. Le psy du bateau a décrété qu'il devait éviter le Lune de Miel, du moins jusqu'à ce qu'il ait « digéré le suicide ». Ce, juste avant de lui tendre un flacon de pilules censées l'aider à trouver la paix. Mais la première l'a abruti en le transformant en une coquille vide. Et le reste a fini à la poubelle.

Les deux jeunes gens traversent le pont pour rejoindre la piscine à débordement qui scintille à la lueur de la lune. Bien qu'il soit fermé depuis plus d'une heure, il y a encore du monde dans le jacuzzi. Trois filles et un gars. En voyant Shy et Kevin s'approcher, ce dernier se lève et dit :

— C'est l'heure d'y aller, c'est ça ?

— Désolé, monsieur, je dois fermer pour la nuit, répond Shy.

L'homme bondit hors du bassin et se tourne vers ses compagnes.

— Vous avez entendu ? Il est temps de retourner à l'intérieur.

Shy regarde les filles en bikini quitter le jacuzzi. Elles sont plus jeunes que la majorité des passagers – probablement entre vingt et vingt-cinq ans – et sexy en diable. Juste un cran en dessous de Carmen en maillot de bain deux pièces, ce qui n'est pas peu dire.

Le gars, qui a déjà enfilé sa chemise et son bermuda, vient à leur rencontre.

— Ça doit être la plaie d'expulser les baigneurs tardifs toutes les nuits. Je suis désolé. Au fait, je m'appelle Christian.

Shy et Kevin lui serrent la main et se présentent à leur tour.

Christian a l'air tout droit sorti d'un magazine de mode masculin : des yeux bleu clair, un menton bien dessiné, un début de barbe et des cheveux blond-roux qui lui arrivent aux épaules et mouillent son T-shirt.

— On y va, docteur Christian ? intervient l'une des filles.

L'interpellé adresse un clin d'œil à Shy et à Kevin.

— Je viens tout juste de finir médecine et on a décidé de fêter ça. À bientôt, les gars, les salue-t-il avant de prendre la direction de l'atrium, suivi de ses trois admiratrices.

Shy les regarde s'éloigner en s'interrogeant sur ce à quoi ressemblerait sa vie si c'était lui le futur médecin. S'il était celui que l'on sert et non celui qui fait le service. Il n'avait jamais eu ce genre de pensée avant d'embarquer pour la première fois sur ce bateau.

Aussitôt qu'ils ont quitté le pont, il se tourne vers Kevin.

— Alors, de quoi veux-tu m'avertir ? demande Shy en commençant à ranger.

— Eh bé, il avait l'air sacrément occupé, commente Kevin en contemplant les traces de pas mouillées laissées par les trois filles. Je lui aurais volontiers filé un coup de main, il n'avait qu'un mot à dire.

— Tu m'étonnes !

Shy tire les chaises longues afin de les remettre à leur place, retire les serviettes abandonnées, repositionne les dossiers. Il y a plus de deux cents sièges et tous les matins, avant le lever du soleil, ils doivent être parfaitement alignés.

Il finit la seconde rangée et se dirige vers le local de service.

— L'avertissement, Kev.

— Ah, oui. (Kevin ramasse une serviette que Shy a laissé tomber.) Après avoir embarqué ce matin, je suis allé directement au bar faire la mise en place, mais la porte du cellier était verrouillée. L'enfer. J'ai dû me taper tout le trajet jusqu'au bureau de Paolo pour récupérer la clé. Tu vois qui c'est Paolo, non ?

— Oui, le chef de la sécurité.

Shy ouvre la porte de la buanderie et balance son paquet de serviettes dans le panier à linge. Kevin y jette également celle qu'il a récupérée. Claudia, une Allemande que Shy a déjà rencontrée lors de son premier voyage, lui adresse un petit signe de la main et part avec son chariot en direction de la blanchisserie.

— C'est vrai, j'avais oublié que tu avais passé plusieurs heures avec lui après le suicide. Bref, impossible d'entrer dans son bureau car il est avec quelqu'un. Un homme en costume noir. Et devine sur qui ce mec l'interroge ?

— Moi ?

— Dans le mille.

Shy s'arrête.

— Pourquoi ?

Mais au fond, il se doute de la réponse.

L'homme à la calvitie.

— En bon pote, commence Kevin tandis que Shy se remet au travail, j'attends derrière la porte, discrétos, et je tends l'oreille. Costard Noir veut tout savoir sur le dénommé Shy. Qui il est, d'où il vient, de quoi lui et le suicidé ont discuté avant que ce dernier fasse le grand plongeon… et puis, faut voir sur quel ton il lui parle. J'ai jamais entendu personne utiliser ce type de langage avec Paolo. Il a autorité sur presque tout le monde à bord, tu sais ? Du coup, j'me dis que ce gars ne fait sûrement pas partie de l'équipage.

Excédé, Shy secoue la tête.

— Combien de fois vais-je devoir le répéter ? s'énerve-t-il en se tournant pour faire face à Kevin. Je lui ai donné de l'eau. Quand il a sauté, je l'ai rattrapé par le bras, mais il était trop lourd. J'ai fini par lâcher. Qu'est-ce qu'ils veulent à la fin ?

Bien entendu, il passe sous silence son étrange conversation avec l'homme à la calvitie. En fait, personne n'est au courant. Mais ce qu'il lui a raconté ce soir-là n'avait aucun sens et Shy a cru que plus il minimiserait leur interaction, plus vite on le laisserait reprendre une vie normale.

Apparemment, il s'est trompé.

— Calme-toi. Je n'y suis pour rien. Quoi qu'il en soit, j'ai l'impression que Paolo a dit la même chose que toi. Mais le type n'a pas eu l'air satisfait. Il a demandé ton dossier, et ton emploi du temps.

D'un geste brusque, Shy attrape une serviette mouillée qui traîne sur un dossier.

— C'est de la folie, Kev. Et Paolo le lui a donné ?

— J'en sais rien. Ils semblaient sur le point de conclure la conversation et je me suis éloigné de la porte.

Shy secoue de nouveau la tête et va déposer la dernière brassée de serviettes dans un panier vide à l'intérieur du local de service. Comment va-t-il pouvoir tourner la page si tout le monde passe son temps à remettre cette histoire sur le tapis ?

Il retourne au jacuzzi, éteint les jets, la fontaine et le chauffage, puis le couvre avec une bâche spéciale.

Au départ, il voulait seulement un job d'été avant de commencer sa dernière année de lycée. Quand sa conseillère avait évoqué ses relations au sein de la compagnie des croisières Paradis, ça lui avait paru différent, exotique. Mais si c'était à refaire, il postulerait pour quelque chose de plus classique, genre Subway ou Speedy. Personne n'essaie de se donner la mort en achetant des pneus.

— Tu n'as pas encore compris ? s'étonne Kevin en suivant Shy. Nos passagers ne sont pas monsieur et madame Tout-le-Monde. C'est la crème de la crème. Nous avons eu d'anciens présidents, des acteurs. Donald Trump lui-même était à bord lors de ma première croisière.

— Et si j'allais le trouver directement ? Peut-être que je pourrais lui parler et en finir une bonne fois pour toutes.

— Tu peux toujours tenter le coup, approuve Kev en regardant derrière Shy. Je pense qu'il fait partie du FBI, ou un truc équivalent. Et si le suicidé ne t'a rien dit avant de sauter, tu n'as pas de souci à te faire, n'est-ce pas ?

Shy se dirige vers la piscine et sort l'épuisette dernier cri de son étui. Tout en repêchant un morceau de papier, un élastique à cheveux et quelques insectes, il réfléchit à ce que vient de lui raconter son ami. Le FBI ? Il donnerait n'importe quoi pour que son contrat soit fini afin de pouvoir reprendre sa petite vie tranquille à Otay Mesa, même si là-bas aussi les choses ont changé depuis la mort de sa grand-mère.

Il remarque alors que Kevin regarde à nouveau derrière lui.

— Tiens, c'est bizarre, murmure ce dernier en enfonçant les mains dans ses poches.

— Quoi ? demande Shy.

Kevin baisse les yeux sur le sol et secoue la tête. Puis, à voix basse :

— Surtout, ne te retourne pas, mais j'ai l'impression que quelqu'un nous observe depuis un moment.

— Qui ça ? Le gars en costume noir ?

Pour toute réponse, Kevin hoche la tête.

— Celui que tu as vu ?

— J'en suis quasiment sûr.

Shy se fige, l'épuisette à la main. Dans sa poitrine, son cœur bat la chamade. Soudain la situation lui paraît bien plus sérieuse qu'il ne l'avait imaginé. Peut-être est-il bel et bien dans le pétrin.

— Écoute, reprend Kevin. Finis ton boulot ici et regagne ta cabine. Demain matin à la première heure, j'irai parler à Paolo.

Shy repose l'épuisette.

Il sent le regard de l'inconnu lui brûler le dos. À moins que ça ne soit son esprit qui lui joue des tours. Dans un cas comme dans l'autre, l'idée de se retrouver seul sur le pont ne l'enchante guère.

— Hé, Kev, ça te dérangerait de rester quelques minutes de plus ? demande-t-il à voix basse.

Le jeune homme lui adresse un regard rassurant et répond :

— Pas de problème, je t'attends.

4

Insomnie

Shy n'arrive pas à dormir.

Une fois de plus.

Il se tourne et se retourne dans son lit. Avec en fond sonore les ronflements de Rodney, il regarde les minutes défiler sur le cadran de son radioréveil. Puis il s'allonge sur le dos et fixe le plafond, incapable de mettre son cerveau sur pause.

Il imagine l'homme en costume noir se faufilant dans la cabine, le visage cagoulé, une machette à la main. La lame se rapproche de son cou jusqu'à lui entailler la peau. Le sang coule, son sang, inondant les draps et le bout de tissu molletonné qui lui sert d'oreiller.

Il revoit l'homme à la calvitie lui échapper, sauf que cette fois ils sont menottés ensemble et Shy bascule lui aussi par-dessus bord. La chute semble durer une éternité, puis l'océan bouillonnant les engloutit pour les faire disparaître à tout jamais comme s'ils étaient tombés au cœur du triangle des Bermudes.

Le garçon se remémore ensuite les dernières heures de sa grand-mère alors que, sur son lit d'hôpital, elle se griffait jusqu'à s'arracher la peau. Sa mère en larmes devant la chambre de quarantaine, martelant de ses poings l'épaisse vitre en hurlant sur les infirmières. Lui-même incapable de bouger, de parler, ou même de respirer.

Bientôt 3 heures du matin. Shy abandonne tout espoir de dormir. Il repousse ses draps et se lève pour aller consulter ses mails sur l'ordinateur de Rodney.

Il n'en a reçu qu'un seul.

Sa mère qui lui demande s'ils peuvent se retrouver sur Skype le lendemain, entre deux services. Elle a une nouvelle qu'elle préférerait lui annoncer de vive voix. Le message se termine par ces mots :

« Je t'en prie, Shy. Je sais que tu es très occupé, mais essaie de libérer quelques minutes pour ta mère. Je suis à cran et j'ai vraiment besoin de te parler. »

Shy le relit intégralement deux fois de suite.

La dernière fois que sa mère a demandé à lui parler, c'était après avoir appris que sa grand-mère avait la maladie de Romero. Et puis il y a Kevin et cette histoire d'homme en costume noir posant des questions sur lui. Le même homme qu'il a vu les surveiller à la piscine.

Il est persuadé qu'elle va à nouveau lui annoncer de mauvaises nouvelles.

Après avoir répondu à sa mère qu'il se connectera entre 14 heures et 14 h 30 le lendemain, il éteint l'ordinateur, quitte la cabine et part se promener dans les couloirs pour réfléchir.

À cette heure, le bateau a des allures de ville fantôme et Shy imagine des boules d'herbes sèches poussées par le vent comme dans les westerns. À chaque croisement, il s'attend à voir des agents du FBI en embuscade, vêtus de leur costume noir, mais il n'y a personne.

Le bateau tangue légèrement sous ses pas, ce qui lui donne l'impression d'avoir des problèmes de coordination tandis qu'il monte plusieurs volées de marches. Son corps tout entier tremble de fatigue à cause du manque de sommeil.

Il traverse l'un des étages de la première classe : plafonniers rustiques imitant d'anciennes lanternes, miroirs immaculés, portes de bois massif avec poignées, serrures et heurtoirs en cuivre.

Shy pense à tout l'argent dépensé pour l'aménagement de ces niveaux.

Rien que ce couloir a dû coûter une fortune.

Il se demande ce qu'aurait été sa vie s'il était né de l'autre côté.

Au lieu d'être un membre de l'équipage, il serait un passager de marque revenant d'une nuit à flamber au casino. Il ouvrirait l'une de ces luxueuses portes, jetterait ses gains sur la table en chêne, avant de se déshabiller tout en contemplant l'océan par la fenêtre de sa suite. Puis il se coucherait dans les draps de soie à côté de sa superbe femme.

En première classe, les gens s'endorment probablement en quelques secondes.

Shy arrive sur le pont Lune de Miel et s'arrête à l'endroit exact où il a lâché l'homme à la calvitie.

C'est la première fois qu'il remet les pieds sur les lieux du drame. Il va jusqu'à glisser sa jambe droite entre les barreaux pour mieux se souvenir. Mais il parvient juste à se sentir idiot, alors il retire sa jambe et reste là, les yeux rivés sur l'eau sombre, écoutant son murmure incessant dont le sens continue de lui échapper.

Cela ne fait que onze jours, mais le jeune homme a l'impression qu'il s'est écoulé une éternité depuis qu'il a embarqué pour son premier voyage. Il se rappelle avoir regardé par la vitre du bus tandis que ce dernier s'arrêtait en grinçant, et vu à quai ce gigantesque et étincelant paquebot, surplombant tout ce qui se trouvait autour, y compris les immeubles à terre. Il avait alors eu du mal à appréhender qu'un tel navire puisse exister. L'immense coque d'un blanc éclatant était soulignée par une ceinture de canots de survie orange et des rangées de fenêtres carrées à perte de vue. Le toit de verre de l'atrium s'élevait vers le ciel depuis le pont supérieur. D'épais cordages sortant d'un hublot situé à la proue étaient noués à des bittes d'amarrage en acier et on pouvait lire le nom « Paradis » écrit en lettres calligraphiées géantes.

Il était là, sur l'eau immobile.

Comme s'il attendait Shy.

Et aujourd'hui, ce dernier est à bord de ce même bateau pour un second voyage, sur le pont Lune de Miel, les yeux perdus dans le vide avec pour seul horizon l'océan. Aussi loin que porte le regard, il n'y a que de l'eau, encore et toujours de l'eau.

Il se sent tout à coup incroyablement seul.

Un minuscule être humain, insignifiant.

Cette soudaine prise de conscience lui coupe le souffle, et l'espace d'un instant il comprend que l'on puisse être déboussolé au point de sauter.

5

Carmen

Après avoir erré sans but précis, le voilà devant la cabine de Carmen, le poing levé, prêt à toquer.

Mais il ne peut pas.

Il est 3 h 30 du matin.

Shy baisse la main et reste planté là, essayant de réfléchir.

Lors de son premier voyage, il a tout de suite accroché avec Carmen. Ils se sont vite rendu compte qu'ils étaient tous les deux originaires de la même région et avaient fréquenté des collèges rivaux. Carmen, cependant, vient d'obtenir son diplôme. Puis ils ont découvert qu'ils avaient autre chose en commun. La maladie de Romero.

Shy a perdu sa grand-mère.

Carmen, son paternel.

Cette nuit-là, ils avaient passé des heures à parler. La jeune fille avait fondu en larmes devant lui. Et avait fini par poser la tête sur son épaule pendant qu'il lui répétait en boucle : « Ça ira, Carm, ça ira. » Quand bien même ils savaient tous deux que c'était faux.

Shy fait demi-tour pour rejoindre sa cabine.

Mais à peine s'est-il éloigné de quelques pas qu'il entend une porte grincer.

Puis une voix endormie :

— Shy ?

Il se retourne et aperçoit Carmen dans l'entrebâillement de la porte. Elle a les yeux gonflés de sommeil, les cheveux en bataille et un T-shirt d'homme trop grand pour elle qui couvre à peine ses longues jambes.

— Que fais-tu debout à cette heure-là ?

— Je n'arrivais pas à dormir.

Elle se frotte les yeux et bâille.

— Encore.

Le jeune homme hausse les épaules.

Carmen est tellement belle que cela lui brise le cœur. Des mèches de cheveux bruns qui lui tombent sur le visage. Des lèvres pleines, d'immenses yeux noirs. Sa poitrine qui étire les lettres de son T-shirt de base-ball. Il fait de son mieux pour la regarder en face, il ne voudrait pas qu'elle le prenne pour un goujat.

Gêné, il se racle la gorge.

— Comment as-tu su qu'il y avait quelqu'un ?

Sourcils froncés, elle réfléchit.

— Je me suis réveillée et... Je ne sais pas. Je suis allée ouvrir. J'avais le pressentiment que tu serais derrière la porte. C'est bizarre, non ?

Shy se baisse sous prétexte de renouer ses lacets afin qu'elle ne voie pas son sourire. Il fait un double nœud pour se donner le temps de recouvrer une expression plus neutre, puis se relève.

— J'étais juste en train de me promener et je suis passé…

— Une minute, l'interrompt Carmen en disparaissant dans sa cabine, laissant Shy en plan avec des papillons dans le ventre.

Il est déjà sorti avec un certain nombre de filles, chez lui. Son statut de membre du cinq majeur dans l'équipe de basket du lycée n'y était sans doute pas pour rien. Occasionnellement, il lui arrive de trouver des mots doux dans son casier, et il n'est pas rare qu'il se fasse draguer. En général, il se la joue cool. Mais avec Carmen, même en tant qu'ami, c'est différent. Il ne parvient pas à contrôler ce qu'il ressent et se sent parfois gêné, mal à l'aise. Peut-être est-ce parce qu'elle a un an de plus que lui. Ou à cause de son fiancé. À moins que ce ne soit simplement parce qu'il se soucie de son opinion.

La porte s'ouvre à nouveau et cette fois la jeune femme le rejoint dans le couloir. Elle a enfilé un pantalon de jogging ample et pris son ordinateur portable ainsi qu'une bouteille de vin et un gobelet en plastique.

— Assieds-toi, dit-elle.

Shy obéit.

Elle s'installe sur le sol à côté de lui et lance iTunes.

— Ma coloc dort, explique-t-elle en mettant de la musique brésilienne sans oublier de baisser le volume.

Après quoi elle débouche la bouteille et remplit l'unique verre.

— Il va falloir qu'on partage.

— Je t'assure…, se défend le jeune homme en faisant mine de se relever. Je ne voulais pas te tirer du lit.

— Quoi ? Tu refuses de boire dans le même verre que moi ? Tu as peur de choper la gale ?

Il esquisse un sourire.

— Tu ne devrais pas avoir à subir mes insomnies.

Carmen lève les yeux au ciel et prend une gorgée de vin.

— Tu te souviens de la première nuit sur le bateau et de la longue conversation que nous avons eue sur le pont Sud ?

— Oui.

— Qu'est-ce que je t'ai dit à la fin ?

Shy se souvient de chacun de ses mots et des larmes qui ruisselaient sur ses joues.

— Tu as dit que si j'avais envie de discuter, je pouvais passer n'importe quand. Quelle que soit l'heure.

— Alors ? De quoi va-t-on parler ? demande-t-elle en faisant tournoyer le vin dans son gobelet.

Shy se réinstalle, prend le verre et boit à son tour. Le vin rouge, frais, coule dans sa gorge fatiguée, jusque dans son estomac qui ne vaut pas mieux.

C'est bon d'être assis là avec Carmen.

Dans le couloir.

À écouter de la musique.

Tandis que tout le monde, ou presque, sur le bateau est plongé dans un profond sommeil.

— Kev m'a dit qu'un gars en costard posait des questions sur moi. Il a eu l'impression qu'il était du FBI ou un truc dans le genre.

— C'est pour ça qu'il t'a accompagné à la piscine ?

Il acquiesce d'un signe de tête.

— Il est possible que le gars nous y ait suivis aussi. Kev pense qu'il était là pendant toute la conversation.

— Bouh, ça me file des frissons.

— Je n'arrive pas à croire qu'on me harcèle encore avec cette histoire.

— Ils veulent probablement s'assurer que rien ne leur a échappé. Tu es conscient que les passagers sont tous des gens super importants ? Les croisières Paradis coûtent une blinde.

— C'est ce que m'a dit Kevin.

— En revanche, si c'était toi ou moi qui étions passés par-dessus bord, le FBI ne se serait pas déplacé.

— À mon avis, ils n'auraient même pas ralenti le bateau.

— Ils auraient sans doute accéléré, renchérit la jeune fille.

Ils échangent un sourire et Shy boit une autre gorgée de vin avant de redonner le verre vide à Carmen qui le remplit à nouveau.

— J'ai aussi reçu un e-mail de ma mère. Elle veut qu'on se retrouve sur Skype demain : une mauvaise nouvelle à m'annoncer.

Carmen grimace.

— Tu as une idée de ce dont il s'agit ?

Shy secoue la tête.

— Depuis la mort de ma grand-mère, la première chose à laquelle je pense, c'est toujours cette putain de maladie. Je te jure, Carm, si ma mère est touchée…

— Ne m'en parle pas. Chaque fois qu'un de mes petits frères se frotte les yeux, je manque de péter un câble. (Elle change de musique, puis regarde Shy avec compassion.) C'est parce que nous savons tous les deux à quel point cette foutue maladie est atroce.

— J'ai entendu dire qu'ils étaient en train de mettre au point un traitement.

— Oui, moi aussi. Mais ce n'est pas ça qui va ramener mon père, ou ta grand-mère.

Le jeune homme tourne la tête pour dissimuler les larmes qui lui brouillent la vue.

Tandis qu'ils dégustent un second verre de vin, Carmen décrit à Shy la récente passion de sa mère pour le patchwork. Depuis la mort de son mari, ce passe-temps est devenu une véritable drogue. Elle les décline en tapisseries, dessus-de-lit, jetés de canapé, nappes… et il y en a sur chaque mur de l'appartement, sur chaque sofa, chaque lit, chaque table. Quand elle n'est pas au travail ou en train de dormir, elle coud.

Shy, lui, parle de sa sœur et du boulot qu'elle vient de décrocher à l'école élémentaire en face de chez eux. Ça va lui permettre de gagner un peu d'argent, et les horaires sont les mêmes que ceux de la maternelle de Miguel, son fils, ce qui lui évitera d'avoir à payer une nourrice.

— Et ton fiancé ? demande Shy, car après tout ce dernier fait également partie de la vie de son amie.

— Que veux-tu savoir ?

— Je sais pas, moi. Comment il va ? Qu'est-ce qu'il fait ?

— Il va bien. Il est super occupé, comme d'habitude.

— Lui aussi, il a eu droit à son dessus-de-lit ?

Carmen éclate de rire.

— Dans le mille. Le sien est décoré avec des petites notes de musique, même si Brett n'y connaît absolument rien.

Shy sourit, lui prend le verre des mains et avale une longue gorgée. Il commence à sentir l'effet de l'alcool et se dit que peut-être ça l'aidera à dormir.

— Tu sais quoi ? Ça va te paraître bizarre, mais Brett et moi n'avons encore jamais parlé de ce qui est arrivé à mon père.

— Sérieux ?

Carmen confirme d'un hochement de tête.

— Je ne me plains pas, il a été là pour moi. Il s'est occupé des obsèques, tout ça. Mais curieusement, il n'a jamais pris le temps de me demander ce que je ressentais.

Pendant quelques secondes, la jeune femme fixe du regard le vin au fond de son verre, comme si elle réfléchissait.

— D'un autre côté, il est jusqu'au cou dans ses manuels de droit. La première année est réputée être la plus difficile, ça leur permet d'éliminer les tire-au-flanc.

Shy hoche la tête à son tour. Entendre Carmen lui parler de son copain le rend toujours un peu jaloux. Mais, en tant qu'ami, il est bien obligé de temps en temps de s'enquérir de cette partie-là de sa vie.

Et c'est ce qu'il veut, non ?

Être ami avec elle ?

Mais est-il possible d'être l'ami d'une fille qu'on trouve à la fois belle, intelligente et adorable ?

Shy s'empare du verre et le siffle d'un trait avant de le lui rendre.

La bouteille de vin est presque vide. Carmen la maintient tête en bas afin de récupérer les dernières gouttes et change de sujet. Ni l'un ni l'autre n'ont jamais mis les pieds à Hawaï, et vu qu'ils auront tous les deux une demi-journée de congé sur place, elle lui fait promettre de lui donner une leçon de surf. Et aussi d'aller avec elle manger une véritable glace hawaïenne sur la rive nord. Puis, levant sur lui un regard teinté d'inquiétude, elle demande :

— Est-ce que je peux te poser une question indiscrète, Shy ?

— Vas-y.

L'alcool faisant son effet, il se sent prêt à répondre à peu près à n'importe quoi. Il serait même capable de lui dire à quel âge il a cessé de faire pipi au lit.

— Est-ce que tu penses sans arrêt au gars qui est tombé sous tes yeux ?

Shy hausse les épaules.

— Presque tout le temps, oui.

— Comment ça s'est passé ?

Shy revoit l'homme à la calvitie. Son regard affolé. Ses bras et ses jambes qui s'agitent avant qu'il ne soit englouti par les ténèbres.

— Il a lâché mon bras. Il voulait mourir. C'était sa décision. Tandis qu'avec la maladie de Romero, on n'a pas vraiment le choix.

Carmen hoche la tête, le nez dans son verre.

Pendant de longues secondes, les deux jeunes gens restent silencieux, partageant une douleur qui semble flotter dans l'air, tel un épais brouillard. Puis Carmen se racle la gorge et relance la conversation sur Hawaï.

6

Sancho de l'espace

— Je devrais te laisser retourner te coucher, dit Shy après avoir discuté encore un peu.

— Je reprends le travail tard demain, répond Carmen. Alors c'est toi qui vois.

— Je suis censé être à la piscine à 7 heures. Je devrais probablement essayer de grappiller une ou deux heures de sommeil. Merci pour la conversation, ajoute-t-il en poussant du doigt son pied nu.

— Pas de souci. (Elle ramasse la bouteille et la fait tourner jusqu'à ce que l'étiquette se trouve face à elle.) Par contre, tu connais la règle : avant de partir, tu dois me révéler quelque chose de nouveau sur toi.

Shy réfléchit, les yeux rivés sur la bouteille.

Carmen et lui ont l'habitude de terminer tous leurs tête-à-tête de cette façon. C'est elle qui a eu cette idée. En général, il choisit un détail insignifiant. Du genre qu'il n'a pas de second prénom ou qu'il a vécu un an à Los Angeles avec son père. Mais aussi que, de toute sa famille, c'est lui qui parle le plus mal espagnol et qu'il lui arrive de rire à des blagues alors même qu'il ne les a pas comprises.

Ce soir, cependant, sans doute à cause du vin, il se sent plus sûr de lui et il a envie de lui dévoiler quelque chose d'important.

— Alors ? insiste-t-elle.

Shy lève la tête et croise son regard. Il a beau y réfléchir, il ne sait pas quoi dire. Tout lui semble trop stupide pour un tel moment.

— Allez, Shy. Ça fait, quoi, deux semaines qu'on se connaît ? Tu as probablement un million d'autres choses à me raconter.

Et puis merde, puisqu'il ne parvient pas à trouver une idée originale, autant balancer ce qui lui vient à l'esprit.

— L'autre jour, j'étais sur le pont Lune de Miel, et j'ai pensé à un truc.

— Mais encore ?

— Au final, nous ne sommes rien de plus que des grains de poussière.

Carmen esquisse un sourire.

— Écoutez-moi ça, Shy qui part dans des considérations philosophiques.

Le jeune homme tient à s'expliquer ; aussi, sans relever la boutade, il poursuit.

— J'étais en train de regarder le ciel, et tu sais ce qui m'est venu à l'esprit ? Il est impossible que nous soyons seuls dans l'univers. Impossible.

Carmen pose la main sur l'une des baskets de Shy.

— Tu ne fais quand même pas partie de ces fêlés qui croient aux ovnis.

Il hausse les épaules. Maintenant qu'il a commencé, il veut aller jusqu'au bout. Peut-être ainsi pourra-t-il mieux comprendre lui-même ce qu'il ressent.

— Je parle de planètes que nous ne pouvons pas voir même avec le plus puissant des télescopes. De planètes carrément situées dans d'autres systèmes solaires.

Le sourire de Carmen s'élargit.

— On va dire que c'est plutôt le vin qui parle.

Elle a raison, Shy est bien éméché, il a l'impression qu'il pourrait raconter tout ce qui lui passe par la tête.

— Et tu sais ce que je crois ?

— Vas-y, éclaire ma lanterne.

— Je crois que sur l'une de ces lointaines planètes, il y a une version extraterrestre de moi, et une version extraterrestre de toi. Je suis certain que les routes de nos alter ego extraterrestres se sont croisées plus tôt dans leur vie. Au collège, ou au square sur les balançoires, un truc dans le genre. En moins de deux secondes, ils se sont entendus comme larrons en foire. Une sorte de coup de foudre. Et depuis, ils sont inséparables.

— Ah, bon. Et tu es sûr de ça ? demande Carmen en se retenant visiblement d'éclater de rire.

Mais Shy s'en moque. Maintenant qu'il est lancé, il n'a plus envie de s'arrêter.

— Je parie qu'en ce moment même ils sont sur un bateau. Comme nous, mais à des milliards de kilomètres d'ici. Et qu'ils refont le monde en buvant du vin.

Carmen secoue la bouteille dans l'espoir de remplir davantage le verre. Comme rien ne sort, elle finit par la reposer.

— Donc techniquement, tu es mon *Sancho* de l'espace, c'est ça ? Mon autre homme, dans un autre univers.

— Sur cette lointaine planète, je suis ton seul et unique homme, s'entend-il dire.

Carmen se laisse aller contre le mur, et croise les bras, l'air sceptique.

— Et comment sais-tu que nos alter ego extraterrestres s'apprécient ? Si ça se trouve, nous passons notre temps à nous disputer.

— Non. Nous ne nous disputons jamais.

— Tu en es sûr ?

— Oui. Parce que nous parlons de tout. Même de ce qui nous rend tristes. Et le Shy de l'espace te demande souvent comment tu te sens.

Carmen lui adresse un sourire et secoue la tête.

Le jeune homme continue sans réfléchir. Les mots jaillissent spontanément de son cerveau.

— Mais, il y a un test que l'on peut faire pour savoir si nos versions extraterrestres sont compatibles. Et on peut le faire ici, sur terre.

— Je n'en doute pas une seconde.

— Tu vois, la plupart des gens ne jurent que par les baisers et ce qu'ils ressentent l'un pour l'autre. Mais en réalité, c'est beaucoup plus simple que ça : il suffit d'observer ce qui se passe entre deux personnes quand elles se tiennent la main.

— On dirait un gamin de CM2. Tu t'en rends compte au moins ?

Mais Shy la voit baisser les yeux sur ses mains. Et en y pensant, il est sincèrement convaincu que tu peux déterminer si une fille te convient, rien qu'en lui tenant la main et en écoutant ton cœur.

— Peut-être qu'on devrait vérifier ? suggère-t-il. Juste pour voir.

Carmen s'esclaffe et change de chanson sur son ordinateur. Puis elle tourne à nouveau la tête vers lui, pour constater qu'il ne l'a pas quittée du regard.

— Tu es sérieux ?

Plutôt que de répondre, Shy hausse les épaules.

Il n'arrive pas à croire qu'elle envisage de passer son test. Des papillons dansent la java dans son ventre.

— Très bien, dit-elle en lui tendant la main, paume vers le haut, avec désinvolture.

Shy la prend délicatement, pousse un soupir nerveux, puis explique :

— C'est un test en trois parties, OK ? D'abord, nous allons commencer par la position standard, en faisant comme si nous étions un couple en train de mater un film au cinéma.

Leurs deux mains reposent, l'une dans l'autre, sur le genou de Shy qui lui semble plus vivant que jamais.

— OK, je ne vais pas mentir, c'est plutôt agréable. (Son cœur bat la chamade.) Qu'en penses-tu ?

— Je ne sens pas d'étincelle, si c'est ce dont tu parles.

Shy esquisse un bref sourire.

— Maintenant, voyons ce que ça donne avec nos doigts entrelacés.

Il joint le geste à la parole, son regard plongé dans celui de Carmen. La chaleur de la peau de la jeune femme se communique à la main du garçon et lui remonte dans le bras avant de se répandre dans tout son corps.

— Oui. La connexion est bien là. Tu la sens, n'est-ce pas ?

Cette fois-ci, elle s'abstient de répondre et son visage affiche une expression étrangement sérieuse.

Nerveux, Shy déglutit avec difficulté. Il est conscient que la situation lui échappe, mais il continue malgré tout.

— Très bien, il ne reste plus que la dernière partie. Sûrement la plus importante. Tu glisses ton index sous mon petit doigt. Comme ça.

Leurs doigts se balancent à présent doucement et Shy lutte pour contrôler sa respiration.

Tous deux ont les yeux fixés sur leurs mains.

Ils relèvent la tête exactement au même moment, et leurs regards se croisent.

Shy se frotte le menton en faisant mine de réfléchir alors qu'en réalité il se demande si elle se rend compte qu'il tremble.

— Finalement, je me suis peut-être trompé. Peut-être que nos alter ego se chamaillent tout le…

Avant qu'il ait terminé sa phrase, Carmen se penche et l'embrasse, lui faisant ainsi ravaler les mots qu'il s'apprêtait à prononcer.

Un baiser doux.

Et bref.

Elle écarte légèrement les lèvres en fermant les yeux, et s'éloigne aussi soudainement qu'elle s'est approchée.

Shy reste là, bouche bée, admirant son magnifique visage à la peau caramel. Ses lèvres parfaites. Tandis que de ses immenses yeux chocolat elle lui transperce le cœur.

Il lui lâche le doigt pour lui poser tendrement les mains sur les joues. Et il la contemple, comme il rêve de le faire depuis la minute où il l'a vue pour la première fois.

Carmen.

Il sent son sang lui battre les tempes avec force et sa respiration est haletante, désespérée.

Cette fois c'est à son tour de se pencher pour l'embrasser. Plus longuement. Avec passion. Carmen glisse ses mains dans ses cheveux et lui effleure les lèvres en murmurant son nom.

« Shy. »

Des picotements parcourent le corps du jeune homme.

Elle s'écarte pour mieux le regarder tandis qu'il essaie de comprendre ce qui est en train de se passer. Mais il n'arrive pas à réfléchir.

Il est là. Avec Carmen.

Et en même temps, il est loin, très loin, au milieu de l'océan, porté par les flots et bercé par son incessant babillage. Ou plus loin encore, sur cette planète dont il vient de lui parler, à l'autre bout de l'univers.

Elle le pousse contre le mur et l'embrasse à nouveau. Avec une fougue teintée de désespoir. Cette étreinte est d'une violence inédite pour lui. Cela ressemble davantage à de la lutte. Ils s'attrapent par les poignets, se bousculent, s'agrippent l'un à l'autre. Shy se laisse emporter par ce combat et lui rend son baiser en y mettant tout ce qu'il ressent pour elle. Leurs corps sont collés l'un à l'autre et il sent le souffle de la jeune femme s'infiltrer dans ses poumons.

Ils basculent à terre.

Elle est à présent au-dessus de lui.

Sans prendre garde, Shy donne un coup de pied dans la bouteille de vin et l'entend rouler dans le couloir. Les cheveux de Carmen tombent en cascade autour de son visage et dissimulent le sien, telle une cachette secrète. Il sent ses ongles s'enfoncer dans sa peau.

Puis soudain, c'est fini.

Elle s'écarte de lui et le regarde, haletante, l'air hébété.

Shy s'assied également. Il commence à dire son nom dans l'espoir de la retenir, mais elle se couvre la bouche, horrifiée, et se détourne de lui.

C'est alors qu'il prend conscience qu'il a tout gâché avec la seule fille capable de le comprendre.

Jour 2

7

Garçon de piscine

Shy a l'impression qu'il vient juste de s'endormir quand la sonnerie du réveil lui déchire les tympans.

Il se redresse brusquement pour l'éteindre.

6 h 30 du matin.

La première pensée qui lui traverse l'esprit est qu'il n'arrivera pas à tenir toute la journée. Il est bien trop fatigué. Sans parler de la gueule de bois.

Sa seconde pensée : Carmen.

Un nœud se forme dans son ventre.

La nuit dernière quand il a dit qu'il était désolé, elle s'est réfugiée dans sa chambre sans un mot. Il faut absolument qu'il lui parle au plus vite pour mettre les choses au clair. Qu'ils redeviennent amis, ou en reviennent tout du moins à leur relation antérieure, quelle qu'elle ait été.

Rodney se retourne dans son sommeil. Il dort à poings fermés, et un filet de bave coule sur son oreiller.

Ses énormes pieds engoncés dans d'épaisses chaussettes dépassent du lit. Il a l'air si paisible, à le voir ainsi on dirait que sa vie est un long fleuve tranquille. Si seulement tout le monde pouvait être aussi insouciant.

Avec un gros effort de volonté, Shy s'extirpe de sa couchette et avale un cachet d'aspirine. Puis il attrape son short et son polo aux couleurs de la compagnie, avant de se traîner jusqu'à la minuscule salle de bains pour prendre une douche froide.

Le jour commence tout juste à se lever quand il ouvre le stand sur le pont Lido encore désert. Le petit matin en mer est, la plupart du temps, d'une beauté époustouflante, et en général dans ces moments-là il se sent comme neuf. Mais aujourd'hui, c'est différent. Il est épuisé, et physiquement et nerveusement.

Tandis qu'il dépose une serviette sur chacune des deux cents chaises longues, il se repasse en esprit les événements de la nuit. Et ça lui donne envie de vomir. Foutu pinard. Toutes ces conneries à propos de leurs alter ego extraterrestres. Le test des mains. Embrasser Carmen était ce qu'il désirait le plus et en même temps la pire chose qui pouvait lui arriver.

Après avoir nettoyé le sol du pont, il retire la bâche du jacuzzi et le met en route. Puis, à l'aide du filet, il ramasse encore quelques bestioles dans la piscine et lance le traitement de l'eau. Le tout sans jamais cesser de guetter Carmen. D'ordinaire, elle fait un détour par la piscine avec son café du matin avant de se rendre à la salle Normandie. Et ils en profitent pour papoter quelques minutes.

Mais cela fait à présent plus d'une heure qu'il est là.

Et toujours aucun signe de Carmen.

Oubliant qu'elle est censée commencer tard, Shy fait un effort pour penser à autre chose. Comme le gars en costard contre lequel Kevin l'a mis en garde. Il faudra d'ailleurs qu'il aille en parler à Paolo pendant sa pause déjeuner, avant de prendre son service à la salle de sport. Puis il y a le rendez-vous internet avec sa mère. Si un nouveau drame a frappé sa famille, il ne sait vraiment pas ce qu'il fera. Surtout qu'il est coincé sur ce bateau, au beau milieu de l'océan. Trop loin pour être d'une aide quelconque à qui que ce soit.

Les passagers commencent à s'installer sur le pont au compte-gouttes. Quelques gamins frissonnants font la queue pour le toboggan tandis que leurs parents sirotent un café en liant connaissance. Installées sous un parasol de la compagnie, deux personnes âgées, affublées de lunettes de vieux, lisent des livres électroniques.

De l'autre côté du pont, le Restaurant de l'Île a ouvert et les odeurs de saucisses, bacon et gaufres embaument l'air, avec en fond sonore les tintements de la vaisselle et le brouhaha des conversations. L'aspirine a enfin dissipé la migraine de Shy. Après être allé chercher un café, il retourne à son stand afin de le boire en observant les gens et les nuages sombres qui s'accumulent à l'horizon.

À 10 heures, l'espace piscine est à moitié plein.

Shy fournit à ceux qui en expriment le désir des serviettes propres, des brassards, des masques de plongée, ainsi que le matériel pour jouer au minigolf ou au ping-pong. Des serveuses sillonnent les rangées de chaises longues afin de prendre les commandes. Le programme de la journée ainsi que l'ouverture des magasins duty-free sur la promenade principale sont annoncés via les haut-parleurs installés un peu partout sur le bateau.

Et toujours pas de Carmen.

Pas d'homme en costume noir non plus. Ce qui en soi n'a rien d'étonnant. Qui viendrait ici en costume alors que la température doit avoisiner les quarante degrés ? Le type doit probablement avoir enfilé un short. Shy n'a donc aucune idée de ce qu'il doit chercher.

Midi, le pont bourdonne d'activité et il fait chaud malgré les nuages qui continuent de s'amonceler. Presque toutes les chaises sont occupées. Il y a, entre autres, des femmes en bikini – élégantes sous leurs chapeaux à larges bords – qui grignotent les fruits de leurs cocktails ; et des hommes qui somnolent, ou observent la piscine, cachés derrière leurs lunettes noires, leurs bedaines rougies par le soleil.

Comme lors du premier voyage de Shy, les femmes sont bien plus jolies que les hommes. Et plus jeunes. Mais ce groupe est un peu plus généreux en ce qui concerne les pourboires. Alors qu'il parcourt à nouveau le pont afin de remplacer les serviettes utilisées, il a déjà une jolie petite somme au fond de la poche.

Dès que le panier à linge est plein, il le fait rouler jusqu'au local de service et revient avec des piles de serviettes propres et fraîches.

Il est à présent si occupé qu'il n'a plus le temps de réfléchir.

Ce qui lui convient parfaitement.

Il en est à son troisième trajet de la journée et s'apprête à regagner son stand quand il se fige sur place.

Carmen.

8

Un diamant éblouissant

Elle est de l'autre côté de la piscine, à une vingtaine de mètres de lui, en train de pousser un chariot chargé d'un ampli et d'un micro vers l'escalier qui mène à la salle Normandie.

Shy gare son panier de serviettes à côté de son stand et se dirige vers elle en réfléchissant à la meilleure façon de lui présenter des excuses. Mais, alors qu'il a presque fini de contourner le jacuzzi, un passager coiffé d'un chapeau de cow-boy lui coupe la route.

— Hé ! toi, l'interpelle l'homme. Tu veux voir la bague que je vais offrir à celle qui sera bientôt ma femme ?

Bien que pressé et surpris par la question, Shy fait de son mieux pour afficher un sourire estampillé Paradis et bafouille :

— Bien sûr, m'sieur.

Il jette un coup d'œil du côté de Carmen et constate qu'elle s'est arrêtée pour discuter avec Katrina, l'une des serveuses.

L'homme ouvre la banane en cuir accrochée sous sa bedaine de buveur de bière et plonge la main à l'intérieur. Sa moustache et ses favoris sont striés de gris. Quant à ses jambes maigres, elles sont si blanches que Shy se demande si leur propriétaire a déjà auparavant enfilé un short.

Il brandit pompeusement une petite boîte bleue.

— Je vais lui faire ma demande ce soir au dîner, dit-il d'un air fier. Elle ne se doute de rien.

Dans l'écrin se trouve un énorme diamant dans lequel se reflète la lumière du soleil, aveuglant Shy au passage.

— Waouh, monsieur, il est vraiment gros.

— Impressionnant, n'est-ce pas ?

— Très impressionnant, confirme le garçon en jetant un nouveau coup d'œil à Carmen.

Cette dernière est toujours en train de parler avec Katrina.

Il doit rapidement mettre fin à ce déballage, s'il veut avoir une chance de la rattraper avant qu'elle parte.

— Sept carats. Je parie que c'est la première fois de ta vie que tu contemples un diamant de sept carats.

— Jamais vu, c'est vrai. Même pas à la télé, répond Shy en se gardant bien de préciser qu'il s'en tape complètement.

— Tu vois, mon gars, je suis dans le pétrole. À la tête d'une grosse compagnie. Comme mon père. Et sais-tu ce que les Texans comme nous ont en commun ?

— Non, monsieur, c'est quoi ?

— Quand nous décidons de faire quelque chose, nous sortons le grand jeu.

Shy s'efforce de reporter son attention sur la conversation en cours, mais il ne cesse de jeter des coups d'œil furtifs à Carmen et Katrina. Tandis que l'homme continue à parler, il cherche quelque chose de flatteur à ajouter, car c'est peut-être en ça qu'il a échoué avec celui qui a sauté, mais rien ne vient.

Le Texan s'interrompt de lui-même au milieu d'une phrase et suit le regard du garçon.

— Mademoiselle ! appelle-t-il alors.

Carmen se pointe elle-même du doigt et articule « Moi ? ».

L'homme hoche la tête et lui fait signe de venir.

— Vous voulez bien nous rejoindre ? Cela ne vous prendra qu'un instant.

Shy parvient à conserver son sourire, mais à l'intérieur c'est la panique.

Il ne souhaite vraiment pas que leur premier échange depuis l'incident de la veille soit chaperonné par un cow-boy.

Carmen salue Katrina et pousse son ampli jusqu'à eux en affichant sa propre version du sourire Paradis.

— Il faut que tu voies cette bague, lui dit Shy.

Il tente de se comporter comme si tout était normal, mais le fait qu'elle ne lui accorde pas un regard ne l'aide guère.

— Il ne s'agit pas de n'importe quelle bague, renchérit le Texan en tapotant la boîte fermée, ornée du logo Tiffany. Mais chaque chose en son temps, ma beauté. Comment t'appelles-tu ?

— Carmen, répond-elle.

— Un joli nom, pour une jolie fille. Et d'où viens-tu, Carmen ?

— San Diego, monsieur.

— Je veux dire, de quelle race es-tu ?

Carmen est plutôt douée pour simuler l'amabilité, mais Shy devine qu'elle meurt d'envie de flanquer au vieux un coup de genou bien placé.

— À votre avis ?

— D'accord. (Avec un grand sourire, il la détaille de la tête aux pieds en s'attardant sur son décolleté.) Mais je te préviens, mes affaires m'ont amené à faire le tour du monde, et je m'y connais en femmes.

Il la fait tourner sur elle-même afin de pouvoir admirer ses fesses. Shy commence lui aussi à s'énerver. S'ils n'étaient coincés sur un bateau de croisière, il aurait déjà pris la bague ainsi que la main de Carmen et serait à mi-chemin d'Ensenada.

— Brésil ?

— Pas loin, répond Carmen en levant les yeux au ciel à l'intention de Shy.

— Portugal ?

— Je suis mexicano-américaine.

— Mexicaine ? Vraiment ? Quel genre ?

Carmen éclate de rire.

— Mexicaine du Mexique, monsieur. Comme lui, ajoute-t-elle en désignant Shy. Nous sommes tous les deux métis.

À présent, Shy toise le cow-boy d'un air dédaigneux dans l'attente de la prochaine ineptie raciste.

— Eh bien, vous ne ressemblez pas du tout aux Mexicains que nous avons au Texas.

— Ça va peut-être vous paraître difficile à croire, réplique Shy, un sourire hypocrite plaqué sur le visage, mais tous les Mexicains ne se ressemblent pas, monsieur.

Carmen lui écrase le pied en le fusillant du regard, mais de toute façon l'homme ne l'a pas entendu. Il est trop occupé à intégrer à la conversation une jeune brune d'une vingtaine d'années vêtue d'un maillot de bain noir une pièce.

Shy prend Carmen par le coude et lui demande à voix basse :

— Je peux te parler une minute ?

Sans même le gratifier d'un regard, elle se dégage d'un mouvement sec.

— Non, je veux voir la bague de ce *culo.*

Shy la dévisage.

Il est clair désormais qu'elle lui reproche ce qui s'est passé la nuit dernière. Elle se comporte comme s'il avait tout prémédité et qu'elle n'avait été qu'une innocente spectatrice.

OK.

— Où dînez-vous ce soir ? s'enquiert le Texan auprès de la jeune femme en maillot de bain.

— Au Destin, répond-elle, visiblement embarrassée.

— Quel service ?

— 20 h 30.

— Qu'est-ce que vous dites de ça ? s'exclame-t-il en se tournant vers Carmen et Shy. Elle sera là pour ma grande représentation.

— Quelle représentation ?

— J'ai l'intention de demander ma compagne en mariage pendant le repas, devant tout le monde. Ils vont même me fournir un micro.

Sur ce, il brandit à nouveau l'écrin Tiffany en l'ouvrant.

— Oh mon Dieu, s'écrie Carmen en contemplant l'énorme pierre.

L'autre femme porte la main à son cœur.

Shy les regarde tour à tour. Elles sont bouche bée, et on dirait que leurs yeux vont jaillir de leurs orbites. Est-ce que toutes les jolies filles bavent sur les bagues hors de prix comme les garçons bavent sur elles ? Et quelles chances cela laisse-t-il à un lycéen fauché dans son genre ?

D'autres passagères se pressent à présent autour du Texan et de sa bague, ainsi qu'une serveuse que Shy n'a encore jamais vue, et un homme aux cheveux grisonnants accompagné de deux jolies filles approximativement de l'âge de Shy. Le garçon détourne les yeux en voyant l'homme le dévisager, il est sans doute le père de l'une d'elles.

Puis il se penche vers Carmen et essaie à nouveau.

— Sérieux, j'ai vraiment besoin de te parler.

— Impossible, *spaceman,* je suis en retard, réplique-t-elle en consultant sa montre avant de lui tapoter l'épaule. Mais j'ai établi de nouvelles règles nous concernant. Si tu as de la chance, peut-être que je te dirai lesquelles. Si je me souviens bien, tu es en pause pendant le service de 20 h 30, n'est-ce pas ?

Shy acquiesce d'un signe de tête. C'est encore pire que ce qu'il croyait.

— Retrouve-moi à l'accueil du Destin, nous assisterons à la demande de Roméo. Après, si je me sens d'humeur charitable, nous discuterons.

Sur ce, sans même le saluer, elle fait pivoter son chargement et prend la direction de l'escalier.

Shy a comme l'impression que ces nouvelles règles ne vont pas lui plaire.

Les yeux rivés sur la queue-de-cheval de Carmen qui se balance tel un pendule, il se répète en boucle :

Ne regarde pas ses jambes. Ne regarde pas ses jambes. Ne regarde pas ses jambes.

Et il regarde ses jambes.

9

Une invitation à dîner

Shy retourne à son stand et s'excuse auprès du petit groupe qui attend devant. Il distribue quelques serviettes, des fléchettes, un jeu de cartes et une console, sans oublier de faire remplir la feuille de sortie avec le numéro de cabine et une signature.

La dernière personne à se présenter est l'une des filles qui, quelques minutes plus tôt, admiraient le diamant du Texan.

— Il nous faudrait de quoi jouer au ping-pong, dit-elle en désignant derrière elle l'autre lycéenne et l'homme aux cheveux gris.

— Je vous donne ça tout de suite.

Shy ouvre l'un des tiroirs qui se trouvent devant lui et en sort trois raquettes et un sachet de balles.

— Ce sont nos meilleures raquettes. Je les ai déballées hier, commente-t-il en lui tendant le matériel.

Elle prend le tout d'un air blasé, sans même y jeter un coup d'œil.

— Je dois signer quelque part ?

Shy lui montre la feuille de sortie, puis la regarde se saisir du stylo et écrire son nom : Addison Miller.

Elle est encore plus jolie de près. Une chevelure blonde et lisse qui lui descend en dessous des épaules. Des yeux d'un vert lumineux. Quelques taches de rousseur sur l'arête du nez et sur les joues. Étrange comme la vue d'une jolie fille parvient instantanément à rendre à Shy sa bonne humeur.

— Vous vous débrouillez bien ? demande-t-il en désignant les raquettes.

Elle se renfrogne comme si c'était la question la plus nulle qu'elle ait jamais entendue.

— On joue seulement parce que mon père nous y oblige.

Avant que Shy ait la possibilité de répondre, un gamin aux cheveux en bataille déboule.

— Hé ! connard, s'écrie-t-il.

Shy baisse les yeux sur lui.

— Pardon ?

— T'es sourd ou quoi ? rétorque le mioche de sa voix aiguë. Je viens de te traiter de connard. Je me suis pointé tout à l'heure pour chercher du matos et t'étais pas là.

Le gosse doit avoir une dizaine d'années et est maigre comme un clou. Avec ses cheveux qui lui tombent devant les yeux, on dirait une marionnette du Muppet Show.

Shy se force à sourire malgré son envie de balancer l'impertinent dans la piscine.

— Désolé, bonhomme. Je suis là à présent. Qu'est-ce que je peux faire pour...

— M'appelle pas bonhomme, s'énerve le gamin. C'est pas parce que je suis jeune que t'as le droit de me manquer de respect.

Shy en reste bouche bée.

L'homme aux cheveux gris apparaît soudain.

— Holà ! Quel est le problème ?

— C'est ce connard qui ne fait pas son boulot, se plaint le gosse en désignant Shy.

Ce dernier ne veut plus balancer le gamin à la flotte, au lieu de ça il meurt d'envie d'épingler sa tête de Muppet au stand.

L'homme sourit à Shy.

— Sacré vocabulaire ! Qu'en dites-vous (il baisse les yeux sur le badge de Shy), Shy ? On le jette par-dessus bord ?

La blonde adresse à son père un regard de reproche.

— Ça me paraît être une bonne idée, monsieur, répond Shy en jouant le jeu.

L'enfant marmonne quelques jurons supplémentaires, puis ajoute :

— Donne-moi ce stupide club de golf et la balle qui va avec.

La seconde fille s'est rapprochée et passe la main dans ses longs cheveux noirs, avec une expression amusée.

Shy se tourne pour ouvrir le placard qui se trouve derrière lui.

— Voyons ce que je peux faire pour toi. Ah, voilà ! (Il lui remet un club légèrement tordu et la balle la plus abîmée du lot.) Exactement ce qu'il te faut.

Le gosse examine la balle d'un air dégoûté, toutefois il se contente de signer avant de se diriger vers l'escalier menant au minigolf sans même un commentaire désobligeant.

Aussitôt qu'il a disparu, l'homme tend la main à Shy.

— Jim Miller.

— Shy Espinoza. Merci pour votre intervention.

— Il fallait bien que quelqu'un s'en charge. Vous avez déjà fait la connaissance de ma fille, Addison. Et voici son amie, Cassandra.

— Ravi de vous rencontrer, dit Shy avec son sourire Paradis.

Cassandra rejette ses cheveux d'une épaule à l'autre d'un mouvement de tête tout en faisant éclater une bulle de chewing-gum. Quant à Addison, elle fusille à nouveau son père du regard. De toute évidence, ni l'une ni l'autre n'ont envie de prendre part à cette conversation.

— Alors, s'impatiente Addison. On y va ?

Mais l'homme continue de sourire en dévisageant Shy.

Addison attrape son père par le bras et le tire.

— C'est toi qui voulais jouer à ce jeu débile, alors viens.

— Attends, j'ai une idée, répond-il en se tournant vers les filles. Vous ne cessez de vous plaindre qu'il n'y a personne de votre âge sur ce bateau. Eh bien, Shy a votre âge.

Les deux filles échangent une grimace.

— Oui, mais lui il travaille ici, réplique Cassandra comme si envisager de passer du temps avec un membre de l'équipage était absurde.

— Et qu'est-ce que ça change ? Vous savez quoi ? Je pense qu'on devrait l'inviter à dîner.

— Arrête, papa, ça devient malsain.

— Non merci, monsieur, intervient Shy qui n'en a pas plus envie que les filles. De toute façon, je doute que nous soyons autorisés à…

— J'insiste. Vous nous rejoindrez pour le dîner à mon retour de l'île, dans deux jours. Si vous êtes de service ce soir-là, j'irai voir le capitaine pour tout arranger.

Ne sachant quoi répondre, Shy reste là, les bras ballants. Son sourire professionnel accroché au visage, il se demande de quelle île parle ce type. Hawaï ? N'est-ce pas là qu'ils vont tous ?

Les filles lancent à présent à l'homme des regards venimeux. C'est pourtant clair. Elles n'ont aucune envie de manger avec Shy, et réciproquement. Alors pourquoi insiste-t-il autant ?

— J'enverrai quelqu'un vous dire où nous retrouver.

— Bon sang, papa, tu es ridicule.

Elle parvient enfin à l'éloigner du stand et l'entraîne vers la salle de ping-pong de l'autre côté de la piscine.

Shy les regarde partir en essayant de comprendre ce qui vient de se passer. Hors de question qu'il aille dîner avec des clients. Peu importe si les filles sont canon, ce serait une véritable torture. Et puis, c'est interdit. Par ailleurs, où peut bien se rendre cet homme au beau milieu d'une croisière ?

Puis il lui revient à l'esprit que les passagers peuvent faire à peu près tout ce qu'ils veulent, pour peu qu'ils en aient les moyens financiers. De plus, celui-là a l'air d'être en bons termes avec le capitaine.

Shy jette un coup d'œil à la feuille de sortie. Addison Miller. Même son nom fait pimbêche. C'est une des choses qu'il aime le plus chez Carmen. Elle est la plus belle fille à bord, équipage et passagers confondus, et elle se comporte comme si de rien n'était.

Il reporte son attention sur le ciel où les nuages gris continuent de s'amasser. À ce rythme, ils vont finir par cacher le soleil, auquel cas il y aura plus de monde à la salle de sport quand il y prendra son service, ce qui veut dire davantage de boulot. Tout en balayant du regard l'espace piscine, il se prépare à faire un dernier tour pour changer les serviettes avant sa pause. À sa grande surprise, il aperçoit Rodney qui remonte le pont d'un pas lourd.

— Shy, appelle-t-il en arrivant à hauteur du jacuzzi.

Plusieurs personnes tournent la tête dans sa direction.

Une fois devant Shy, il pose ses avant-bras sur le comptoir en se penchant pour reprendre son souffle.

— Rod, qu'est-ce que tu fous là ?

Rodney inspire profondément à plusieurs reprises, puis se redresse et croise le regard de son ami.

— Il faut que tu viennes avec moi. Tout de suite.

— Pourquoi ? Que s'est-il passé ?

— Quelqu'un s'est introduit dans notre cabine.

10

Des nouvelles de la maison

Rodney déverrouille la porte et la maintient ouverte afin que Shy entre le premier. Leurs affaires sont éparpillées dans toute la pièce. Les tiroirs ont été vidés, et il y a des vêtements partout. Leurs lits ont été défaits, les matelas retournés et les oreillers sortis de leurs taies. Toutes les photos de famille que Shy gardait dans son sac à dos sont à présent pêle-mêle sur le bureau à côté de l'ordinateur portable de Rodney.

— Je n'ai touché à rien, précise ce dernier. Je voulais que tu voies la cabine exactement dans l'état où je l'ai trouvée.

Shy rassemble ses photos et regarde la première : sa grand-mère, la poêle à la main, en train de préparer l'une de ses fameuses tortillas.

Pourquoi quelqu'un s'intéresse-t-il à ses effets personnels ? Ça n'a aucun sens.

— Je revenais des cuisines et j'ai vu que notre porte était entrouverte. Au départ, j'ai pensé que tu étais en train de dormir. Mais quand je suis entré… (Rodney agite la main en direction du fatras.) Qui a bien pu faire ça ? En dehors de l'équipage, personne n'est autorisé à venir dans cette partie du bateau.

Shy repère son passeport à moitié caché sous son lit, et sur un jean délavé, son portefeuille. Il le ramasse. Son billet de cent se trouve toujours à l'intérieur, de même que sa carte de crédit et sa pièce d'identité.

— Il ne me manque rien.

— À moi non plus, renchérit Rod.

Et s'il ne s'agissait pas d'un cambriolage ? Ça pourrait être l'œuvre de l'homme au costume noir. Mais pourquoi forcer la porte de leur cabine et fouiller dans leurs affaires ? Il aurait tout aussi bien pu venir voir Shy directement et l'interroger à propos du suicide, comme l'avaient déjà fait le service de sécurité de la compagnie et les flics qui l'attendaient à la fin de la première croisière.

Rodney remet son matelas en place et s'assied, les coudes sur les genoux.

— Je me sens violé, mon pote.

— M'en parle pas, réplique Shy en rangeant son portefeuille et son passeport dans le coffre avant de le fermer.

Si ça se trouve, il est encore plus dans la panade qu'il l'avait imaginé. Peut-être sont-ils à la recherche d'un bouc émissaire sur le dos duquel coller la mort du gars. Qu'est-ce qui lui dit qu'ils ne sont pas en train d'essayer de le piéger ?

— Ce n'est pas comme avec un boulot classique. On ne rentre pas chez nous à la fin de notre service. On vit ici, merde ! s'énerve Rodney.

Shy culpabilise. Son ami ne devrait pas être mêlé à ça, juste parce qu'ils dorment dans la même pièce. Ce n'est pas lui qui a laissé le passager tomber. Pas lui qui était trop faible pour tenir quelques minutes de plus. Le garçon a le sentiment qu'il devrait parler à Rodney de l'homme en noir. Mais il manque de temps et il n'est pas sûr que ce dernier soit vraiment à blâmer.

— Écoute, dit-il, quand j'aurai fini à la salle de sport, j'irai demander à Paolo s'il est au courant de quelque chose.

Rodney hoche la tête.

— Je m'en serais bien chargé, mais je dois être de retour en cuisine dans vingt minutes.

Shy jette un coup d'œil à son réveil.

14 h 30.

Merde.

— Eh, Rod ? Je sais que le moment est mal choisi, mais est-ce que je pourrais utiliser ton ordinateur ? J'ai promis à ma mère de la retrouver sur Skype. Ça ne sera pas long.

— Pas de souci, vas-y, répond Rodney en se levant. Tu veux que je m'en aille ?

— Non, c'est bon. Merci.

Pendant que son ami, derrière lui, s'attaque au rangement, Shy s'installe et démarre l'ordinateur.

Il commence à se sentir comme prisonnier sur ce bateau. Des gens l'espionnent, saccagent sa cabine. Et il n'a nulle part où se cacher. Il essuie quelques gouttes de transpiration sur son front et, la gorge nouée, déglutit avec difficulté.

L'écran s'allume enfin. Shy se connecte à Skype et appelle chez lui. Tandis que ça sonne, il parcourt une nouvelle fois du regard le carnage qui l'entoure en secouant la tête. Dès qu'il aura fini son service, il ira trouver Paolo, en espérant que celui-ci pourra lui apporter des réponses.

Le visage de sa mère apparaît alors. Il est évident qu'elle a pleuré. Shy se penche vers l'écran.

— Maman, qu'est-ce qu'il y a ? Qu'est-il arrivé ?

Elle se passe une main sur la figure et inspire profondément. Ça n'est pas bon signe, sa mère est quelqu'un de solide, Shy l'a rarement vue pleurer.

— Tu vas bien ? ajoute-t-il.

— Non.

— Qu'est-ce qu'il y a ?

— C'est Miguel, mon cœur.

En entendant le prénom de son neveu, Shy a le souffle coupé. Que ça puisse concerner l'enfant ne lui avait pas effleuré l'esprit.

— Il est malade ?

Elle baisse les yeux, sans répondre.

— Maman, dis-moi que ce n'est pas Romero ? Je t'en prie.

À ses larmes, il comprend qu'il a vu juste.

Il tape du poing sur le bureau. D'abord sa grand-mère, et maintenant le petit !

— Vous l'avez emmené à l'hôpital ? Il a vu un docteur ?

Sa mère se tamponne le visage avec un mouchoir en papier et respire profondément pendant de longues secondes afin de recouvrer son calme.

— Nous y sommes allés à la première heure ce matin, explique-t-elle d'une voix tremblante. Ils ont trouvé un remède. Le docteur a affirmé que si le patient commençait le traitement dans les vingt-quatre heures, il avait de bonnes chances de s'en tirer.

— Ils vont le garder pour la nuit ? s'inquiète Shy en pensant au coût de l'hospitalisation.

Elle acquiesce d'un signe de tête.

— Et je parie que le traitement coûte une fortune, lui aussi.

— Pour l'instant l'argent est le dernier de nos soucis, Shy.

— Je sais.

Mais il sait également que sa sœur n'a pas d'assurance. Elle ne pourra jamais payer ce qu'ils lui demanderont. Sa mère non plus.

— Maman ? Je veux que tu fasses quelque chose pour moi. Encaisse le chèque que j'ai gagné et donne l'argent à Teresa.

— Ce ne sera pas la peine. Nous avons des sous. Les amis de ta sœur ont été très généreux...

— Encaisse le chèque, maman. Je suis sérieux.

— Je ne t'ai pas appelé pour ça, Shy. Je voulais juste que tu saches ce qui se passait à la maison.

— J'ai bien compris. Mais fais-le pour moi. J'adore ce gamin.

Shy sent sa gorge se nouer à nouveau. Il partage la chambre de Miguel depuis le jour où sa sœur l'a ramené de la maternité. Il le considère davantage comme son frère que comme son neveu.

— C'est tout ce que je peux faire d'ici.

— Tu en as déjà tant fait pour notre famille depuis que ton père est parti.

Le jeune homme s'essuie une fois de plus le front.

— Je n'aurais jamais dû accepter de travailler sur ce bateau.

— Shy, écoute-moi. Tu te souviens des lapins de Teresa ?

Pas de réponse.

— Tu t'en souviens, n'est-ce pas ?

Oui, il se rappelle.

Quand ils étaient petits, sa sœur avait reçu deux lapins comme cadeau d'anniversaire. Elle les aimait plus que tout et avait pris l'habitude de les emmener avec elle dans une cage chez les voisins et de laisser ses copains les câliner. Mais un jour, alors qu'elle et son amie Marisol déjeunaient dans l'allée derrière leur immeuble, le chien d'un voisin avait réussi à mettre la gueule dans la cage et avait tué les deux lapins. Puis il s'était assis à côté pour garder les restes. Teresa était rentrée à toute vitesse à la maison en hurlant tout ce qu'elle pouvait. Shy et sa mère l'avaient ensuite suivie jusque dans l'allée.

Après s'être mouchée, sa mère reprend :

— Ta sœur et moi étions anéanties, nous avons dû quitter les lieux. Et toi, qu'as-tu fait ?

— J'ai nettoyé, répond-il d'une voix calme.

— Tu as chassé le chien et mis ce qu'il restait des lapins dans une boîte. Puis tu es parti chercher la vieille pelle de ton père, tu as creusé un trou dans le terrain en friche tout proche et tu les as enterrés. Tu n'avais que sept ans, Shy. Tu étais à peine plus âgé que Miguel aujourd'hui. Et je n'arrêtais pas de me demander où mon fils avait appris ça.

Gêné, Shy s'agite sur chaise.

— Ils pensent vraiment que le traitement va marcher ?

— C'est ce que le docteur a affirmé. Mais, là où je veux en venir, c'est que je ne veux pas que tu culpabilises parce que tu es loin. Tu travailles, Shy. Tu aides ta mère.

— Tiens-moi au courant par mail, d'accord ? Aussi souvent que possible.

— Promis. Est-ce qu'on peut se reparler demain ? J'ai besoin de voir le visage de mon fils.

Shy hoche la tête tout en visualisant son petit neveu dans un lit d'hôpital, le blanc de ses yeux déjà injecté de sang. Cela lui brise le cœur.

Sa mère se passe une fois de plus la main sur la figure et son regard se pose derrière Shy.

— Qu'est-il arrivé à ta chambre ?

Shy jette un coup d'œil par-dessus son épaule à Rodney qui est en train de ranger.

— Nous faisons un peu de réorganisation, ment-il en se tournant à nouveau vers sa mère. Demain entre 14 h 30 et 15 heures ? D'accord ? Et n'oublie pas de m'envoyer des nouvelles par mail.

— Promis.

— Sérieusement, m'man. Encaisse mon chèque.

— Prends soin de toi, Shy. Je t'aime.

— Moi aussi, je t'aime.

Shy ferme la fenêtre d'appel et éteint l'ordinateur. Puis il reste sans bouger quelques secondes, secoué par ce qu'il vient d'apprendre. De savoir que son neveu a la maladie de Romero, ses propres problèmes lui semblent à présent ridicules. Il réprime avec difficulté l'envie de donner un coup de poing dans le mur qui se trouve devant lui.

— Ça va ? s'inquiète Rodney.

Shy inspire profondément, se retourne et remarque que Rodney range aussi ses affaires à lui.

— J'ai connu mieux.

— Je suis désolé pour ton neveu. C'est quoi cette maladie de Romero ?

— Tu n'en as jamais entendu parler ? Chez nous c'est le principal sujet de conversation.

— Le nom me dit quelque chose. Des gens en sont morts, c'est ça ?

Shy secoue la tête en se rappelant tout ce que sa grand-mère a enduré.

— C'est une maladie abominable, il y a eu de nombreux cas par chez nous. Les yeux des gens atteints deviennent rouges, et ils commencent à voir flou. Ensuite leur peau se dessèche jusqu'à s'écailler. Puis ils meurent complètement déshydratés en à peine plus de deux jours.

— La vache ! s'exclame Rodney, horrifié.

Shy se lève et attrape son uniforme. Il refuse d'envisager la disparition de Miguel.

— Il s'en tirera. Il existe des médicaments à présent.

Rodney se tient debout, les mains sur les hanches, et hoche la tête.

14 h 45, constate Shy en consultant son réveil.

— Je dois filer à la salle de gym. Ne t'occupe pas de mes affaires. Je terminerai tout à l'heure.

— Ça ne me dérange pas, le rassure son ami.

— Dès que j'aurai fini mon service, je passerai voir Paolo, dit Shy en ouvrant la porte pour partir.

— Shy ?

Il se retourne, et Rodney s'éclaircit la voix avant de lui demander :

— Tu penses que celui qui a fait ça va revenir ? Genre, quand on dormira ?

Peut-être est-ce à cause de la mauvaise nouvelle qu'il vient d'apprendre, ou juste parce qu'il est épuisé, mais la question de Rodney le prend à la gorge. Il suffirait d'un rien pour qu'il se mette à pleurer. Ce qui ne lui est plus arrivé depuis l'enfance. En cela, il ressemble beaucoup à sa mère.

— Je ferai ce qu'il faut pour que ça ne se reproduise pas.

Sur ces mots, il tourne les talons et s'en va.

11

Ici, les noms sont sans importance

Le soleil a complètement disparu derrière d'épais nuages gris, et les passagers qui, un peu plus tôt, bronzaient au bord de la piscine se réfugient à présent dans les autres parties du bateau. La salle de gym est bondée. Shy distribue des serviettes, nettoie les immenses miroirs, ainsi que les machines quand elles sont libres, montre comment régler la température du sauna, assiste quelques gars aux prises avec les haltères, offre des bouteilles d'eau et de boisson énergisante… Pendant les quatre heures qui suivent, il est si occupé qu'il a à peine le temps de penser à Miguel.

Ce n'est qu'en voyant Frederick, le Danois, arriver pour prendre la relève qu'il se rend compte que son service est fini.

— Tout va bien ? lui demande son collègue en rangeant son sac à dos derrière le comptoir de la réception.

Shy lui désigne la salle où une trentaine de passagers transpirent sur divers engins, le nez collé à leur télé individuelle.

— C'est juste blindé de monde. On n'a presque plus de serviettes, mais j'ai prévenu Claudia. Le réapprovisionnement ne devrait pas tarder.

— Super.

Shy récupère ses affaires dans le cagibi réservé au personnel, puis, après avoir salué Frederick, se dirige vers la sortie. Alors qu'il est en train de pousser la porte, il tombe nez à nez avec Addison et Cassandra, les deux pestes de la piscine. En le voyant, elles échangent un regard et éclatent de rire.

— Qu'y a-t-il de si drôle ? demande Shy en jetant un coup d'œil à leurs tenues de sport moulantes.

Des filles aussi agaçantes ne devraient pas être aussi bien roulées.

Et un garçon avec un neveu malade ne devrait pas se laisser distraire par ce genre de chose.

— Oh, rien, répond Addison.

— Tu travailles également à la salle de gym ? s'étonne Cassandra.

Décidant que l'humour est la meilleure parade à leur attitude, Shy réplique :

— Je fais tout, sur ce bateau. Encore un ou deux voyages, et je serai probablement nommé capitaine.

Les deux filles se regardent à nouveau.

— Oh, la jolie blague, se moque Cassandra.

— Comme c'est mignon, renchérit Addison avant de s'esclaffer une fois de plus.

Shy a le sentiment de passer pour l'idiot du village et décide qu'il est temps de mettre fin à cette conversation pour aller parler à Paolo.

— Bon, c'est pas tout ça, mais j'ai des choses à faire. C'était un plaisir de vous revoir, conclut-il en levant les pouces d'un air sarcastique.

Il vient juste de les dépasser quand Addison lui agrippe l'épaule.

— Au fait, Cassie a décrété que vous dîneriez en tête à tête tous les deux.

L'intéressée se tourne vers son amie et s'exclame, les yeux écarquillés :

— Espèce de garce !

— Bah quoi ? Ça sera impec. Je pourrai poster quelques photos en ligne : « Cassie et son garçon de piscine. » Tu imagines la tête des copains ?

Et les voilà qui partent d'un nouvel éclat de rire. Shy libère son bras et, toujours avec le sourire, prend congé.

— Bon sport.

— Oh, ne te vexe pas pour si peu, ce n'était qu'une boutade, lui dit l'une des deux sans qu'il parvienne à déterminer laquelle.

Il les salue de la main sans se retourner et commence à descendre l'escalier en espérant qu'elles vont en baver pendant leur séance.

Paolo n'est pas dans son bureau.

Vlad et Kyle, les deux gars de la sécurité que Shy trouve en salle de pause, lui apprennent qu'il est en réunion avec le capitaine à cause de la météo. Comme ils ignorent quand leur responsable sera de retour, Shy repart. Il reste planté au milieu du hall pendant quelques minutes, tout en réfléchissant à ce qu'il va faire ensuite. Il a encore une heure et demie à tuer avant son rendez-vous avec Carmen au restaurant. Il pourrait continuer à chercher Paolo, ou tâcher de dormir un peu. Mais ce qu'il aimerait vraiment, ce serait rejoindre Carmen afin de lui parler de son neveu. Sauf qu'après ce qui s'est passé, elle refusera de le voir débarquer dans sa cabine. Au final, il décide d'aller voir son patron, le superviseur Franco. De toute façon, en principe, tous les problèmes sont censés lui être notifiés en premier.

La maladie de Romero

Pendant la longue marche jusqu'à l'autre extrémité du bateau, Shy repense à sa grand-mère, et à la maladie qui l'a emportée.

Ses premiers symptômes avaient été exactement les mêmes que ceux décrits aux infos : le blanc des yeux qui vire au rouge, la vision qui se trouble. Elle avait également atteint un tel stade de déshydratation que sa peau complètement desséchée la démangeait en permanence, et qu'il lui était devenu difficile d'aller aux toilettes. Pourtant, elle avait refusé de voir un médecin.

— J'ai soixante-sept ans et c'est loin d'être ma première grippe. Je ne vois pas ce que celle-ci a de spécial, avait-elle dit à sa fille.

— C'est bien le problème. Je crains que ça soit plus qu'une simple grippe.

Sa grand-mère avait secoué la tête d'un air las et était partie s'allonger dans sa chambre. À l'époque, la plupart des gens n'avaient jamais entendu parler de la maladie de Romero. Shy, lui, était au courant grâce à un article dont lui avait parlé sa mère. Une dizaine de personnes étaient décédées aux États-Unis, toutes dans les villes frontalières de Californie telles que Tecate, San Ysidro, Otay Mesa et National City. Cependant il ignorait alors que des milliers avaient déjà succombé de l'autre côté de la frontière, à Tijuana. Parmi eux, le jeune et populaire fils d'un gouverneur : Victor Romero. C'était son nom que les médias avaient donné à la maladie.

Le lendemain, la grand-mère de Shy s'était écroulée dans la cuisine tandis qu'elle préparait une brioche.

Elle s'était réveillée une fois admise à l'hôpital et, pendant plusieurs heures, avait été incapable de reconnaître sa fille et ses petits-enfants. Elle avait demandé à Shy s'il savait où elle pourrait trouver Jésus. Puis si la fin du monde était arrivée et si on avait oublié de l'embarquer sur le vaisseau spatial. Le blanc de ses yeux était devenu rouge sang, sa peau tannée avait pris l'aspect jauni et cassant du vieux papier, et elle ne cessait de se gratter les bras et les jambes.

Les médecins avaient bientôt diagnostiqué la maladie de Romero et l'avaient placée en quarantaine dans une unité spéciale. Après avoir à leur tour passé les tests, heureusement négatifs, Shy et sa famille avaient été autorisés à veiller leur aïeule depuis l'extérieur de la chambre, séparés d'elle par une vitre épaisse.

Au milieu de la nuit, Shy avait entendu une alarme et avait levé la tête pour voir sa grand-mère s'arracher des lambeaux de peau, ses draps couverts de sang. Sa mère était partie chercher de l'aide en criant. Un groupe d'infirmières avait débarqué, équipé de combinaisons intégrales, et elles avaient maintenu la vieille dame en place jusqu'à l'arrivée en catastrophe d'un médecin qui lui avait enfoncé dans la cuisse une longue aiguille.

Tandis que sa mère et sa sœur étaient secouées de sanglots hystériques, tous trois avaient été repoussés jusqu'à la salle d'attente où Shy avait commencé à faire les cent pas, incapable de donner sens à ce qui était en train de se produire. Deux jours plus tôt, sa grand-mère était en pleine forme, occupée à remplir l'un de ses albums en regardant la télévision. À présent, elle avait l'air sortie tout droit d'un film d'horreur.

Une demi-heure plus tard, le médecin les avait rejoints dans la salle d'attente, la tête basse, et leur avait présenté ses condoléances.

La porte du bureau du superviseur est ouverte. Shy s'apprête à frapper pour s'annoncer, mais il suspend son geste en voyant qu'il est occupé avec l'homme coiffé à la Einstein, celui qui passe son temps à écrire dans son petit carnet à couverture de cuir.

Franco lève la tête et lui demande :

— Que puis-je pour toi ?

— Ce n'est rien. Je reviendrai plus tard.

— Tu peux attendre à l'extérieur. Nous avons presque fini.

Shy s'éloigne de la porte, s'adosse au mur et ferme les yeux. Tout en écoutant la voix marquée d'un fort accent de Franco, il tente d'imaginer son neveu dans la même chambre que sa grand-mère. Mais c'est impossible. Miguel est trop fort pour ça. Le gamin n'a jamais attrapé le moindre rhume. Il se remémore une partie de ballon qu'ils ont jouée ensemble, quelques heures avant qu'il embarque pour son premier voyage, dans l'allée derrière leur immeuble. L'une des passes de Shy avait glissé entre les mains de l'enfant et le pauvre s'était pris le ballon de football en plein visage. Il avait eu la lèvre fendue, et pourtant il ne s'était pas effondré. Tandis que le sang dégoulinait sur son menton et imbibait son T-shirt, il avait regardé Shy avec un sourire en coin, allant jusqu'à émettre un petit rire, alors même que ses yeux se remplissaient de larmes.

Shy rouvre les yeux en sentant une main sur son épaule.

Le type qui se trouvait dans le bureau de Franco l'observe avec attention, muni de son nécessaire à cirage qui ne le quitte jamais.

— Comment arrives-tu à dormir dans cette position, jeune homme ?

— J'avais juste fermé les yeux, répond le garçon en essuyant un filet de bave au coin de sa bouche.

L'homme sourit.

— Franco est au téléphone. Il a dit qu'il te verrait plus tard.

Shy acquiesce.

Il n'a obtenu aucun éclaircissement concernant l'homme au costume noir ou la mise à sac de sa cabine. Aucune réponse à donner à Rodney.

— L'orage qui se prépare les inquiète, explique l'homme. Il est censé éclater cette nuit.

— Un orage ? Vraiment ?

Shy n'a pas encore eu le droit à une goutte de pluie depuis qu'il est à bord, mais il a appris pendant la formation que les caprices de la météo influaient sur la propension des passagers à dépenser. Un orage signifie en général moins de pourboires et donc moins d'argent à rapporter à la maison pour sa mère et sa sœur.

L'homme pose sa mallette et s'essuie le front avec un mouchoir en tissu.

— Si c'est aussi terrible que ce qu'ils redoutent, le bateau risque d'être sacrément secoué. (Il se baisse pour fouiller dans sa mallette et en sort une espèce de bracelet gris qu'il tend à Shy.) Mets ça quand ça commencera à chauffer.

— Qu'est-ce que c'est ? demande Shy en examinant l'objet.

— Je l'ai fabriqué pour lutter contre le mal de mer. Fais en sorte que le bouton blanc au milieu soit en contact avec l'intérieur de ton poignet. C'est basé sur le même principe que l'acupuncture.

— Merci.

Convaincu qu'il ne mettra jamais cette horreur à son poignet, mais peu désireux de vexer son interlocuteur, Shy range le bracelet dans sa poche.

— C'est toi qui as vu le passager de la croisière précédente faire le grand plongeon

— Oui, répond le garçon en regardant dans le bureau où Franco est en train de faire les cent pas, le téléphone collé à l'oreille. Je suppose que tout le monde est au courant à présent.

— Et il y a un homme à bord qui te surveille.

Estomaqué, Shy tourne brusquement la tête vers son interlocuteur.

— Comment êtes-vous au courant ?

— Je garde toujours un œil ouvert. Mon travail me permet d'observer sans qu'on me remarque.

Shy est surpris que ce cireur de chaussures, quelqu'un à qui il n'a jamais prêté attention, sache ce qui se passe dans sa vie.

— Vous le connaissez ? Il fait partie du FBI, ou un autre truc du même genre ?

L'homme hausse les épaules.

— J'en sais rien. Mais laisse-moi te poser une question. Est-ce que tu trouverais ça logique qu'un agent du FBI se focalise uniquement sur toi ? Réfléchis-y, ajoute-t-il en se tapotant la tempe.

Shy dévisage l'individu qui se tient devant lui. Des yeux fatigués qui ne cillent jamais. Les cheveux en bataille. Il ignore pourquoi, mais ce type lui inspire confiance. Il tend la main et se présente :

— Au fait, je m'appelle Shy.

L'homme sourit et lui serre brièvement la main.

— Cireur.

Shy fait un signe en direction de la mallette.

— Je sais que c'est votre boulot sur le bateau, mais quel est votre nom ?

— Les noms sont sans importance ici, jeune homme. Je ne suis qu'un vieillard de passage.

Il se baisse et récupère sa mallette, puis d'un mouvement du menton il désigne la fenêtre.

— Oh oui. Ça va être un sacré orage, dit-il.

Shy regarde dehors : le ciel est recouvert d'une épaisse couche de nuages menaçants qui occultent complètement le soleil, et l'océan est agité. Au loin, un éclair zèbre l'horizon.

— Tu ferais mieux de te préparer, jeune homme. La mer n'a pas l'air décidée à faire dans la dentelle, cette nuit, conclut Cireur en s'éloignant dans le couloir, sa mallette à la main.

Shy l'observe encore quelques secondes tout en triturant l'étrange bracelet au fond de sa poche. Puis il se tourne à nouveau vers la fenêtre, et l'orage qui approche.

12

Prévisions orageuses

Une heure plus tard, Shy se tient contre le mur près de l'entrée du restaurant Le Destin, où il a rendez-vous avec Carmen. Il sent le bateau tanguer sous ses pieds. La plupart des passagers, sur leur trente et un, sont déjà installés et la demi-douzaine d'hôtesses navigue de table en table pour leur souhaiter la bienvenue.

Shy balaie la salle du regard à la recherche de visages connus. Il repère le Muppet de la piscine vêtu d'un smoking et imagine son neveu dans la même tenue. Mais la seule image qui lui vient à l'esprit, c'est Miguel dans une de ces blouses d'hôpital, étendu dans son lit, en quarantaine, seul. Il aperçoit Addison et Cassandra, toutes pomponnées, attablées avec quelques hommes en smoking dont le père de la jeune fille ne fait pas partie. Plus loin, le Texan, assis à côté d'une chaise vide, s'enfile un verre de vin rouge.

Alors qu'il commence à penser que Carmen lui a posé un lapin, il entend le signal sonore de l'ascenseur et lève les yeux. Les portes s'ouvrent en coulissant sur Carmen en talons aiguilles dans une longue robe de cocktail noire, elle est d'une beauté à couper le souffle et il sent son ventre se nouer.

— J'espère que je n'ai pas manqué le spectacle.

Tout en la dévorant des yeux, il lui fait signe que non. Elle est plus belle que jamais.

— Qu'est-ce qu'il y a ? demande Carmen.

— Rien, répond le jeune homme gêné, en frottant son début de barbe. C'est juste que tu es très jolie.

Sa robe, dotée d'un décolleté plongeant, est serrée à la taille et s'évase sur ses hanches généreuses. Carmen est tenue d'être bien habillée pour animer le karaoké, mais ce soir elle a sorti le grand jeu.

— Tu n'es pas autorisé à dire ce genre de chose, le réprimande-t-elle. C'est la première des nouvelles règles.

— Tu es sérieuse ? Je ne peux pas te dire que tu es jolie ? (Frustré, Shy s'écarte du mur d'un mouvement brusque.) Dans ce cas tu sais quoi ? La deuxième règle devrait être que tu n'as pas le droit de t'habiller comme ça en ma présence.

— Comme quoi ?

— À ton avis ? réplique-t-il en désignant sa robe.

Elle esquisse un sourire et lève les yeux au ciel.

— Et comment crois-tu que je récolte autant de pourboires quand je suis de karaoké ? Ce n'est pas seulement à cause de la façon dont j'appelle les passagers pour qu'ils interprètent leurs chansons.

Shy secoue la tête et détourne le regard. S'il ne change pas rapidement de sujet, ils vont finir par se disputer. Et il n'en a pas envie. Surtout pas ce soir, alors qu'il a tant besoin de parler avec elle de son neveu.

— Peu importe, dit-il en indiquant la table du Texan. Bizarre, sa future fiancée n'est pas encore là. Il aurait pourtant été logique qu'ils arrivent ensemble, non ?

— Je parie qu'elle est devant son miroir en train de se pomponner. Les femmes sentent quand un événement majeur est sur le point de survenir.

Shy hoche la tête en se demandant si Carmen a senti quelque chose la nuit dernière avant qu'ils s'embrassent. Et dans ce cas, pourquoi s'entêter à lui faire porter le chapeau ? Les actions ne sont-elles pas censées être plus éloquentes que les mots ?

Une annonce diffusée par les haut-parleurs l'arrache à ses pensées.

Mesdames et Messieurs, votre attention s'il vous plaît. Comme nombre d'entre vous le savent déjà, une violente tempête arrive sur nous. Par mesure de précaution, tous les ponts extérieurs seront fermés pour la soirée.

Un murmure de mécontentement résonne dans la salle de restaurant, tandis que Shy se demande si cela implique qu'il ne sera pas de service ce soir, ce qui lui permettrait d'aller consulter ses mails sur l'ordinateur de Rodney afin de voir si sa mère lui a envoyé des nouvelles.

Si le temps le permet, ils seront de nouveau ouverts demain matin à l'heure habituelle. Veuillez nous excuser pour la gêne occasionnée. Les animations en intérieur sont maintenues, ce qui inclut le tournoi de poker programmé au Grand Casino. Des boissons seront offertes aux cinquante premiers inscrits.

Dès que l'annonce s'achève, le brouhaha des conversations reprend. Une hôtesse du nom de Toni, visiblement au bord de la panique, vient à la rencontre de Shy et de Carmen.

— Je suis morte de trouille. Je ne me suis jamais retrouvée au cœur d'une tempête.

— Moi non plus, enchérit Shy.

— Il vaut mieux éviter de trop y penser, dit Carmen, sinon vous allez voir la situation dix fois pire qu'elle ne l'est réellement, et je sais de quoi je parle.

— À mon avis, pour moi c'est déjà trop tard, réplique Toni.

— Ce que je ne comprends pas, c'est comment ces gens arrivent à manger alors que le bateau tangue à ce point.

Les deux filles approuvent d'un signe de tête, puis Toni tend les bras à Carmen. Toutes deux s'étreignent brièvement.

— Cette robe te va à merveille, commente Toni en s'écartant.

— Elle déteste qu'on lui dise ça, ironise alors Shy.

Après l'avoir fusillé du regard, Carmen se tourne à nouveau vers Toni.

— Merci, je l'ai empruntée à ta camarade de chambre.

— Je sais. Megan est passée un peu plus tôt. Elle m'a dit, pour la grande nouvelle. Félicitations. J'ignorais que tu allais te marier.

— C'est tout récent. (Carmen lance à Shy un regard en coin.) J'ai encore du mal à atterrir.

Shy, faisant comme si la conversation ne l'intéressait pas, s'éloigne légèrement. Peut-être qu'il devrait se sentir mal d'avoir embrassé une fille en couple. Mais il ne culpabilise pas le moins du monde. Pas pour ça en tout cas. Est-ce que cela signifie qu'il a un mauvais fond ?

— Ne m'en parle pas. Moi aussi, je viens juste de me fiancer.

— C'est vrai ? s'exclame Carmen. Félicitations !

Elles se mettent alors à sauter sur place en se tenant par les épaules, sous le regard perplexe de Shy.

— Où a-t-il fait sa demande ? Raconte, s'enquiert Carmen, une fois leur petite célébration terminée.

— Dans un restaurant-grill de Newport Beach. Avec mes parents.

— Oh, comme c'est respectueux…

— Et toi ?

— Brett m'a emmenée sur la promenade de Venice Beach. Nous étions en train de marcher en regardant tous les barjos qui y traînent quand, tout à coup, il a posé un genou à terre devant moi et m'a pris la main. J'étais tellement bouleversée que je ne lui ai même pas laissé le temps de faire sa déclaration. Je lui ai arraché la bague et je l'ai passée à mon doigt.

Shy sent monter une soudaine envie de vomir et s'éloigne davantage en se demandant s'il ne devrait pas mettre le bracelet de Cireur pour éviter d'être malade.

Toni éclate de rire :

— C'est toi tout craché, Carm.

— Après je lui ai piqué son téléphone portable et j'ai appelé maman. Elle était aux anges à l'idée que son bébé épouse un juriste.

— Voilà une mère qui a le sens des priorités.

— Tu l'aurais entendue ! Elle était dix fois plus excitée que moi. Comme si le rêve de sa vie se réalisait enfin.

Shy toussote pour leur rappeler sa présence, puis dit :

— Ce voyage est sponsorisé par un bijoutier ou quoi ? Tout le monde ne parle que de bagues et de mariage.

— Arrête de faire le rabat-joie, réplique Carmen en prenant un air fâché.

Shy scrute ses yeux marron en se remémorant la veille : son regard plongé dans ces mêmes yeux, tandis qu'ils se tenaient à quelques centimètres à peine l'un de l'autre, et le magnifique visage de Carmen entre ses mains. Il a l'impression qu'il s'est écoulé dix ans au lieu de quelques heures. Il aimerait tant rejouer cette scène. Là, maintenant. Devant tout le restaurant.

Toni tapote le dos de Shy.

— Je suis sûre que tu t'amuses beaucoup avec tes petites copines de lycée, mais un jour, tu verras, toi aussi tu tomberas amoureux. Et alors tu n'auras qu'une envie, passer le reste de tes jours avec cette personne.

— D'après ce que j'ai entendu dire, il a peut-être déjà trouvé l'heureuse élue, intervient Carmen en adressant un clin d'œil au garçon. Frederick, le Danois, m'a raconté qu'il t'avait vu draguer une blonde maigrichonne devant la salle de sport.

— Quoi ? s'exclame Toni. Shy fait les yeux doux à une passagère ?

Shy n'en revient pas que Frederick ait eu vent de cette stupide conversation.

— On t'a mal renseigné, rétorque-t-il. Ces filles se moquaient de moi parce que je bosse à la piscine.

— C'est comme ça que les *blanquitas* s'y prennent pour flirter, idiot. (Avec un petit sourire, Carmen lui donne un léger coup de coude dans les côtes.) Tu devrais foncer. N'est-ce pas le rêve de tous les gars d'Otay Mesa ? Se taper une blonde anorexique ?

Les deux jeunes femmes éclatent de rire.

— N'importe quoi, s'énerve Shy.

Il en a assez que tout le monde se paie sa tête, mais le grésillement des haut-parleurs se fait entendre avant qu'il ait pu formuler une remarque cinglante sur Carmen et les riches étudiants en droit.

Mesdames et Messieurs, nous venons juste d'apprendre que la tempête arrive sur nous plus vite que prévu. Par mesure de précaution, le capitaine vous demande d'évacuer immédiatement les grandes salles de restauration.

Toutes les personnes présentes dans la salle se taisent en échangeant des regards inquiets. Quant à Shy, il a subitement du mal à respirer.

Les lieux publics de petites dimensions resteront ouverts et des membres du personnel assureront le service en cabine. Veuillez accepter nos plus sincères excuses pour la gêne occasionnée. Je répète : toutes les grandes salles de restauration doivent être évacuées et fermées immédiatement. Merci de votre coopération.

Shy se tourne vers Toni et Carmen, leur sourire soudain évanoui.

— Je n'ai jamais entendu parler d'évacuation des restaurants avant, commente Carmen. Vous croyez qu'il risque vraiment d'arriver quelque chose au bateau ?

— Impossible, la rassure Shy alors qu'en fait il se pose exactement la même question.

— Que suis-je censée faire ? demande Toni. Leur dire de partir ? C'est flippant, conclut-elle en se précipitant à la suite d'une de ses collègues au milieu des tables.

Shy observe les passagers agités quitter leur place et commencer à se diriger vers les différentes sorties. Le Texan est toujours assis, agrippé à son verre de vin, bien que tous les sièges autour de lui soient à présent vides.

Quelqu'un attrape Shy par le bras. Il a fait volte-face et, à sa grande surprise, se retrouve nez à nez avec le superviseur Franco.

— Viens avec moi, lui ordonne son chef. Nous avons encore beaucoup à faire avant l'arrivée de la tempête.

— Mais ils ont dit que le pont Lido était fermé !

— Pas pour nous, non.

Shy se tourne à nouveau pour jeter un coup d'œil à Carmen.

Et, pour la première fois depuis qu'il la connaît, il lit la peur dans son regard.

13

LasoTech

Les deux hommes traversent rapidement l'atrium. Ils dépassent des groupes de passagers en tenue de soirée regagnant leurs cabines et les membres d'un orchestre rangeant leurs instruments, tandis que Franco dresse la liste de ce qu'ils ont à faire avant que le bateau ne soit pris dans la tempête.

— ... et toutes les chaises du pont doivent être rangées dans le local. De même que toutes les serviettes, et les consoles. Sans oublier les tables et les chaises du café.

Shy hoche la tête en s'efforçant de se concentrer sur ce qu'on lui raconte. Mais l'expression soucieuse de son supérieur l'inquiète. Et si le bateau était réellement en danger ?

— Il faut mettre les grosses bâches sur la piscine et le jacuzzi. L'espace principal doit être complètement fermé. Exactement comme lors de la formation. C'est compris ? C'est Ariana la responsable.

— Oui, monsieur, répond Shy en essayant de se souvenir de tout ce qu'on leur a dit pendant la formation.

Il aurait dû être plus attentif. Mais jamais il n'aurait cru qu'un événement de ce genre se produirait vraiment.

Ils dépassent Cireur qui, tête baissée, nettoie la chaussure d'un passager avec son chiffon. Shy jette un coup d'œil au gars assis sur la chaise en train de lire le quotidien du bateau en sirotant un cocktail. Il n'a pas du tout l'air effrayé. Pas plus que Cireur d'ailleurs. Shy, quant à lui, a du mal à prendre la mesure de sa propre peur. Le bâtiment est immense et semble indestructible. Mais l'est-il réellement ? Peut-être que sa grand-mère avait raison de se faire du souci.

Franco s'arrête à quelques mètres de la porte du pont Lido et se tourne vers le jeune homme.

— Quand tu auras fini ici, Shy, j'aimerais que tu accomplisses une tâche spéciale. Il faudrait que tu ailles sur le pont Lune de Miel et que tu ranges tous les parasols ainsi que les plantes. Il ne doit rien rester dehors.

— Oui, monsieur, répond Shy en se rappelant cette partie de la formation.

Seule la phase d'urgence nécessite de vider complètement le pont Lune de Miel. Cela signifie que cette tempête est bel et bien dangereuse, et que l'inquiétude de Shy est justifiée.

Franco ouvre le placard à côté des portes vitrées automatiques et en sort une cape de pluie jaune qu'il tend à Shy.

— Je te fais confiance pour t'occuper du pont Lune de Miel, car il y aura probablement beaucoup de vent là-haut et je sais que tu seras particulièrement prudent.

— Je ferai attention, monsieur, confirme Shy en enfilant la cape de pluie.

Le superviseur le prend par les épaules et le regarde droit dans les yeux.

— Cette tempête t'effraie ?

— Un peu, monsieur.

Derrière son supérieur Shy aperçoit une vingtaine de membres de l'équipage déjà en train de s'affairer sur le pont Lido. Parmi eux, il repère Ariana, le bras droit de Franco.

— J'en ai traversé de bien pires que celle-là. Tout se passera bien. OK ?

Shy acquiesce d'un signe de tête sans parvenir à déterminer si son responsable s'est senti obligé de dire ça pour le rassurer, ou s'il le pense vraiment.

— Ce ne sont que des mesures de précaution. Selon la météo, le soleil sera de retour demain matin. Seule la nuit risque d'être un peu agitée, ajoute-t-il avec un sourire forcé, en lui donnant une petite tape dans le dos.

Shy est conscient que le moment est mal choisi, mais il se doit de mentionner la fouille de sa cabine.

— Monsieur, puis-je vous poser une question ?

— Oui, bien sûr.

— Si je suis passé vous voir dans votre bureau cet après-midi…

Franco l'interrompt d'un signe de la main.

— Oui, oui, je comprends le problème, Shy. Un employé de LasoTech s'est introduit dans ta cabine. Je suis désolé de ne t'avoir rien dit, mais nous ne pensions pas que le temps tournerait à l'orage. Ne t'inquiète pas, il n'a rien trouvé.

— Qu'est-ce que LasoTech ? Et qu'est-ce qu'il cherchait ?

— C'est l'actionnaire principal des croisières Paradis. Nous en rediscuterons demain, d'accord ? Il y a plus urgent pour le moment.

Shy s'avance vers les portes vitrées et les regarde s'ouvrir avant de sortir affronter le vent et la pluie. Que Franco soit au courant de ce qui s'est passé dans sa cabine l'a surpris et il se demande pourquoi il ne lui en a pas parlé quand il attendait devant son bureau. Et qu'espéraient-ils trouver en fouillant ses affaires et celles de Rodney ?

Le ciel est d'un gris sombre et le vent colle la cape de pluie contre le corps de Shy. Il plisse les yeux et se dirige avec difficulté vers les deux chaises les plus proches. Après les avoir repliées, il en prend une sous chaque bras et se rend au local de stockage en décidant de ne plus penser à ce que lui a dit Franco. Il pourra s'en inquiéter plus tard. Pour l'instant, il doit se concentrer sur la sécurisation du pont.

14

Les îles cachées

Franco avait raison à propos du vent en haut du navire : il est beaucoup plus violent que sur le pont Lido. Shy doit se pencher en avant afin de pouvoir avancer. La pluie tombe selon un angle bizarre et lui fouette le visage malgré la capuche de sa cape. La main en visière au-dessus de ses yeux, il va directement jeter un coup d'œil par-dessus la rambarde.

Il se souvient de la mer le matin même, calme et offrant au regard un paysage de carte postale. À présent des milliers de vagues à la crête blanche d'écume se heurtent les unes aux autres. Le colosse des mers gémit tandis que sa proue se lève doucement avant de retomber, encore et encore. Les nuages noirs sont si bas dans le ciel que le paquebot semble s'être engagé dans un tunnel de pluie.

Les yeux écarquillés de stupeur, Shy contemple le terrible spectacle pendant plusieurs minutes. Contrairement à sa grand-mère, il n'a jamais été vraiment croyant, et pourtant il se surprend à fermer les yeux en adressant des prières à quiconque voudra bien l'écouter. Pour son neveu, sa mère, sa sœur. Et pour lui-même aussi.

S'il vous plaît, laissez-moi rentrer auprès d'eux. Je vous en prie.

Puis il s'écarte de la rambarde et se met au travail.

Le temps qu'il range le dernier des palmiers en pots, les conditions climatiques se sont légèrement améliorées, mais il a l'estomac à l'envers et les jambes flageolantes. Il lui faut un petit moment pour plier les deux premiers parasols tellement il est barbouillé et craint de vomir. Après quoi, il les traîne jusqu'au local de stockage. Puis il reste courbé, les mains sur les genoux, inspirant à pleins poumons à plusieurs reprises.

Ce matin, c'était le vin.

Ce soir, c'est le mouvement incessant de l'océan.

C'est alors que le bracelet de Cireur lui revient en mémoire. Bien que toujours sceptique quant à son efficacité, il le sort de sa poche et le passe à son poignet. Au cas où. Après quoi, il se force à se redresser, le cœur au bord des lèvres.

Il est en train de quitter le local quand il aperçoit deux femmes près du bastingage, vêtues des longs imperméables rose et noir fournis par la compagnie. L'une des deux regarde au loin à l'aide de jumelles.

— Excusez-moi. Le pont Lido est fermé.

Les deux silhouettes font volte-face.

Leurs visages sont dissimulés par les profondes capuches, mais Shy reconnaît ces cheveux blonds et ces yeux verts. Addison. L'autre est donc forcément son amie. Il s'avance vers elles en se demandant pourquoi elles sont dehors par un temps pareil.

— Nous ne faisons rien de mal, se défend Cassandra.

Les yeux d'Addison sont rouges, comme si elle avait pleuré.

— Je suis désolé, mais tous les passagers doivent demeurer à l'intérieur. Ordre du capitaine.

— Lâche-nous, s'énerve Cassandra

Addison, quant à elle, lui lance un regard mauvais tandis que de nouvelles larmes coulent en silence sur ses joues.

Shy soutient son regard. Comme si le mal de mer ne suffisait pas, il faut que ces deux pestes viennent lui taper sur le système. Dès qu'il aura enfin quitté ce bateau, il ne veut plus jamais avoir affaire à des gosses de riches.

Cassandra caresse le bras d'Addison et les deux filles reportent leur attention sur l'océan, sans plus se préoccuper de Shy. Qu'est-il supposé faire ? Les ramener de force à l'intérieur ? Et puis, pourquoi pleure-t-elle ? Il jette un coup d'œil alentour, ils ne sont qu'à quelques mètres de l'endroit où il a échoué à sauver l'homme à la calvitie. Que fera-t-il si le vent fait passer l'une des deux par-dessus bord ? Malgré l'échec de sa dernière tentative, essaiera-t-il à nouveau de jouer les héros ?

Shy déglutit avec difficulté et décide de tenter une autre approche. Il désigne les jumelles et demande :

— Qu'est-ce que vous observez ?

Voyant qu'elles semblent déterminées à garder le silence, il ajoute :

— Peut-être que je peux vous aider ?

Cassandra se tourne vers lui, et lui répond cette fois d'une voix plus douce.

— Son père est là-bas. Il travaille sur l'une des îles Cachées.

Les îles Cachées ?

Hormis Hawaï, Shy n'a jamais entendu parler d'aucune île au milieu du Pacifique. Et ils sont encore à deux jours de voyage de l'archipel.

La pluie reprend de plus belle et tous trois rabattent davantage leur capuche sur leur tête. Les épaisses gouttes fouettent leurs vêtements de pluie et le pont autour d'eux tandis qu'un violent coup de vent contraint les filles à se cramponner au bastingage.

— Sérieusement, il faut que vous rentriez. C'est dangereux, ici.

Addison se retourne d'un mouvement brusque en abaissant ses jumelles.

— Pourquoi mon père a-t-il une photo de toi ? crie-t-elle pour couvrir le bruit de la pluie torrentielle.

— De moi ? De quoi parlez-vous ?

La jeune fille éclate en sanglots.

— Elle a trouvé une photo de toi dans un cimetière dans la cabine de son père, explique Cassandra.

Shy, sous le choc, les regarde sans comprendre.

Ce doit être une erreur.

Un coup de tonnerre retentissant les fait sursauter.

— Viens, Addie.

Cassandra éloigne son amie de la rambarde.

— Qui es-tu ? s'écrie la blonde en passant devant Shy. Dis-moi qui tu es !

— Personne, rétorque-t-il sur le même ton.

Il va probablement avoir des ennuis pour s'être énervé contre une passagère, mais à présent ça lui est égal. Cette cinglée raconte n'importe quoi.

— Je ne suis personne, crie-t-il à nouveau. Compris ?

À peine les deux jeunes filles ont-elles disparu à l'intérieur que Shy fait volte-face et vomit par-dessus le bastingage.

Après avoir entièrement rendu le contenu de son estomac, il crache et s'essuie la bouche. Puis il reste là, à contempler l'océan déchaîné, essayant de donner un sens à ce qu'il vient d'entendre. Une photo de lui ? Dans un cimetière ? Pourquoi le père d'Addison aurait-il une photo de lui ?

Au bout d'un moment, Shy quitte enfin la rambarde et se retourne. Devant lui, sous l'averse, se tient un homme vêtu d'une cape de pluie jaune.

Malgré la couleur de la tenue, le garçon devine aussitôt qu'il n'appartient pas à l'équipage.

15

Quelques questions

— Vous ne pouvez pas rester là, hurle Shy par-dessus le bruit de l'orage.

L'homme continue de l'observer sans bouger.

L'adolescent va replier les deux derniers parasols sous la pluie battante en faisant mine d'être concentré sur sa tâche, alors qu'en réalité son cœur bat à tout rompre. Jusque-là, il était pressé de percer le mystère de cet individu, mais ce n'est plus le cas à présent. Pas pendant une tempête, et surtout pas juste après avoir vomi tripes et boyaux. Un éclair frappe l'eau à proximité du bateau.

Suivi de près par un coup de tonnerre.

Shy se dépêche de traverser le pont avec son fardeau, tout en interpellant l'inconnu :

— Vous devez rentrer, monsieur.

L'homme hoche la tête.

Le garçon range les deux parasols sur leur étagère, fouille ses poches à la recherche des clés et s'apprête à ressortir. Tout ce qu'il souhaite pour l'instant, c'est regagner l'intérieur. Tout ira mieux une fois là-bas.

Voyant l'homme se placer devant l'encadrement de la porte, Shy s'arrête net.

— En dehors des membres de l'équipage, personne n'est autorisé à venir ici. Il faut que je ferme.

L'inconnu s'écarte. Shy quitte précipitamment le local et le verrouille avant de rejoindre le Grand Salon désormais vide, suivi de l'homme qui lui demande :

— Tu es Shy, c'est ça ?

Ce dernier est si nerveux qu'il a du mal à respirer, mais il fait tout son possible pour ne pas le montrer.

— Qui êtes-vous ?

— Mon nom est Bill.

L'homme enlève sa cape sous laquelle il porte, comme Shy s'y attendait, un costume noir.

Un remous plus important que les autres les fait tituber. Shy conserve son équilibre en s'appuyant contre le mur.

— Je veux que les choses soient claires d'entrée de jeu. En principe, je ne suis pas là pour te causer des ennuis. J'ai juste quelques questions à te poser.

Ses cheveux noirs sont bouclés, et il a un grain de beauté sur l'aile droite du nez. À son sourire, on pourrait croire qu'il est en train de parler de la pluie et du beau temps.

Shy ne cesse de penser à ce que lui a dit Kevin et au fait que cet homme le surveillait. Mais l'heure n'est pas aux questions. Ce type ne voit donc pas que le bateau est malmené par la tempête ?

Le garçon le regarde sortir calmement un bloc-notes et un stylo de la poche intérieure de sa veste.

— D'après ce que je sais, lors de ton précédent voyage tu as vu un homme sauter par-dessus bord. Juste là, dit-il en désignant le pont Lune de Miel à travers les portes vitrées. Est-ce exact ?

— Oui…

Shy est perturbé. Il ne comprend pas pourquoi cet individu veut absolument avoir cette conversation maintenant. Il n'aurait pas pu attendre demain matin ? Le garçon jette un coup d'œil derrière lui et constate que la porte du hall est ouverte.

— Raconte-moi ce qui s'est passé.

— Comme je l'ai déjà dit à tout le monde, répond Shy en rabattant sa capuche trempée, je lui ai donné une bouteille d'eau, puis je suis allé m'occuper des deux dames. Quelques minutes plus tard, je l'ai vu enjamber la rambarde et je me suis précipité vers lui. J'ai réussi à lui attraper le bras, et j'ai essayé de le remonter, mais il était trop lourd. Rien de plus. Je vous le jure.

L'homme lève les yeux de son bloc-notes.

— Nous avons la certitude qu'il s'agit bien d'un suicide. Je ne suis pas là pour poser des questions auxquelles tu as déjà répondu.

Shy se demande qui peut bien être ce « nous ». Sûrement LasoTech, la compagnie mentionnée par Franco.

— Tout ce que j'ai besoin de savoir, c'est ce dont vous avez discuté peu de temps avant qu'il saute. Nous avons parlé aux deux femmes auxquelles tu as fait référence dans ta déclaration officielle à la police. Toutes deux affirment qu'au moment où elles sont sorties sur le pont, tu étais en pleine conversation avec M. Williamson.

Un frisson de peur parcourt le corps de Shy.

Durant les nombreuses heures d'interrogatoire qui ont suivi le suicide, il n'a jamais évoqué son bref échange avec le défunt. Il ne lui est pas venu à l'esprit que les deux vieilles dames pourraient y faire allusion. Et maintenant ? Que doit-il faire ? Ajouter de nouvelles informations à son récit initial ? Cela ne risque-t-il pas de rendre les gens encore plus suspicieux ?

— De quoi M. Williamson et toi avez-vous discuté, Shy ? Que t'a-t-il dit ?

Shy a les yeux fixés sur le sol devant lui et les mouvements du bateau lui semblent aussi chaotiques que ses pensées. Pourquoi est-il si inquiet ? Il n'a rien à cacher.

— Ça n'avait aucun sens, finit par répondre Shy. C'est pour ça que je n'en ai jamais parlé.

L'homme accepte son explication d'un hochement de tête.

— Peut-être que ça aura du sens pour moi. Essaie de te souvenir de ses mots exacts.

— Je me rappelle qu'il s'est traité de lâche. Et qu'il m'a demandé d'où je venais.

L'homme prend des notes.

— Et que lui as-tu répondu ?

— Je ne vois pas en quoi c'est important, monsieur ?

— S'il te plaît, appelle-moi Bill. Et c'est important. Mon client a besoin de savoir tout ce qui a été dit, même si cela te paraît insignifiant. Alors que lui as-tu répondu ?

— Que je venais d'Otay Mesa, près de San Diego.

— Et quelle a été sa réaction ?

— Il a dit qu'il savait que c'était près de la frontière.

— Et après ça ?

Shy est conscient de raconter les faits dans le désordre mais, quel que soit le bout par laquelle il la prend, cette conversation n'avait ni queue ni tête.

— Il a dit qu'il avait des maisons de vacances, et quand je l'ai félicité, il s'est énervé. Je suis quasiment certain qu'il avait trop bu.

Sans cesser d'écrire, l'homme acquiesce une fois de plus.

— Et c'est tout. Après, les deux femmes sont arrivées.

— Il n'y a rien d'autre, Shy ? Tu en es sûr ? insiste son interlocuteur en levant la tête.

— Sûr, ment Shy en jetant un nouveau coup d'œil à la porte donnant sur le hall.

L'homme range son bloc-notes et son stylo, puis va se placer devant la fenêtre la plus proche. Il pleut à présent si fort que l'on peut à peine voir l'océan.

— Sacrée tempête. Mais d'après ce que j'ai compris, elle sera finie d'ici demain matin et nous serons en route pour Hawaï. (Il pivote et croise le regard du garçon.) Es-tu déjà allé à Hawaï, Shy ?

Ce dernier répond par la négative d'un signe de la tête. Il sature. Le souvenir de l'homme à la calvitie en train de tomber. Cet interrogatoire. Addison pleurant en lui demandant qui il est. C'en est trop. Il regarde à nouveau en direction de la porte.

— C'est un de mes endroits favoris. Ma femme et moi y allons en vacances tous les ans. Nous adorons nous promener sur la plage à l'aube. Tu aimerais découvrir Hawaï toi aussi, n'est-ce pas ?

Shy dévisage son interlocuteur afin de déterminer s'il s'agit bel et bien d'une menace.

— J'ai encore quelques personnes à interroger, poursuit Bill. Et si ton histoire ne colle pas, je serai obligé de te retrouver. Tu m'as bien compris, Shy ?

— Je dois y aller, réplique Shy en reculant. Je n'ai pas fini mon travail.

Les traits de l'homme se durcissent soudain.

— Je t'interdis de me fausser compagnie, Shy, dit-il en le pointant du doigt.

Shy fait demi-tour et se précipite vers le hall. Avant de descendre la volée de marches, il jette un coup d'œil par-dessus son épaule. L'homme a toujours le doigt levé.

16

Des nouvelles du monde

De retour dans sa cabine, Shy s'empresse de verrouiller la porte et de se connecter sur l'ordinateur de Rodney.

Toujours pas d'e-mail de sa mère concernant l'état de santé de Miguel.

Tout en retirant ses chaussures et ses chaussettes gorgées d'eau ainsi que son T-shirt, il se demande si ce silence est de bon ou de mauvais augure. Une fois changé, il se laisse tomber sur son lit, les paupières lourdes de fatigue, tandis que la tempête fait bouger tout ce qui l'entoure.

Si seulement il pouvait réussir à dormir.

À son réveil, tout irait mieux.

Il serait reposé, la tempête serait terminée et il aurait à nouveau les idées claires. Il pourrait alors utiliser Skype pour appeler sa mère qui lui donnerait des nouvelles de Miguel. Elle lui dirait que le traitement fonctionne et que sa rémission sera complète. Ensuite il irait voir Franco pour lui parler de l'homme au costume noir. Bill. Il découvrirait enfin qui il est réellement et ce qu'il lui veut.

Tout s'arrangerait.

Si seulement il pouvait réussir à dormir.

Mais impossible d'arrêter la ronde infernale de ses pensées.

Il a bien trop de sujets d'inquiétude : la tempête, l'interrogatoire au sujet de l'homme à la calvitie, Miguel à l'hôpital en quarantaine, ainsi que le regard d'Addison quand elle lui a demandé qui il était. Après s'être tourné et retourné dans son lit pendant une heure, il se redresse soudain, conscient qu'il n'arrivera pas à trouver le sommeil. Et puis il a besoin de voir Carmen.

Il enfile en vitesse une paire de chaussettes sèches, ses baskets de rechange ainsi qu'un T-shirt propre, puis il quitte sa cabine en espérant que Carmen lui aura pardonné l'incident de la veille. Si elle a envie d'être à nouveau en pétard demain matin, pas de problème. Mais là, il a vraiment besoin d'elle.

Le bateau tangue à présent si violemment qu'il est impossible de marcher droit. Shy monte l'escalier, agrippé à la rambarde, vacillant tel un homme ivre. Alors qu'il descend le couloir en titubant, il se rend compte qu'il n'a plus la nausée. Cela lui arrache un sourire intérieur. Ainsi donc, l'affreux bracelet de Cireur fonctionne pour de vrai. C'est bien le seul point positif de cette nuit cauchemardesque.

Shy passe la tête dans la salle Normandie où un comédien âgé raconte de mauvaises blagues sur le

Titanic aux quelques spectateurs présents. Le Grand Casino est lui aussi quasiment vide. Les lumières stroboscopiques multicolores sont pourtant allumées et les croupiers à leurs postes. Des serveuses se sont regroupées près du bar tandis que seule une dizaine de passagers participe au tournoi de poker.

Shy regarde sans cesse par-dessus son épaule, persuadé qu'il finira à un moment ou à un autre par apercevoir l'homme au costume noir sur ses talons. Mais jusque-là, personne en vue.

Il va jeter un coup d'œil dans les différentes boîtes de nuit. De la house ou du hip-hop tournent à plein volume, mais les pistes de danse sont vides. Derrière le bar des Eaux Bleues, Kevin sert à boire à deux femmes. Les deux jeunes se font signe et Shy reprend sa route vers l'avant du bateau. Voir tous ces lieux de rencontre déserts si tôt dans la soirée est déstabilisant. D'habitude à cette heure, tous ces endroits grouillent de passagers en train de boire, jouer, manger et danser, voire de se prélasser dans le jacuzzi du pont Lido. Mais cette nuit, même la promenade principale est silencieuse. Visiblement, la plupart des gens ont décidé d'attendre la fin des intempéries dans le confort de leur cabine.

Shy finit par arriver dans la salle de karaoké, où Carmen, toujours vêtue de sa robe de soirée et de ses escarpins, est debout sur la scène en train de regarder la télévision.

Elle est seule dans la pièce.

— Quoi ? Personne n'est venu ? plaisante Shy.

Carmen éteint le poste, puis se tourne vers lui. Elle a beau lui sourire, elle semble contrariée. Probablement à cause de la tempête.

— Ça va ?

— Bien sûr que ça va, répond-elle en se baissant pour ranger ses affaires. Quelques personnes sont passées, mais elles sont vite reparties.

Shy s'adosse contre le mur afin d'être plus stable.

— Qu'est-ce que tu regardais ?

Faisant comme si elle n'avait pas entendu la question, elle se lève et enferme son équipement dans le coffre placé à droite de la scène. Puis elle prend son sac, descend avec précaution les marches et se dirige vers Shy.

— Cette tempête nous ballotte dans tous les sens, cela ne donne pas vraiment envie de pousser la chansonnette.

— Ça ne donne pas envie de faire grand-chose. Tu as visité le reste du bateau ? Ils sont tous dans leurs cabines.

Comme pour appuyer ses dires, un remous violent secoue le bâtiment et Carmen se retient au bras de Shy.

— Pour être honnête, ça ne me réussit pas non plus. Et pourtant je n'ai jamais eu le mal de mer.

— Essaie ça. (Shy lui tend son bracelet.) C'est Cireur qui l'a fait.

Elle détaille l'objet d'un air sceptique.

— Cireur ? Non, merci. Je pense que ça ira.

— Ça fonctionne vraiment. Je te le jure. Il te suffit de placer ce bouton sur l'intérieur de ton poignet.

Elle croise le regard de Shy, ses yeux sont brillants, il est évident qu'elle vient de pleurer et le jeune homme sent son cœur se serrer.

— OK, dit-elle en enfilant le bracelet, mais je te préviens, si je chope une saloperie...

Il l'observe tandis qu'elle positionne le bouton comme il le lui a montré, puis elle relève la tête et le dévisage avec une moue perplexe.

— Qu'est-ce qu'il y a, Shy ?

— Rien. C'est juste la tempête.

— Non, il y a autre chose. Cela ne fait pas longtemps que je te connais, mais je sais qu'il n'y a pas que ça.

Le fait qu'elle puisse lire en lui comme dans un livre ouvert ne fait qu'accentuer sa douleur. Pour un peu, il arriverait presque à croire que les choses sont redevenues normales entre eux. Comme avant qu'ils s'embrassent.

— Crache le morceau, insiste Carmen.

Shy sent que ça monte en lui, comme les bulles d'un soda qu'on aurait trop secoué. Il sait qu'à la seconde où il ouvrira la bouche, tout sortira d'un coup. Dans un effort pour recouvrer son calme, il reste quelques secondes à contempler les escarpins de son amie tout en réfléchissant à la meilleure façon de lui annoncer la mauvaise nouvelle.

Puis il lève à nouveau les yeux sur Carmen et dit :

— J'ai enfin réussi à joindre ma mère via Skype.

Le visage de la jeune femme s'assombrit brusquement.

— Et ?

Shy secoue la tête.

— Shy ? Elle va bien ?

De voir Carmen s'inquiéter pour lui l'émeut tellement qu'il ne trouve plus ses mots.

— Oh, mon Dieu. Elle est malade, c'est ça ?

— Pas elle, mon neveu.

Horrifiée, Carmen laisse tomber son sac et porte les mains à sa bouche.

— Vraiment ? Et comment va-t-il ?

— Je l'ignore, c'est ça le pire, répond Shy la gorge si serrée que c'en est douloureux.

— Quand tu es arrivé, j'étais en train de regarder la chaîne d'informations internationales. Le présentateur expliquait que cette putain de maladie a atteint Oakland. Ils ont même fait un reportage sur l'épouse d'un P-DG de Beverly Hills qui a été contaminée.

C'était donc pour ça qu'elle était si contrariée. Et non juste à cause de la tempête.

— Ils étaient où, les journalistes des chaînes internationales, quand ça a commencé chez nous ? Et pourquoi n'y a-t-il pas eu de reportage sur mon père, ou sur ta grand-mère ?

Shy hausse les épaules.

— Ils ont au moins donné à Miguel le nouveau traitement. Mais ça me met la tête à l'envers, Carmen, je te jure.

Après quelques minutes de silence pendant lesquelles chacun garde les yeux rivés sur une lame de parquet différente, Carmen reprend son sac et attrape le bras de Shy.

— Viens, allons dans ma cabine.

— Dans ta cabine ! s'exclame le garçon, surpris.

— Oui. Tu m'as bien entendue. Il s'agit d'un cas d'urgence.

Ensemble, ils quittent la salle de karaoké. Carmen marche avec précaution sur ses talons aiguilles tandis que Shy s'efforce de ne pas trop penser à leur destination ni à ce que cela signifie.

17

Un aperçu de Carmen

Carmen leur achète à chacun une part de pizza au restaurant du personnel, puis conduit Shy à sa cabine. Comme la dernière fois, elle met de la musique brésilienne sur son ordinateur. Puis elle secoue les pieds pour faire tomber ses chaussures.

— Avant tout, tu te souviens que j'ai parlé de nouvelles règles entre nous ?

— Oui.

Elle tire la chaise de son bureau et fait signe à Shy d'y prendre place.

— La seconde est la suivante : pas question de se prendre la main sous prétexte d'un test à la noix, dit-elle en s'installant sur le bord de son lit aussi loin que possible de Shy. Surtout pas dans ma chambre. Si je t'ai laissé entrer, c'est uniquement pour que nous puissions discuter de ton neveu. Compris ?

— Compris, répond Shy en mordant dans sa part.

Toutefois, il se sent coupable. Il n'aimerait pas qu'elle croie qu'il utilise la maladie de Miguel pour se rapprocher d'elle. Car ce n'est pas le cas.

— Est-ce que je peux jeter un coup d'œil rapide à mes mails ? demande-t-il en désignant l'ordinateur de la jeune femme.

— Vas-y.

Shy se connecte à son compte. Voyant qu'il n'a pas de nouveau message, il le referme aussitôt.

— Rien ?

Il secoue la tête et se rassied sur la chaise en prenant ce qu'il subsiste de sa pizza. Tout en mangeant, Shy remarque que les remous semblent moins prononcés.

— Tu crois que nous avons passé le gros de la tempête ?

— Aucune idée, mais c'est vrai que ça tangue un peu moins.

Après avoir plié en quatre son assiette en papier, elle ajoute :

— Au fait, tu avais raison à propos du bracelet. Je ne pensais pas pouvoir avaler quoi que ce soit.

— Peut-être que Cireur est un génie.

Carmen laisse échapper un petit rire.

— Ça, je l'ignore, mais ce que je sais, c'est que cet homme est un mystère. Une fois je l'ai vu tirer à l'arc à l'arrière du bateau. Au beau milieu de la nuit.

Shy est bien d'accord, mystérieux est l'adjectif qui le résume le mieux.

— J'ai aperçu des bouquins dans sa sacoche tout à l'heure. Je crois que l'un d'eux était un livre de sciences, ou un truc dans le genre. Je me demande d'où il peut bien venir.

— D'après Vlad, de la sécurité, il a passé la moitié de sa vie en taule pour un crime qu'il n'avait pas commis. Jessica, de la thalasso, dit qu'il n'est jamais allé en prison, mais qu'il travaillait dans un ranch. Et à en croire une troisième personne, avant il vivait dans la rue. Autrement dit, personne ne le sait.

Elle se lève et baisse la musique.

— Enfin, peu importe. Et si maintenant tu me racontais toute l'histoire concernant ton neveu ?

Shy jette à son tour son assiette. Puis il lui explique comment sa mère et sa sœur ont emmené Miguel à l'hôpital à l'instant où le blanc de ses yeux a viré au rose. Et comment les médecins ont aussitôt diagnostiqué la maladie de Romero et mis l'enfant sous traitement. Il lui parle du prix que cela va coûter, car sa sœur n'a pas d'assurance maladie, ainsi que du chèque qu'il a demandé à sa mère d'encaisser. Il lui avoue qu'une partie de lui est contrariée de perdre cet argent et qu'il s'en veut d'avoir de telles pensées.

Après lui avoir dit combien elle est désolée pour lui, elle lui raconte à son tour le contenu de l'émission qu'elle regardait à son arrivée.

— Maintenant ils font des recherches et ça commence à donner des résultats. Tu savais que la maladie peut se répandre via l'eau ? Et qu'il faut démarrer le traitement dans les vingt-quatre heures pour avoir une chance de s'en tirer ?

— C'est ce que ma mère m'a dit.

— Quand la maladie était cantonnée à notre région, ils n'en avaient rien à battre.

Shy pousse un soupir de frustration, il commence à prendre conscience qu'il y a des vies qui ont plus de valeur que d'autres. Autrefois, cette idée ne lui aurait même pas traversé l'esprit. Mais travailler sur ce bateau lui a ouvert les yeux sur certaines réalités.

— Quand je gagnerai au loto, je ferai construire des hôpitaux ultramodernes tout le long de la frontière. De cette façon, les gamins comme nous ne connaîtront plus la douleur de perdre un membre de leur famille pour des raisons débiles, ajoute Carmen.

— Tu pourras leur donner le nom de ton père, lui répond Shy.

— Ou de ta grand-mère. Mais pas celui de ton neveu, parce que le traitement va le remettre sur pied.

— Je l'espère du fond du cœur.

Pendant les quelques instants de silence qui suivent, Shy se rend compte qu'il est prêt à renoncer à chaque seconde de leur étreinte de la nuit passée juste pour la garder comme amie une fois ce voyage terminé. Carmen est bien plus qu'une fille avec qui prendre du bon temps.

— Bon, dit-elle en se levant. Je vais me changer. Si tu veux, tu peux rester consulter tes e-mails, ou pour ne pas être seul.

— Si ça ne te dérange pas, tu n'auras qu'à me mettre dehors quand tu voudras te coucher.

Carmen se dirige vers son armoire, en sort un jogging et sa trousse de toilette. Puis, en passant devant lui pour se rendre à la salle de bains, elle lui donne une petite tape sur l'épaule.

— Je suis désolée que tu aies encore à affronter cette saloperie de maladie. C'est déjà assez atroce quand ça touche un adulte, alors quand il s'agit d'un enfant...

Il acquiesce en soutenant son regard.

Elle va se changer et, pendant quelques minutes, Shy garde les yeux rivés sur la porte qu'elle a fermée derrière elle. Être seul si longtemps dans la cabine de Carmen le rend nerveux. Il a beau vouloir respecter le fait qu'elle soit fiancée, il n'est pas pressé de partir. Parler avec la jeune femme l'aide réellement à se sentir mieux.

Il se lève pour consulter à nouveau ses e-mails.

Toujours rien.

Tandis qu'il parcourt la *playlist* de Carmen, Shy repense à Bill. Peut-être aurait-il dû attendre encore un peu avant de partir, pour écouter tout ce que cet homme avait à lui dire. Mais il a commencé à le menacer, alors même que Shy n'avait rien à se reprocher. Ça a été la goutte d'eau. Avec un peu de chance, Franco pourra lui apporter des éclaircissements demain matin.

Carmen a dans son ordinateur des tas de mix du monde entier ainsi que la musique de nana enragée. Au bout d'un moment, il finit par tomber sur quelques titres de hip-hop. Il en sélectionne un qu'il aime bien et aussitôt la mélodie emplit la minuscule cabine.

Carmen entrouvre la porte de la salle de bains et marmonne quelque chose par-dessus le vrombissement de sa brosse à dents électrique.

— Qu'est-ce que tu fabriques avec ma musique, Sancho ?

— C'est juste le temps que tu finisses.

Par l'entrebâillement de la porte, il la voit se rincer la bouche, puis nettoyer sa brosse à dents.

— Pourquoi avoir mis du hip-hop américain de base ? demande-t-elle en enlevant ses lentilles.

— Eh, c'était dans ta liste.

— Les rythmes brésiliens sont bien meilleurs.

— Sauf que je ne comprends rien à ce qu'ils racontent.

— Ce n'est pas une question de paroles, Shy, mais de *feeling*.

Il jette un nouveau coup d'œil en direction de la salle de bains, la voit ôter sa longue robe noire et se fige.

Bouche bée.

Il sait qu'il ne devrait pas regarder, mais il est incapable de détourner les yeux. Sa peau dorée a l'air aussi douce que de la soie. Une fois débarrassée de son soutien-gorge, elle ne porte plus qu'un string noir, autant dire rien du tout. Son corps est tout en courbes et en rondeurs, à l'exception de son ventre plat et de sa taille de guêpe. Juste sous son nombril, Shy distingue un tatouage : des mots en écriture cursive, trop petits pour qu'il les déchiffre. Et pour la première fois de sa vie à cause d'une fille, le garçon a le cœur qui bat à tout rompre. À tel point qu'il se demande s'il n'est pas en train de faire une crise cardiaque, ou si c'est ce que l'on ressent quand on est amoureux.

C'est alors qu'il croise le regard de Carmen dans le miroir. Aussitôt, il reporte son attention sur l'ordinateur, et dans la seconde qui suit il entend la porte se refermer.

Shy reste quelques minutes sans bouger.

Les yeux fixés sur l'écran, il se concentre sur sa respiration.

Ce n'est vraiment pas le moment de mater Carmen. Surtout pas alors qu'elle est si gentille avec lui, et si compatissante au sujet de son neveu. Si elle veut qu'ils soient juste amis, ça lui convient.

Mais, merde ! Impossible de se sortir de la tête le bref aperçu qu'il a eu de son corps. Il ne peut s'empêcher de s'imaginer allant frapper à la porte de la salle de bains, d'imaginer Carmen le laissant entrer...

Il faut qu'il parte.

Tout de suite.

Shy se lève pour quitter la cabine, mais exactement au même moment Carmen revient vêtue d'un T-shirt de l'équipe de baseball de San Diego, et d'un pantalon de jogging.

Tous deux se mettent alors à parler en même temps :

— Écoute...

— Laisse-moi t'expliquer, Shy...

Ils échangent un regard et reprennent.

— Je voulais juste te dire...

— La nuit dernière...

Carmen lui fait signe de se taire.

— Laisse-moi parler d'abord, et je promets d'écouter ensuite ce que tu as à dire.

— D'accord, accepte Shy le cœur battant.

— J'ai beaucoup repensé à la nuit dernière. Et aux raisons qui m'ont poussée à faire ce que j'ai fait. Je vais être honnête avec toi, Shy. Il est possible que j'éprouve quelque chose pour toi.

Elle inspire profondément en secouant la tête, et va s'asseoir au bord de sa couchette tandis que Shy se tient debout près de la porte.

— C'est vrai que parfois tu peux être un peu cucul. Et puis tu fréquentes ce lycée de nazes. Mais d'un autre côté, nous avons grandi dans le même environnement, et nous nous comprenons sans avoir besoin de parler. Et puis tu n'es pas désagréable à regarder. (Elle marque une courte pause.) Ce que j'essaie de dire c'est que je ressens bien un petit quelque chose pour toi, d'accord ? Mais je me suis engagée envers Brett. Dans quelques mois, je vais me marier avec lui. Bon sang, je vais me marier !

— Je comprends, Carm, et je ferai attention.

— Je te crois. Mais peut-être que ce n'est pas toi qui m'inquiètes. Je ne suis même pas sûre de savoir ce que je fais.

Shy ne trouve rien à répondre à ça, aussi attend-il qu'elle reprenne la parole.

— Parfois... comment dire. J'ai tous ces doutes qui tournent en boucle dans ma tête. Suis-je en train de faire une connerie ? Est-ce que je l'épouse pour les bonnes raisons ?

Shy enfonce les mains dans ses poches.

— Tout le monde doit avoir ce genre de pensées.

— C'est ce que n'arrête pas de me répéter ma mère. Mais je ne suis pas convaincue.

L'ambiance est à présent si inconfortable que Shy décide de faire retomber la tension. Il esquisse un petit sourire forcé et dit :

— C'est quand même dommage qu'il ne porte pas un nom plus cool. Non, mais c'est vrai quoi, Brett, ça fait un peu gnangnan, tu ne trouves pas ?

— Parce que Shy c'est un prénom de dur à cuire, peut-être, réplique-t-elle du tac au tac.

Tous deux sourient, mission accomplie.

— Allez, viens me faire un câlin amical, et après ça je te mets dehors pour pouvoir dormir un peu.

À peine a-t-il fait un pas vers les bras ouverts de Carmen que le bateau bascule brusquement.

Les deux jeunes échangent un regard surpris.

Un bruit de course résonne au-dessus de leurs têtes et ils entendent des portes claquer.

— Shy ?

Il ouvre la bouche pour lui répondre, mais au même moment un bruit assourdissant retentit. Ils se couvrent les oreilles et le visage de Carmen affiche une expression apeurée.

L'alarme du bateau.

Shy jette un coup d'œil à l'extérieur de la cabine. D'autres portes s'ouvrent et les gens commencent à se regrouper dans le couloir, affolés. Shy aperçoit l'homme au costume noir, Bill, qui s'éloigne à la hâte. Comme s'il avait été en train d'écouter leur conversation à travers la porte. Mais pourquoi ? C'est au moins aussi moche que la mise à sac de sa cabine.

Shy reporte son attention sur l'alarme et la panique qui monte dans le couloir. Peut-être que le navire est à présent au cœur de la tempête. Ou bien il a heurté quelque chose, ou il y a le feu dans la salle des machines.

Qui sait ? Si ça se trouve, des pirates ont pris d'assaut le poste de pilotage.

Il voit alors Carmen se précipiter vers son minuscule hublot pour regarder dehors.

— Je ne vois rien, crie-t-elle en se tournant vers lui. Et toi ?

Il la rejoint à la hâte et regarde à son tour, mais il ne voit que la pluie et les vagues bordées d'écume qui font rage.

Pas de feu.

Pas de fumée.

Pas d'autre bateau.

Alors qu'ils quittent la cabine pour le couloir où leurs collègues sont de plus en plus nombreux, l'alarme résonne toujours. Tout le monde tente de comprendre ce qui se passe et les conversations se font en hurlant afin de couvrir l'horrible sirène.

Shy sent sa gorge se serrer.

Puis l'alarme cesse brusquement.

Une voix s'élève via les haut-parleurs.

Mesdames et Messieurs, ceci est une urgence. Tous les passagers et membres d'équipage sont priés de s'équiper de gilets de sauvetage et de se rendre à leur point de ralliement. Je répète, tous les passagers et membres d'équipage sont priés de s'équiper de gilets de sauvetage et de se rendre au plus vite à leur point de ralliement.

Shy et Carmen se tournent l'un vers l'autre.

Le garçon voit dans le regard terrifié de son amie que l'heure est grave. À cet instant, il comprend que sa vie est en train de basculer.

18

Dans le théâtre

L'alarme résonne à nouveau tandis qu'ils montent en courant les escaliers menant au théâtre Normandie. Le cœur de Shy bat à tout rompre et il a du mal à réfléchir de façon cohérente. Malgré tout, il est conscient que la situation est catastrophique et qu'il doit se rendre à son point de ralliement, le même que Kevin, au niveau des balcons du théâtre.

Quand, la veille, il a pris en charge un groupe de passagers pour leur expliquer les procédures d'urgence, il ne lui est pas venu à l'esprit qu'il aurait un jour à les appliquer dans la réalité.

Tout en avançant, il jette un coup d'œil à Carmen qui regarde droit devant d'un air angoissé. Ils sont à présent entourés de gens aux yeux hagards, équipés de gilets de sauvetage, s'accrochant les uns aux autres et s'égosillant pour se faire entendre par-dessus le son de l'alarme réenclenchée.

Carmen quitte Shy pour rejoindre son poste, au niveau de la scène. Le jeune homme, lui, doit monter jusqu'au troisième étage et vérifier que son groupe a respecté les consignes. Après, seulement, il pourra réfléchir. Et puis il y aura aussi Kevin, là-haut. Arrivé aux ascenseurs, il est ralenti par un attroupement de passagers qui se tournent vers lui pour l'assaillir de questions. Ils hurlent à qui mieux mieux, mais leurs paroles sont noyées par la sirène.

Durant la semaine de formation, trois jours entiers ont été consacrés aux procédures d'urgence. Ils ont simulé à peu près tous les scénarios imaginables un nombre incalculable de fois. Mais à présent qu'il est en situation réelle, Shy se sent complètement perdu.

— Je suis désolé, leur dit-il. Je n'en sais pas plus que vous. Nous devons attendre la prochaine annonce.

Mais cela ne leur suffit pas.

Ils continuent de lui crier dessus et de faire pression sur lui jusqu'à ce qu'il craque. Il les bouscule et se précipite vers l'escalier le plus éloigné, qu'il monte quatre à quatre.

À l'étage suivant, Kevin hurle des ordres :

— Tout le monde à son point de ralliement ! Allez, plus vite ! Il y a urgence !

Shy grimpe enfin la dernière volée de marches, arrive devant l'entrée du théâtre et répète exactement les ordres de Kevin à tous les passagers égarés. Cela l'aide presque autant que ça les aide eux en lui donnant un objectif sur lequel se concentrer. Une mission. Ainsi il n'a plus le temps de penser à la tempête, ni à l'alarme, ni à l'épaisse coque d'acier qui les maintient à flot.

Chaque passager est muni d'une carte à puce, l'équivalent d'une carte de crédit, qu'il utilise pour tout sur le bateau. Shy retourne celle des gens qui sont perdus et, en fonction du code couleur imprimée au dos, les oriente vers leur point de ralliement. Certaines des choses qu'il a apprises lors de la formation lui reviennent en mémoire.

Le navire tangue à nouveau violemment, et autour de lui tout le monde affiche une expression épouvantée. Certains se mettent à vomir au beau milieu de la pièce tandis que d'autres contournent Shy, le bousculent, lui marchent sur les pieds. Le chaos est indescriptible, mais le jeune homme n'a pas l'occasion de laisser libre cours à sa peur, car il a une mission.

Prendre une carte.

La retourner.

Indiquer à son propriétaire comment rejoindre son point de ralliement.

— Allez !

C'est alors qu'il repère le Muppet assis contre un mur, seul, qui se balance d'avant en arrière. Cette fois, au lieu de jurer comme un charretier, il pleure en appelant sa maman. Shy le relève en l'attrapant par le T-shirt.

— C'est quoi le nom de ta mère ?

— Barbara, crie le gamin.

— Barbara comment ?

— Barbara Pierce.

Shy traîne le môme jusque dans le théâtre.

— Barbara Pierce ! Madame Pierce !

Il hurle pour couvrir le bruit de l'alarme et les sanglots ininterrompus du gosse jusqu'à ce qu'une femme en bas, dans la section de Carmen, se mette à agiter les bras avec frénésie en criant le nom de l'enfant :

— Lawrence !

Shy descend avec lui et le rend à sa mère. Quand cette dernière serre enfin son fils contre elle, son visage baigné de larmes laisse transparaître du soulagement.

Il retourne à son point de ralliement et crie à tous les passagers de former une file indienne. Il en reconnaît beaucoup de la veille, quand il leur a expliqué les procédures et les a guidés jusqu'aux canots de sauvetage du pont Lido. À ce moment-là, les canots avaient eu l'air de n'être que des éléments de décoration et les passagers étaient tout excités par cette croisière. Mais, à présent, ils sont blancs de peur, avec dans les yeux une lueur hagarde.

— Que se passe-t-il ? demande l'un d'entre eux à Shy.

— Où est le capitaine ?

— Nous voulons parler au capitaine.

— Pourquoi est-ce qu'on ne nous dit rien ?

— S'il vous plaît, hurle Shy qui se sent désormais capable de prendre les choses en main. Pour l'instant nous devons nous mettre en file indienne ! Comme hier ! Allez, on y va !

L'alarme s'arrête à nouveau et tout le monde se fige.

Pendant de longues secondes, le théâtre est complètement silencieux. Les gens échangent des regards anxieux avant de reporter leur attention sur Shy. Mais rapidement les murmures reprennent tandis que le bateau continue de se cabrer sous la violence des éléments.

Shy se rend au balcon pour voir la tournure qu'y prennent les choses. Les rideaux sont ouverts et l'écran de cinéma allumé, mais il n'affiche que de la neige.

Il aperçoit Carmen en contrebas, au milieu de la scène, seule avec Vlad.

Vlad parle et Carmen écoute.

Soudain les traits de la jeune femme se décomposent et elle s'agrippe à l'uniforme de l'agent de sécurité en laissant échapper un cri perçant qui se répercute dans toute la salle.

Tout le monde se tourne vers elle.

Shy l'appelle en se penchant par-dessus la rambarde.

Cependant, au lieu de lever la tête, elle se couvre le visage de ses mains et tombe à genoux, le corps secoué de sanglots.

19

Le Big One

Les haut-parleurs grésillent un instant et la voix de l'animateur, d'habitude si enjouée, est sobre et posée.

Mesdames et Messieurs, un tremblement de terre de grande envergure vient de se produire à l'est de Los Angeles.

Shy parcourt du regard la foule sous le choc.

Il s'agit d'un véritable cataclysme. Nous ne disposons pas encore de toutes les données, mais nous avons été informés que l'échelle de ce séisme dépasse tout ce qui a été enregistré à ce jour sur l'échelle de Richter. Le point d'origine semble se situer près de Palm Springs, mais les secousses s'étendent sur une zone allant jusqu'à Mexico.

Shy s'agrippe à la rambarde.

Si le séisme a touché Mexico, cela signifie que San Diego, et donc Otay Mesa, n'ont pas été épargnés.

Tout son corps est parcouru d'un frisson glacé.

Sa famille.

Il nous a été demandé d'interrompre notre voyage jusqu'à ce que nous récupérions une liaison satellite. Pour ceux qui n'auraient pas entendu, je rappelle qu'il y a environ trente-cinq minutes, la Californie a été frappée par un séisme d'une magnitude jamais vue à ce jour. Il nous a été demandé…

Après ça, le garçon ne saisit que des bribes de ce qui est dit. Il est question de se connecter à un canal d'information, de l'interdiction pour les passagers de quitter leur point de ralliement, des risques liés à un océan démonté… Mais Shy aimerait surtout mettre de l'ordre dans le chaos de ses pensées.

Un tremblement de terre en Californie.

Dépassant l'échelle de Richter.

Serait-ce le Big One, celui dont la menace plane sur les États-Unis depuis si longtemps ?

Et à quel point est-il catastrophique ? Est-ce que cela signifie que tout le monde est mort ? Est-ce que sa famille est morte ? Tous les bâtiments se sont-ils écroulés ? Il essaie d'imaginer sa rue. Son lycée et son immeuble. L'hôpital où sa mère et sa sœur attendent que le traitement fasse effet sur Miguel.

Il sent sa respiration devenir bien trop rapide, comme s'il était en train de faire de l'hyperventilation. À présent il pense au bateau seul en pleine mer et sans protection. La tempête les ballotte dans tous les sens et les vagues sont de plus en plus imposantes. Que voulait dire l'animateur en parlant des risques liés à un océan démonté ? N'en ressentent-ils pas déjà les effets ?

Shy se met à genoux et tente de respirer plus lentement. Sans succès. Il faut qu'ils se dépêchent de rejoindre Hawaï. Ou qu'ils fassent demi-tour pour rentrer au port. Ils ne peuvent pas juste demeurer là à attendre au milieu de l'océan.

Aussitôt l'annonce terminée, les cris hystériques des passagers retentissent de toutes parts. Certains pleurent, tandis que d'autres composent anxieusement sur leurs téléphones portables des numéros qui n'ont aucune chance d'aboutir. Certains s'accrochent les uns aux autres, et il y en a même pour s'en prendre à Kevin et à Shy. Le jeune homme se lève afin de leur demander de se calmer et de se mettre en file indienne, comme lors de l'exercice de la veille. Mais comment recouvrer son calme après ce qu'ils viennent d'apprendre ?

Shy pense à sa mère.

À sa sœur, à son neveu.

À sa grand-mère.

Sauf qu'il n'a plus de souci à se faire pour cette dernière, étant donné qu'elle est morte.

Et lui, serait-il mort à l'heure qu'il est s'il était resté chez lui ? Est-ce que ce boulot lui a sauvé la vie ? Peut-être que le capitaine a raison d'attendre. Si ça se trouve, il n'y a plus nulle part où aller.

Shy et Kevin incitent tous les passagers à s'asseoir dans les fauteuils de la salle de théâtre. Une fois le flot canalisé, Shy retourne au balcon. Carmen est toujours en bas, désormais roulée en boule contre le mur, la tête dans les mains, en train de pleurer. Il se penche pour l'appeler à nouveau, mais à peine a-t-il ouvert la bouche qu'une image granuleuse clignote sur l'écran géant au-dessus de la scène bondée.

Tout le monde se tourne pour le regarder.

Carmen lève la tête.

Des prises de vues défilent, évoquant un reportage en zone de guerre, visiblement elles ont été filmées depuis un hélicoptère. Au début, ils ont du mal à comprendre ce que leur montre la télévision, puis progressivement cela devient plus clair.

Les mots « San Francisco » apparaissent en bas de l'écran, mais ce qu'ils ont sous les yeux ressemble à tout sauf à San Francisco : on dirait une ville étrangère au sortir de bombardements massifs. Ou des images de synthèse venues tout droit d'un film catastrophe. Des immeubles entiers ont été transformés en amas de béton d'où jaillissent des tiges de métal. D'épais nuages de poussière s'élèvent des décombres, et de la fumée monte en volutes des feux qui brûlent dans les rues en ruine. Partout il y a des voitures renversées avec des corps inertes coincés en dessous, ou passés au travers de pare-brise explosés. En arrière-plan le pont du Golden Gate n'a plus rien d'un pont, ce n'est plus qu'un chaos de câbles et deux tronçons effondrés s'enfonçant à la verticale dans la baie.

Le son a beau être haché, Shy parvient à décrypter une partie des informations tandis que les images montrent à présent d'autres quartiers de San Francisco.

Ce n'est pas un, mais plusieurs tremblements de terre qui ont ravagé toute la côte Ouest des États-Unis, jusqu'à Vancouver au Canada. Les premières estimations parlent déjà de plus d'un million de morts.

A priori, il y a eu quatre gros séismes. Les épicentres des deux plus dévastateurs ont été localisés juste à côté de Palm Springs et le long de la zone de subduction de Cascadia, au large de l'État de Washington.

En mer, le plus violent a eu lieu à l'ouest de Morro Bay. Shy sait que c'est en Californie ; ce qu'il ignore, c'est exactement à quelle distance de la côte.

Le jeune homme est si bouleversé par ce qu'il voit et entend qu'il ne peut se retenir de trembler comme une feuille.

L'image est coupée pendant plusieurs secondes avant de revenir pour montrer une prise de vue de Riverside où un immense gouffre s'est ouvert le long de l'A 91. Des feux gigantesques brûlent des deux côtés de la crevasse, mais il n'y a aucun camion de pompiers sur les lieux. Les yeux rouges, le journaliste explique que toutes les casernes ont été détruites par le séisme à plus de cent kilomètres à la ronde. Puis il laisse la place à une vue du centre-ville de Los Angeles où seuls quelques immeubles tiennent encore debout. De petits incendies sont visibles un peu partout et la promenade de Santa Monica est engloutie sous les flots. Quant à la fameuse Grande Roue, elle gît sur le flanc, brisée en deux, des gens bloqués sous les décombres. Et puis il y a la plage qui s'étend si loin que cela paraît irréel. Shy se souvient avoir vu des photos d'une plage de Thaïlande qui ressemblait exactement à ça juste avant d'être frappée par un tsunami. Est-ce qu'ils doivent aussi s'attendre à un tsunami ?

Sentant ses jambes se dérober sous lui, il s'accroupit en se retenant à la rambarde.

« L'inscription Hollywood » a perdu quelques lettres, et les autres sont en feu. L'A 405 est criblée de trous, des gens coincés sur des îlots de béton agitent les bras pour demander de l'aide depuis le toit de leur voiture.

Au niveau de la marina, des centaines de bateaux sont couchés sur le sable.

Pas de doute, c'est bel et bien le Big One.

Celui dont Shy entend parler depuis sa plus tendre enfance.

La foule dans le théâtre, qui est sûrement arrivée à la même conclusion, est devenue hystérique, à tel point que les commentaires audio sont désormais inaudibles, mais il reste l'image.

Après une nouvelle coupure, c'est une vue du ciel d'un immense nuage de fumée noire recouvrant tout le comté d'Orange. Les quelques trous ne révèlent ni maisons, ni immeubles, seulement des incendies. Une photo de Seattle montre la Space Needle, le monument emblématique de la ville, en morceaux devant une montagne de ruines fumantes. Des incendies font rage un peu partout dans les rues et la fameuse place du marché a été arrachée à ses fondations et projetée dans la baie d'Elliot.

Quand la frontière mexicaine apparaît à l'écran, Shy sent sa gorge se nouer encore davantage. Ce n'est qu'une espèce de bande à l'est de l'océan qu'il ne reconnaît pas tout de suite, car il n'y a plus de démarcation physique. Rien que du feu, des décombres et quelques points minuscules : des gens qui errent sans but, ainsi que des camions de la police frontalière abandonnés, les portières ouvertes. Parviennent ensuite les images d'une partie de San Diego située juste au nord d'Otay Mesa, dévorée elle aussi par les flammes. Le cœur de Shy bondit dans sa poitrine et ses palpitations reprennent de plus belle.

L'image est à nouveau coupée, pour de bon cette fois.

Le théâtre est en ébullition.

Les gens crient et pleurent dans les bras les uns des autres.

Shy cherche Carmen, mais elle n'est plus sur la scène.

Il parcourt la salle du regard et finit par la voir se précipiter vers la sortie. Après avoir fait signe à Kevin qu'il va revenir, il la suit.

20

De violentes intempéries

Shy dévale l'escalier et fonce dans le couloir, les horreurs découvertes à l'écran tournant en boucle dans sa tête. Les immeubles effondrés en proie aux flammes insatiables, les cadavres… Il ne sait pas comment traiter toutes ces informations. Une fois devant l'entrée principale du théâtre, il fait un tour sur lui-même dans l'espoir d'apercevoir Carmen. C'est pour l'instant la seule chose qui lui importe. Trouver Carmen et s'assurer qu'elle va bien.

Il crie son nom.

Mais il n'obtient d'autre réponse que le bruit de la tempête et les mouvements du bateau.

À l'autre extrémité du couloir, les portes vitrées sont en train de se refermer. Ces portes sont censées être bloquées à cause des intempéries et seuls les membres de l'équipage connaissent le code. Il traverse le couloir, compose à son tour ce code, et sort.

— Carmen, hurle-t-il par-dessus le tonnerre.

La pluie est moins dense à présent, mais le vent est plus fort que jamais. Shy doit faire le gros dos pour avancer tant bien que mal. Avec beaucoup de prudence, il contourne la piscine et le jacuzzi recouverts de leur bâche, parcourant fébrilement le pont du regard. Il ressasse malgré lui les images de destruction qu'il vient de voir. Il ne cesse de penser à Otay Mesa. À sa famille. Il explore le restaurant d'extérieur et cherche derrière chaque bar, chaque console, avant de monter et descendre chaque escalier.

Aucun signe de Carmen où que ce soit.

Il doit retourner dans le théâtre, auprès de son groupe. Il n'aurait pas dû laisser Kevin seul pour s'occuper de tout le monde.

Un horrible soupçon traverse l'esprit de Shy et il se précipite vers le bastingage afin de jeter un coup d'œil à l'océan. Il est encore plus déchaîné que tout à l'heure. Des vagues aussi grandes que des hommes et surmontées d'écume frappent le bateau de tous côtés tandis que des éclairs déchirent le ciel.

Carmen ne sauterait pas, se répète-t-il pour se rassurer. Même en sachant que toute sa famille est morte. Elle ne ferait pas ça.

Alors que Shy s'apprête à retourner à l'intérieur, une nouvelle voix sort des haut-parleurs : *Mesdames et Messieurs, ici le capitaine. J'ai besoin que tous les passagers et membres d'équipage demeurent à leur point de ralliement, assis, équipés de leurs gilets de sauvetage. Nous allons bientôt nous trouver au cœur d'intempéries extrêmement violentes. Je répète, ici votre capitaine. Tous les passagers et membres d'équipage doivent rester assis, avec leurs gilets de sauvetage correctement attachés. Nous faisons notre possible pour récupérer une connexion satellite afin d'obtenir plus d'informations, mais notre préoccupation majeure est votre sécurité.*

Shy continue à faire le tour du pont, toujours à la recherche de Carmen, tout en essayant de déterminer ce que le capitaine a voulu dire par « intempéries extrêmement violentes ».

De l'autre côté du pont, il tombe sur Paolo et plusieurs membres de l'équipe d'urgence qui préparent les canots de sauvetage. Le chef de la sécurité se tourne vers lui et demande :

— Qu'est-ce que tu fous là ? Tu devrais être à l'intérieur avec ton groupe de passagers. Retourne au théâtre !

— Qu'êtes-vous en train de faire ? s'inquiète Shy.

— On suit la procédure. Et maintenant, pars !

Shy recule, les yeux rivés sur les hommes qui montent et descendent des canots. Il est presque arrivé au niveau des portes vitrées quand il bute contre quelqu'un. Il fait volte-face et se retrouve nez à nez avec Vlad.

— Tu n'as rien à faire là ! hurle ce dernier.

— Dites-moi pourquoi ils préparent les canots.

Vlad jette un coup d'œil à Paolo et à son équipe avant de crier pour couvrir le bruit de la tempête :

— Nous sommes trop près des îles Cachées ! Il n'y a pas assez de profondeur !

— Qu'est-ce que ça signifie ?

— Et puis il y a le vent ! poursuit Vlad. Nous ignorons comment l'océan va réagir.

Après un nouveau coup d'œil à Paolo, il entraîne Shy à l'écart des canots et des hommes qui s'affairent autour, puis allume un puissant projecteur qu'il oriente vers l'eau en contrebas.

— Regarde !

Au départ Shy ne voit que l'écume et les vagues, puis, au milieu d'une vague plus grosse que les autres, il distingue un banc de dauphins dépassant à toute vitesse le bateau dans le sens du vent.

— Ils fuient quelque chose ! crie Vlad. Nous allons probablement affronter un tsunami !

Shy a l'impression de recevoir un coup de poing dans le ventre.

Mais il y a pire que ce que vient de lui révéler Vlad : la peur qu'il lit dans son regard et qui lui confirme qu'ils sont réellement en danger.

Au même moment, ils entendent les moteurs du bateau démarrer, le bâtiment recommence à avancer. Seulement, au lieu de suivre les dauphins, il prend la direction opposée, droit vers ce que fuient les mammifères marins.

— Oh ! mon Dieu, s'exclame Vlad, les yeux écarquillés, fixant l'horizon.

— Qu'est-ce qu'il y a ? demande Shy en suivant son regard sans rien distinguer.

— Ils vont tenter de passer par-dessus !

Vlad éteint le projecteur, fait volte-face et se rue vers les portes vitrées.

— Tout le monde à l'intérieur ! hurle Paolo. Dépêchez-vous !

Shy s'élance à la suite de Vlad en jetant un coup d'œil par-dessus son épaule. Tous les membres de l'équipe d'urgence ont quitté les canots et traversent le pont en courant pour se mettre à l'abri.

Alors qu'il se précipite à l'intérieur avec les autres, Shy ne peut s'empêcher de penser à Carmen qu'il n'a pas retrouvée.

21

Un mur d'eau

De retour dans le théâtre, Shy trouve tout son groupe assis à l'exception de Kevin, debout devant une fenêtre. Shy se rend directement au balcon et scrute la salle en dessous, mais toujours aucun signe de Carmen. Il va donc rejoindre Kevin.

— Il va y avoir un tsunami, lui annonce-t-il avant de jeter un coup d'œil par-dessus son épaule pour vérifier que les passagers ne l'ont pas entendu.

Kevin se tourne vers lui, et désigne la fenêtre d'un air affolé.

Shy la voit maintenant.

Une immense vague qui monte au loin.

Elle est à peine visible pour l'instant, mais elle se dirige droit sur le bateau.

— On risque de mourir, dit Kevin, terrifié.

Shy regarde alors les passagers dans leur fauteuil et, pour la première fois, prend conscience qu'il pourrait bien être en train de vivre sa dernière heure. Ici, au milieu de l'océan. Le cœur au bord des lèvres, il ne sait pas s'il va vomir ou s'évanouir. Jusqu'à aujourd'hui, il ne s'était jamais attardé sur le fait qu'il pouvait mourir. Pas comme ça en tout cas.

Un attroupement s'est formé près de la rambarde du balcon. Kevin s'avance vers les passagers en criant :

— Retournez vous asseoir, s'il vous plaît. Tout le monde doit rester assis !

Shy se dirige vers son propre groupe afin de s'assurer qu'ils ont tous bien mis leurs gilets de sauvetage, puis il vérifie le sien avant de s'installer dans l'un des sièges et d'agripper les accoudoirs. Il ferme alors les yeux et se répète en boucle qu'ils vont s'en sortir. Le bateau est énorme et, comme il l'a affirmé à sa grand-mère, sa coque est indestructible. Ils vont s'en sortir. Tout ce qu'ils ont à faire, c'est attendre sagement à leur point de ralliement que tout soit fini comme l'a demandé le capitaine. Après tout ce n'est sûrement pas sa première tempête, il sait ce qu'il fait.

Soudain, il joint les mains comme pour prier, sauf qu'il ignore comment s'y prendre, n'ayant jamais accompagné sa grand-mère à l'église. De plus, il avait affabulé en lui disant que la coque était en acier et faisait cinq mètres d'épaisseur. En réalité, il n'a aucune idée de son épaisseur ni des matériaux dont elle est constituée. Et si c'était là sa punition pour avoir menti et n'être pas allé à l'église ?

Il se lève et va regarder par l'une des fenêtres où en est la situation.

La vague est désormais plus haute et commence à ressembler à un mur liquide.

Elle est aussi plus proche du bateau.

Et ils foncent droit dessus.

Le garçon se retourne en percevant des bribes de conversations tout près de lui. Des passagers se sont agglutinés derrière lui. Il y en a à toutes les fenêtres, montrant le tsunami qui arrive sur eux. Paniqués, ils s'accrochent les uns aux autres. Kevin leur ordonne de se rasseoir, mais personne ne l'écoute.

Shy essaie à son tour, sans plus de succès. Voyant que ça ne sert à rien, il se rend une fois de plus à la rambarde dans l'espoir d'apercevoir Carmen. Son cœur bat à tout rompre dans sa poitrine et il a du mal à respirer. Il sait qu'ils ne sont plus qu'à quelques secondes de l'impact qui décidera de leur sort. Il comprend qu'il peut mourir. Et si Carmen était quelque part dehors ? Elle ne sait peut-être pas ce qui est sur le point de se produire. Il fait le tour de son groupe de passagers en les suppliant de regagner leur place.

Certains le font, mais la plupart restent collés aux fenêtres afin de voir ce qui se passe. Shy se fraye un chemin jusqu'à celle devant laquelle se tient Kevin, y jette un coup d'œil… et se fige.

Un gigantesque mur d'eau, presque deux fois plus haut que le paquebot, se dirige droit sur eux sans cesser de grandir. Il est évident qu'ils ne passeront pas au-dessus, et pourtant le bateau poursuit sa course. Tout le monde crie, même les hommes. Shy s'aperçoit qu'il hurle, lui aussi. Un passager corpulent d'une quarantaine d'années s'écroule en se tenant la poitrine. Shy sent son corps s'engourdir et ses forces l'abandonner.

Il doit s'agripper à la fenêtre pour tenir debout et continuer à regarder la vague montante. Il est incapable d'appréhender ce qu'il a sous les yeux, tout ce qu'il comprend c'est que c'est la fin de tout et que personne n'y peut rien, pas même Dieu. La vague est à présent juste à quelques encablures et Shy ne voit plus qu'un mur. Il fait volte-face et se met à courir au moment où elle s'abat sur le bateau. Tous les hublots explosent et le sol semble se redresser d'un coup. Le jeune homme est projeté dans les airs. Il a l'impression que la scène se déroule au ralenti. Des corps arrachés à leur siège s'écrasent les uns contre les autres, ou basculent par-dessus la rambarde du balcon pour tomber sur la scène, les fauteuils et les passagers qui se trouvent en dessous. L'alarme retentit à nouveau, et l'eau salée lui emplit la bouche, les oreilles et les yeux, l'empêchant d'en voir davantage. Sa tête finit par heurter le lustre et il perd connaissance.

22

Pertes de connaissance

Shy revient à lui devant les portes grandes ouvertes du balcon tandis que le bateau commence lentement à se redresser. Des passagers gisent autour de lui, meurtris, le corps brisé, le visage figé d'horreur. De l'eau de mer leur tombe dessus par un énorme trou dans le plafond du théâtre et l'air est imprégné d'une odeur d'algue mêlée d'iode.

Il baisse les yeux pour vérifier qu'il n'a rien et se rend compte qu'il est couvert de sang. Paniqué, il cherche frénétiquement où il a été blessé. C'est alors qu'il voit la femme étendue à côté de lui, la gorge transpercée par un gros éclat de verre. Elle s'étouffe dans son propre sang. Fixant Shy d'un regard terrorisé, elle vomit sur ses cuisses une nouvelle gerbe de sang. Puis, lentement, son regard s'éteint et sa tête s'affaisse sur le côté. Le garçon tend un bras vers elle avant de perdre à nouveau connaissance.

Après ça, il revient à lui par à-coups.

Au début, il a l'impression de regarder une photographie. Tout semble pétrifié. Personne ne bouge et des gouttes d'eau scintillantes sont suspendues dans l'air au-dessus de lui. Le seul bruit perceptible est le rugissement de son sang à ses oreilles.

Il voit une pile de corps inanimés qui flottent sur le ventre dans une mare d'eau rosâtre. Plus loin, un homme, les joues striées de larmes, tient entre ses mains le visage défiguré d'une femme. Puis il aperçoit Kevin allongé devant la rambarde. Du sang lui gicle du front au rythme des battements de son cœur. Debout contre le mur du fond, les traits déformés par une grimace et les yeux fermés, une petite fille endimanchée tend les bras pour attraper une personne imaginaire. Shy reporte son attention sur Kevin. Prenant conscience qu'il faut arrêter l'hémorragie, il rampe vers le corps inerte en hurlant son nom. Mais il n'entend même pas sa propre voix. Arrivé près de lui, il se débarrasse de son gilet de sauvetage, puis ôte son sweat-shirt et le déchire afin de le lui enrouler autour de la tête en guise de garrot. Après s'être assuré que le bandage est bien serré, il remet son gilet et secoue doucement son ami en criant :

— Kevin ! Réveille-toi !

Sauf qu'il ne s'entend toujours pas.

En fait, il n'entend rien du tout.

Et Kevin ne se réveille pas.

Il continue de le secouer et de s'égosiller à tel point que le sang lui monte à la tête, et il tombe une fois de plus dans les pommes.

Une trombe d'eau le fait brusquement sortir de l'inconscience. Il ouvre la bouche pour reprendre son souffle et avale par la même occasion une bonne dose d'eau salée et de sable. Il manque d'étouffer, roule sur le flanc en toussant et vomit.

Il se trouve à présent sur la scène, sans savoir comment il y est arrivé. Aucune trace de Kevin. Tout autour de lui des corps inertes flottent dans trente centimètres d'eau et se noient, quand ils ne sont pas déjà morts. Des fauteuils ont été arrachés au sol et le plafond est partiellement détruit. L'air est chargé de fumée, de sel et d'une sorte de brume. Devant lui, un homme a les yeux rivés sur sa cuisse dénudée là où un os a percé la peau. Shy le voit essayer de remettre l'os brisé en place. Il lui faut un moment pour se rendre compte que l'individu en question est son superviseur, Franco, et qu'il est en train de se vider de son sang.

Le temps que le garçon rejoigne l'avant de la scène à quatre pattes, son supérieur est mort. Il rampe par-dessus son cadavre et celui d'une femme noyée, puis bascule dans l'escalier. Étendu sur le dos, il regarde le ciel. La pluie a cessé et il contemple la fumée mêlée de brume au sein de laquelle d'étranges gouttelettes d'eau salée tombent au ralenti sur son visage. À travers les nuages en train de se dissiper, il distingue les contours de la lune, indifférente au drame qui se déroule en bas, aux gens qui meurent. Shy respire et s'efforce de comprendre ce qui leur arrive, mais c'est si inconcevable qu'il perd connaissance, une fois de plus.

Il est de nouveau à genoux, et tente de rejoindre un hublot. Les moteurs ne font plus vibrer le bateau. Shy n'entend plus un bruit et l'air empeste à présent le plastique brûlé.

Il se lève tant bien que mal et titube dans le silence. Enjambant les cadavres, il jette un dernier coup d'œil à la dépouille de son superviseur. Puis il monte l'escalier menant au balcon et se traîne jusqu'à la fenêtre la plus proche. Là, il distingue une seconde vague qui se dresse au loin. Celle-ci aussi est bien plus haute que le paquebot, et Shy ne voit plus rien d'autre. Ni le ciel, ni la lune, ni les étoiles. Il ouvre la bouche pour crier, mais pas un son ne sort. Puis c'est l'impact. Silencieux et si violent qu'il sent la coque d'acier se déchirer et les parois se tordre. Tout est sens dessus dessous et Shy est une fois encore projeté dans les airs, sauf que cette fois il perd connaissance avant même d'atterrir.

23

Les morts

Quand Shy rouvre les yeux, il fait noir.

Une fois ses yeux accoutumés à l'obscurité, il constate qu'il est devant la porte d'accès au balcon, le nez à quelques centimètres d'un mur. Il tourne la tête, le plafond s'est écroulé et il se trouve coincé dessous. Non. Pas coincé. Protégé. Le mur et le plafond ont formé une espèce de toit au-dessus de lui. Et c'est ce qui lui a sauvé la vie.

Il se palpe le corps, la tête, les bras, les jambes, les pieds. Tout est là, indemne. La seule douleur qu'il ressente se situe dans sa poitrine quand il inspire trop profondément.

En faisant donc attention à sa respiration, il s'extirpe de sous les décombres et se retourne pour examiner son abri de fortune. Un poil plus à gauche ou à droite et il aurait été écrasé. Il a de la chance d'être en vie. Pendant qu'il regagne le point de ralliement, Shy se demande combien de temps il est resté KO. Tout paraît si différent, maintenant. L'eau a tout recouvert et le théâtre est complètement détruit. Le plafond ressemble davantage à un mur et la scène est de guingois. C'est alors qu'il se rend compte qu'il a retrouvé l'ouïe. Il entend le grincement de la coque, et quelques passagers en train de pleurer ou d'appeler à l'aide.

Soudain, un craquement sinistre retentit et l'avant de la scène chute d'un bon mètre. Sous le choc, Shy se cramponne à la rambarde du balcon, conscient que le bateau va inexorablement sombrer. Luttant contre l'eau gelée qui lui arrive aux genoux, ayant perdu une chaussure, il avance. Sa poitrine le brûle à chaque inspiration. Il y a quelque chose qui cloche au niveau de ses côtes. Il baisse les yeux sur son gilet de sauvetage. Celui-ci est déchiré et des gouttes de sang s'en échappent. Il s'apprête à le défaire pour évaluer les dommages, mais se ravise et poursuit sa route.

Au début, Shy retourne chaque corps qu'il croise, mais aucun d'eux ne peut l'aider, ils sont tous morts.

Pas la moindre trace de Carmen, Kevin, Rodney ou Marcus. Pendant un moment, il en vient à douter d'être lui-même en vie. Mais s'il marche et s'il respire, c'est qu'il est vivant. Toutefois c'est difficile. Et douloureux. Sans parler de tous ces cadavres qui flottent sur le ventre, certains ont eu un ou plusieurs membres arrachés, tandis que d'autres arborent des plaies béantes couvertes de sang rouge vif.

Avant ce jour, le seul cadavre qu'il avait vu était celui de sa grand-mère. Il se souvient qu'elle lui avait paru apaisée dans son cercueil de bois. Et, grâce au maquillage, on aurait presque cru la voir avant sa maladie.

Mais là c'est différent. Ces gens viennent juste de mourir dans d'atroces conditions. Et il n'y a personne pour les rendre présentables.

À présent, il ne retourne plus les corps.

Soudain, près de la scène, il aperçoit la chevelure de Carmen, à moitié enfouie sous le rideau qui s'est décroché. Il descend les marches bancales de l'escalier aussi vite que possible et se précipite vers elle. Sauf que ce n'est pas Carmen, mais une femme d'âge moyen qu'il ne connaît pas. Une femme morte. Il lui repose la tête dans l'eau et continue ses recherches.

Continue à enjamber des passagers.

Il se met alors à se taper le front avec la paume. Il essaie de réfléchir ou du moins de se réveiller. Mais il est incapable d'aligner deux pensées cohérentes, et il ne parvient pas à sortir de ce cauchemar.

Il sait qu'ils ont été frappés par deux vagues titanesques.

Que tous ceux qui l'entourent sont morts.

Et que le bateau coule.

Au-delà de ça, son cerveau refuse de fonctionner. Comme si tout ça arrivait à un autre que lui. Le Shy de l'espace, voire un total inconnu.

Il repousse les débris : peintures déchirées, statues renversées, plantes en pots, éclats tranchants de miroirs brisés, morceaux de plafonds, de murs et d'escaliers. Gilets de sauvetage vides. Corps inanimés.

— Carmen ! Kevin !... Rodney ! Marcus !

Il hurle leur nom en boucle, sans obtenir de réponse. Seules quelques rares personnes semblent conscientes. Certaines sont assises dans l'eau, en état de choc, tandis que d'autres sont à la recherche de leurs proches, ou, comme Shy, s'efforcent d'atteindre une sortie.

Un éclair zèbre le ciel, permettant à Shy de voir à quel point le bateau est endommagé. L'arrière est en train de sombrer dans l'océan. Quant à l'avant, il est à moitié couché et légèrement au-dessus du niveau de l'eau. Toutes les fenêtres ont explosé et il ne subsiste rien du plafond en verre de l'atrium. La salle des machines n'est plus qu'un tas de décombres et le pont Lido est envahi par l'eau et les algues.

Un coup de tonnerre retentit, suivi d'un autre éclair.

Des centaines de passagers sont déjà alignés à proximité des canots de sauvetage. Quelques membres de l'équipe d'urgence les font embarquer. Beaucoup de canots ont disparu, soit mis à l'eau, soit arrachés au bateau par la violence des éléments.

Shy inspire profondément pour essayer de se calmer, mais chaque respiration lui fait l'effet d'un coup de poignard en pleine poitrine.

De plus, il ignore où il est censé se rendre.

Il finit par repérer Marcus au poste de guet, parmi un groupe de membres de l'équipage qui s'affairent près des radeaux de survie. Shy sait que les radeaux sont leur dernier recours, car ils sont beaucoup plus petits et moins bien équipés. Cela confirme qu'il manque des canots.

Il progresse vers ses collègues avec difficulté, luttant pour ne pas glisser sur le pont incliné. Une discussion houleuse divise les passagers quant à savoir s'il faut, oui ou non, mettre les canots à l'eau tout de suite malgré la mer démontée.

— On ne survivra jamais dans ces conditions. Non mais, regardez ! s'énerve un individu en désignant l'océan déchaîné.

Il y a de l'écume partout et des vagues de plus de cinq mètres viennent régulièrement s'écraser sur ce qu'il reste du bateau.

— Nous sommes en train de couler, crie un autre. Et il y a le feu ! Vous ne comprenez donc pas que les canots sont notre seule chance ?

— Ils sont conçus pour ce genre d'intempéries, explique un membre de l'équipage.

— Mais nous avons encore le temps ! Nous devons demeurer à bord le plus longtemps possible. Utiliser la radio pour envoyer des messages de détresse !

— Personne ne va venir nous aider ! hurle une femme. Vous n'avez pas vu ce qui s'est passé en Californie ? Tous les secours iront là-bas !

Shy ignore qui a raison, tout ce qu'il sait, c'est qu'il doit faire quelque chose. Il se joint à l'équipe d'urgence pour tenter de rétablir le calme pendant que les autres continuent de préparer les canots pour la mise à l'eau.

— C'est le capitaine lui-même qui l'a dit ! crie un passager. Il n'y a plus de contact radio ! Personne ne sait où nous sommes !

Un homme grand se fraye un passage dans la file avec sa femme et son enfant. Il saisit l'un des membres d'équipage par l'épaule et dit :

— Vous devez d'abord évacuer les passagers de la première classe, nous avons payé pour ce droit.

Sa demande provoque un nouveau débat quant à qui a la priorité : les femmes et les enfants, ou les passagers de première classe ?

Shy les écoute se disputer et observe ceux qui sont déjà installés dans les canots et qui fixent du regard la mer agitée. La plupart sont agrippés les uns aux autres, ou se cramponnent aux rebords de l'embarcation. Une femme trébuche en grimpant à l'intérieur et Shy la voit basculer la tête la première. Elle vient heurter de plein fouet l'arête du pont avant de rouler jusqu'aux portes closes où son corps désarticulé s'immobilise enfin.

Un petit groupe se précipite à sa rescousse pendant que la majorité assiste à la scène sans bouger. Un homme, probablement son mari, descend du canot en criant. Il court jusqu'à elle, s'agenouille et prend délicatement la tête de la femme entre ses mains. Puis il lève les yeux vers les cieux et hurle d'une voix rendue presque animale par la douleur et l'impuissance : « Nooooon ! »

Shy s'écarte du groupe et prend la direction des radeaux. Il dérape à plusieurs reprises, et tandis qu'il grimpe l'escalier il entend une bagarre éclater dans son dos. Deux passagers en sont venus aux mains et les membres de l'équipage essaient de les séparer.

Une fois en haut des marches, le jeune homme se retourne pour jauger à nouveau la situation du paquebot. Depuis là où il se trouve, il voit jusqu'où l'arrière s'est déjà enfoncé dans l'océan. La scène a l'air impossible, irréelle. De ce côté-ci, plusieurs canots de sauvetage sont submergés. Vides. La proue du navire pointe vers le ciel, tout en étant légèrement inclinée sur le côté. De la fumée s'échappe de l'intérieur du bâtiment et Shy prend conscience que le feu représente un danger aussi grand que le naufrage imminent.

Un éclair frappe l'océan à proximité et le tonnerre mugit si fort que, dans un réflexe de protection, Shy se recroqueville, les mains sur la tête. Il est terrifié, mais se force à aller de l'avant en se fixant pour objectif d'atteindre les radeaux, et Marcus. Il doit se concentrer là-dessus, et uniquement là-dessus.

24

Sauvetage au restaurant Le Destin

Un groupe constitué de membres de l'équipage s'est rassemblé et s'escrime à essayer d'ouvrir les conteneurs étanches des radeaux de survie gonflables. Le premier à lever la tête à son approche est Kevin, le bandage de fortune fait par Shy toujours autour du crâne.

— Tu es là ! Je t'ai cherché partout dans le théâtre ! Qu'est-ce qui s'est passé ? demande-t-il.

— J'en sais rien, répond Shy. Tu avais perdu connaissance, ajoute-t-il en désignant le front de son ami.

Kevin y porte la main.

— C'est ton sweat, non ?

Shy acquiesce, puis regarde les autres. Il y a Marcus. Et Vlad aussi.

— Cela fait combien de temps que la seconde vague a frappé ?

— Environ une demi-heure.

Il a du mal à croire qu'il est resté dans les vapes si longtemps. Mais il a fini par revenir à lui. Tout le monde n'a pas eu cette chance…

— On prépare ces radeaux en premier, les gars ! ordonne Paolo. Puis nous irons faire le tour des points de ralliement par équipes de deux afin d'aider ceux qui peuvent l'être. Uniquement ceux-là ! Nous n'avons plus beaucoup de temps.

Shy s'agenouille dans le noir auprès de ses camarades, les yeux rivés sur la zone éclairée par deux torches électriques, l'esprit bloqué sur les derniers mots de Paolo : « Nous n'avons plus beaucoup de temps. »

Ils parviennent à ouvrir le premier conteneur et Marcus maintient le radeau pendant qu'il se remplit automatiquement de dioxyde de carbone. Il est conçu pour accueillir douze personnes. Quand Paolo leur a expliqué que tous les canots de sauvetage de l'autre côté du bateau étaient coincés sous l'eau et donc inutilisables, Shy a fait le calcul. Ils ont à peine de quoi embarquer un quart des gens présents à bord, passagers et membres de l'équipage ; mais d'un autre côté, combien sont encore en vie ?

Paolo sort les poignées et vérifie que le compartiment de survie contient tout ce qu'il faut. Shy regarde lui aussi, conscient qu'il aura probablement besoin de tout ça s'il veut avoir une chance de s'en sortir. Il y a de l'eau, de la nourriture séchée, un kit de pêche, des fusées de détresse, une radio, une bâche, des couvertures, une trousse à outils de base et du colorant de détresse pour l'eau.

Paolo tape sur l'épaule de Marcus et d'un autre gars et leur dit :

— Apportez le radeau à l'embarcadère, puis allez faire un tour au théâtre. Vous avez quinze minutes !

Prenant chacun un côté du radeau, ils le soulèvent au-dessus de leurs têtes et descendent tant bien que mal l'escalier.

Avant qu'ils aient fini d'ouvrir le second conteneur, Shy entend, venant de l'arrière du bateau, un énorme craquement suivi d'une explosion. L'équipe se retourne comme un seul homme pour regarder. D'immenses flammes montent vers le ciel, éclairant des nuages de fumée noire. Des hurlements s'élèvent parmi les passagers qui attendent près des canots de sauvetage. Shy baisse un instant les yeux sur la mer déchaînée, puis reporte son attention sur le navire en feu qui coule.

Ils vont tous mourir.

Cette phrase tourne en boucle dans sa tête. Cependant – un avantage de son état de choc ? – il parvient à garder son calme.

Le second radeau se gonfle à son tour. Une fois qu'il a tout contrôlé, Paolo désigne Kevin et Shy et leur donne l'ordre d'aller voir s'il y a des survivants au Destin.

À leur tour, ils saisissent les poignées, soulèvent le radeau et se dirigent avec précaution vers l'escalier. Ils sont presque arrivés en bas de l'escalier quand Shy repère Carmen parmi les gens en train d'embarquer dans l'un des canots de sauvetage.

— Carmen !

Voyant qu'elle ne l'entend pas, il s'adresse à Kevin.

— Carmen vient juste de monter à bord d'un canot ! Elle est vivante !

Kevin hoche la tête, et ils déposent le radeau à proximité du point de mise à l'eau. L'ayant attaché derrière celui de Marcus, ils retournent à l'intérieur du bateau. Une fois passé le pupitre d'accueil vide du restaurant, chacun part d'un côté : Shy va vérifier l'arrière de l'immense salle, tandis que Kevin s'occupe de l'avant.

On dirait que l'endroit a été ravagé par une tornade. Des morceaux de plafond sont tombés au milieu des tables et des chaises renversées, tandis qu'une épaisse fumée flotte au-dessus du sol inondé où gisent des corps inanimés. Shy s'étonne d'être devenu aussi rapidement indifférent à la mort. C'est à peine s'il ralentit pour enjamber les cadavres. Alors qu'il patauge péniblement dans l'eau, il se remémore la jalousie ressentie ici même quelques heures auparavant en écoutant Carmen et Toni parler de leurs fiançailles. Carmen racontant comment Brett avait mis un genou à terre devant elle sur la promenade.

Tout cela lui semble à présent ridicule.

Il file droit vers les cuisines d'où provient la fumée âcre et jette un coup d'œil par le hublot des portes battantes. À l'intérieur, trois membres du personnel essaient d'éteindre le feu à l'aide d'extincteurs, sans toutefois réussir à faire davantage que le contenir.

Shy pousse les portes et, tout en se protégeant le nez et la bouche avec le bras, il crie :

— Paolo veut tout le monde là-haut ! Maintenant !

Les trois hommes se tournent vers lui et Shy laisse échapper un énorme soupir de soulagement en constatant que l'un d'eux est Rodney.

— Shy ! s'exclame son ami, les joues baignées de larmes.

— Rod, il faut que tu montes à bord d'un canot ! Il ne reste plus beaucoup de places.

— Ils sont tous morts, Shy !

— Va aux canots. Dépêche-toi, hurle-t-il en réponse.

Rodney lâche l'extincteur, puis attrape ses collègues par la blouse, et tous les quatre fuient en courant la cuisine en feu. Shy explique à Rodney qu'il le retrouvera sur le pont Lido avec Kevin. Le colosse le serre brièvement dans ses bras avant de se diriger à grandes enjambées vers la sortie.

Shy parcourt l'arrière de la salle à la recherche de survivants avec une détermination nouvelle. Carmen et Rodney sont vivants, et cela lui redonne de l'espoir. Mais rapidement, la fumée qui s'échappe de la cuisine commence à se répandre dans l'air. Shy se met à tousser. À chaque quinte, il a l'impression qu'on lui enfonce un poignard entre les côtes.

Il entend Kevin l'appeler depuis l'autre bout de la pièce, mais alors qu'il s'apprête à le rejoindre une seconde voix lui parvient :

— Au secours !

Shy s'arrête net et regarde autour de lui sans voir personne.

— Où êtes-vous ? demande Shy.

— Ici !

La chaleur de l'incendie qui fait rage dans la cuisine a gagné en intensité et une épaisse fumée tapisse à présent le plafond. Shy aperçoit un homme et une femme main dans la main, complètement submergés. Avachie contre le mur, une passagère inerte tient son ventre couvert de sang.

— Shy, viens, on s'en va.

Au même moment, une énorme explosion retentit. Des flammes jaillissent à travers les portes de la cuisine et commencent à lécher les murs et le plafond du restaurant. Alors que Shy se retourne pour s'enfuir, il voit une main levée dépassant de sous un lustre.

Elle appartient à l'homme qui le suivait partout sur le bateau. L'homme au costume noir. Bill.

— Par pitié, aidez-moi !

Shy se fige.

L'incendie consume tout l'arrière de la salle et la fumée s'engouffre dans ses poumons. L'avertissement de Kevin, sa cabine mise à sac, les menaces, tout ça lui traverse la tête en un éclair. Et malgré tout, Shy ne peut se résoudre à laisser l'homme mourir.

Il tend la main pour attraper celle de Bill et tire. Mais sa jambe est coincée. Il ne peut pas bouger. Shy n'a pas assez de force pour soulever le lustre et l'homme a de l'eau jusqu'au menton.

— Je t'en prie, supplie-t-il.

Shy lui lâche la main afin de dégager le luminaire, mais il est bien trop lourd. Soudain, Kevin est près de lui. Joignant leurs efforts, les deux jeunes gens essaient une nouvelle fois. Shy est pris d'une quinte de toux qui lui déchire la poitrine, tandis que Kevin crie à l'homme de pousser.

À eux trois, ils finissent par le soulever suffisamment pour que l'homme au costume noir libère sa jambe. Il se met alors à genoux, et tente de se relever, mais sa jambe cède sous son poids, et il retombe dans l'eau.

Shy et Kevin l'aident à se redresser et le traînent vers la sortie. Les flammes crépitent dans leur dos et noircissent le plafond et les murs devant eux. La chaleur est si intense que Shy sent des cloques se former sur sa peau, et ses cheveux commencer à griller.

L'entrée principale est en feu. Shy se retourne pour jeter un coup d'œil à la porte de service, mais c'est encore pire.

— Occupe-toi de lui, hurle Kevin. Je me charge des portes !

Shy tousse en regardant Kevin avancer aussi rapidement que possible dans l'eau qui leur arrive à présent aux genoux. Désormais seul pour supporter le poids du blessé, il doit lutter pour rester debout.

Kevin s'élance, épaule en avant, défonce les portes et bascule dans l'eau de l'autre côté. Shy le suit en traînant à moitié son fardeau. Tous deux plongent pour passer sous les flammes. Sous l'eau, tout est étrangement silencieux.

Dès qu'il le peut, Shy ressort la tête et prend une grande goulée d'air enfumé qui déclenche une quinte de toux incontrôlable. Secondé par Kevin, il parvient malgré tout à tirer l'homme jusqu'à l'escalier endommagé.

25

Mise à l'eau des canots de sauvetage

Malgré l'obscurité, Shy distingue les canots déjà mis à l'eau, violemment chahutés par les vagues coiffées d'écume. Non content de s'abîmer, le paquebot est désormais la proie des flammes et tout le monde, y compris les membres de l'équipage, joue des coudes afin de monter à bord des deux derniers canots.

Shy et Kevin aident l'homme à gravir les marches irrégulières jusqu'à l'embarcation la plus proche et se frayent un chemin parmi les passagers qui s'égosillent, sans que personne ne prenne la peine de s'écouter.

— Vlad ! appelle Kevin. Laisse-le monter, il est blessé à la jambe.

— Celui-ci est complet, rétorque Vlad. Nous le mettons à l'eau maintenant. Il devra prendre le prochain.

Shy et Kevin se tournent vers le canot suivant, devant lequel des gens se bousculent. Le garçon se rend compte qu'il devrait lui aussi se battre pour une place, car ces embarcations sont dix fois plus sûres que les radeaux. Mais il n'y en a pas assez, et il fait partie de l'équipage.

— Qu'il prenne ma place.

Shy regarde celui qui a parlé escalader les autres passagers et sauter sur le pont. Il s'agit de Christian, le gars que Shy et Kevin ont chassé du jacuzzi le premier soir.

Après avoir expliqué qu'il est médecin, il demande à jeter un coup d'œil à la jambe de l'homme, puis aide à l'installer à bord. Shy dévisage les gens qui l'entourent, à la recherche de Carmen et de Rodney. Aucun des deux n'est en vue. D'un autre côté, il est certain d'avoir aperçu Carmen montant dans l'un des canots. S'il ne s'est pas trompé, son embarcation a sûrement déjà été mise à l'eau.

Kevin et Shy progressent avec précaution sur le pont incliné afin de rejoindre l'endroit où attendent les radeaux. Christian les suit de près, mais quand ils arrivent, Paolo et Marcus sont en train de faire de grands signes en désignant l'océan.

Shy pivote sur ses talons pour découvrir qu'une nouvelle vague fond droit sur eux. Elle est moitié moins haute que les deux précédentes, mais suffisamment pour soulever l'un des canots de sauvetage et le projeter contre le flanc du bateau. Ses occupants sont éjectés dans la mer déchaînée tandis que des morceaux de plastique volent en tous sens.

La carcasse du navire craque et se plie sous la force de l'impact, cependant l'eau n'atteint pas le pont Lido cette fois.

Shy contemple les débris de l'embarcation, terrorisé à l'idée que Carmen ou Rodney se soient trouvés à l'intérieur. La partie supérieure a été complètement arrachée.

Paolo leur explique que, vu la façon dont les vagues se brisent, ils ne doivent plus être très loin des îles.

— Je ne vois rien, rétorque Kevin.

— Tu verras au matin, lui répond Paolo. Il faut juste que nous parvenions à passer la nuit.

— Tu as vu ce qui est arrivé au canot ? dit Marcus à Shy. Avec un radeau, on n'a aucune chance.

Ne sachant quoi répondre, le garçon se tait tout en continuant à scruter l'eau à la recherche de Carmen. Mais il fait trop sombre pour distinguer autre chose que des silhouettes fantomatiques.

Les deux derniers canots sont enfin descendus dans l'océan. Plusieurs personnes sortent la tête par l'ouverture pour regarder les corps qui flottent dans l'eau et les gens qui sont encore à bord du bateau en feu.

Paolo invite ces derniers à monter dans les radeaux, l'un après l'autre. Tandis que la file avance petit à petit, Shy jette un coup d'œil autour de lui : le bateau qui coule ; les canots de sauvetage qui subissent les assauts répétés des flots ; un groupe de passagers coincés à la proue du navire en feu qui sautent un par un en hurlant dans les eaux tumultueuses.

Shy se retrouve poussé à l'intérieur d'un radeau par le membre d'équipage qui se trouve derrière lui. Très vite, l'embarcation se remplit, puis elle est descendue lentement le long de la coque du bateau. Arrivé au bout des cordes, le radeau est détaché et se retrouve en chute libre au-dessus de la mer démontée. Shy s'agrippe à la poignée la plus proche en criant, à l'instar de ses camarades d'infortune. La peur au ventre, il balaie du regard les gilets de sauvetage ceignant les cadavres qui flottent au-dessous, les débris du bateau et la coulée de carburant qui s'échappe de ses entrailles. Puis il ferme les yeux aussi fort qu'il le peut et se prépare à l'impact.

26

À la merci de l'océan

Le radeau s'est retourné et tombe dans l'océan. Shy lâche prise et est éjecté dans l'eau sombre et gelée. Il bat des pieds et agite frénétiquement les bras, buvant la tasse au passage. Saisi d'une quinte de toux, il recrache ce qui lui reste d'air.

Dès qu'il revient à la surface, Shy fait le plein d'oxygène, ce qui provoque une nouvelle toux, et il regarde autour de lui, paniqué. Il monte et descend, porté par les flots tumultueux. Au loin, le tonnerre gronde. Une petite vague vient se briser sur sa tête, et il avale de travers une autre gorgée d'eau salée.

Du revers de la main, il s'essuie les yeux, puis repère enfin le radeau qui flotte à l'envers une cinquantaine de mètres plus loin. Quelques personnes équipées de gilets de sauvetage nagent déjà dans sa direction. Le regard de Shy s'appesantit un instant sur le navire qui coule, lorsqu'il sent qu'on l'agrippe par le col de son gilet et qu'on le tire vers le radeau.

Il tord le cou et s'aperçoit que son sauveteur n'est autre que Christian.

Incapable d'organiser ses pensées, Shy est complètement perdu. Tout ce dont il est sûr, c'est qu'il est dans l'océan, gelé jusqu'à la moelle, cerné par les vagues.

Un éclair déchire le ciel et lui permet de voir tous les survivants en train de se débattre dans l'eau autour du bateau. Shy se libère de la prise de Christian, se met sur le ventre et commence à nager le crawl en direction du radeau aussi vite que possible, sans tenir compte de la douleur qui lui lacère les côtes.

Kevin est le premier à rejoindre l'embarcation.

Suivi de Paolo, et de Marcus.

Shy les voit la remettre à l'endroit, saisir les poignées et hisser à bord leurs corps gorgés d'eau. Kevin tend la main afin d'aider Christian, et c'est le tour de Shy. Il se laisse tomber sur le dos à l'intérieur du radeau, et reste là, à contempler la fumée qui recouvre le ciel en prenant de grandes inspirations et en écoutant les voix autour de lui.

— De quel côté sont les îles ?

— Nous devons nous éloigner du navire, il y a du carburant partout autour de nous.

— Regardez ! Cette femme est vivante !

— Attrapez les rames !

Dans sa tête, Shy résume la situation : ils sont perdus en mer et personne ne va venir à leur rescousse.

Carmen ! Il se redresse comme un diable sortant de sa boîte et fouille du regard l'immensité liquide, mais il fait trop sombre pour discerner les visages.

Avec lui dans le radeau, il y a Kevin, Paolo, Marcus, Christian et quelques passagers qu'il reconnaît vaguement. La plupart des corps qui flottent à proximité sont sur le ventre, mais il y a encore des personnes qui arrivent à garder la tête hors de l'eau et qui agitent les bras en appelant à l'aide.

Deux éclairs zèbrent le ciel coup sur coup.

Marcus et Christian, chacun d'un côté du radeau, plongent les rames dans l'eau tumultueuse afin de faire avancer l'embarcation en direction de la femme. Paolo l'attrape par le bras et parvient à la tirer à bord. Shy la regarde se recroqueviller en position fœtale pendant que l'eau s'accumule à leurs pieds. Toujours sous le choc, elle lève les yeux sur lui.

Le jeune homme tourne la tête et reporte son attention sur l'océan à la recherche de quelqu'un d'autre à sauver. À la recherche de Carmen. Et de Rodney. Mais il voit surtout des corps sans vie, des débris et, au loin, trois canots. Il aperçoit également les restes de celui qui a été détruit par la troisième vague, et dont le fond flotte près du navire qui a presque entièrement sombré. Seule subsiste la proue illuminée par les flammes.

Soudain un passager se dresse au milieu du radeau en hurlant :

— Ramez plus vite, putain !

Shy se retourne et voit une autre déferlante leur foncer dessus. Elle est au moins de la même taille que celle qui a projeté le canot contre le bateau. Et tout ce dont ils disposent pour l'affronter est un grand radeau ouvert. Sa respiration s'accélère à nouveau.

— Dans l'autre sens ! crie Paolo. Faites demi-tour. Nous devons la prendre de face.

Kevin et Christian font pivoter l'embarcation aussi rapidement que possible, tandis que Shy se cramponne à la poignée sans pouvoir détacher ses yeux du mur d'eau qui s'élève devant eux, de plus en plus haut.

— Allez, viens, espèce de saloperie ! s'exclame Paolo.

Kevin et Christian rament de toutes leurs forces jusqu'à ce que la gigantesque vague se trouve directement face à eux. Ils continuent afin de faire remonter à la minuscule embarcation la pente abrupte menant à sa crête. À l'instar des autres passagers, Shy se penche en avant, les mains crispées sur sa poignée, contractant tous les muscles de son corps.

À la dernière seconde, Kevin et Christian rentrent leurs rames et se baissent à leur tour. Tout le monde hurle et, le visage fouetté par les embruns, Shy perd le contrôle de sa vessie quand le radeau se retrouve presque à la verticale en haut de la vague.

L'embarcation et ses occupants restent suspendus ainsi pendant ce qu'il leur paraît être une éternité, sans gravité ni son. Tremblant de tous ses membres, Shy retient son souffle. Puis le radeau bascule et dévale l'autre versant vers ce qui ressemble à un trou dans l'océan. La vitesse vertigineuse fait vibrer le corps du jeune homme qui se tapit au fond du radeau afin de ne pas être emporté par une bourrasque.

Une fois arrivés en bas de cet infernal toboggan liquide, tous se retournent pour regarder la vague se briser en une explosion d'écume blanche. Elle va recouvrir momentanément les corps, avant d'aller se heurter au bateau presque entièrement submergé, atténuant brièvement les flammes qui finissent de le consumer.

Shy lance un regard affolé autour de lui en cherchant désespérément à se remplir les poumons. Tout le monde est là, l'air hagard, les jointures blanches à force de serrer les poignées. Puis plusieurs personnes se remettent à hurler. Shy fait volte-face et voit une nouvelle vague se profiler à l'horizon. Celle-ci a pris naissance beaucoup plus loin que la précédente, et est déjà plus imposante. Le garçon comprend aussitôt que, cette fois, ils ne pourront pas passer par-dessus.

Kevin et Christian replongent leurs rames dans l'océan, mais ils ont beau y mettre toute leur énergie, c'est peine perdue. Paolo arrache la sienne au jeune médecin et la balance dans l'eau, avant de faire subir le même sort à celle de Kevin. Puis il ouvre le kit de survie du radeau et transvase tout ce qu'il peut dans un sac étanche en criant :

— Tout le monde à l'eau. Notre seul espoir est de plonger sous la vague !

Mais Shy ne peut pas. Il regarde la vague montante qui n'est plus qu'à une centaine de mètres, puis baisse les yeux sur l'eau autour d'eux.

Après avoir attaché le sac sur son dos, Paolo saute par-dessus bord et commence à nager en direction de la vague.

Puis Kevin saute à son tour.

Ainsi que Christian.

Les autres, comme Shy, sont toujours cramponnés aux poignées. Incapables de lâcher. Affichant une expression de pure terreur.

La vague est à présent devant eux.

À la dernière seconde, Shy parvient à faire taire son instinct : il lâche tout et bascule dans l'eau. Le courant l'aspire vers la vague rugissante. Il la regarde s'élever. Elle est au moins aussi haute qu'un immeuble de dix étages. La crête se recourbe, plonge et déferle sur lui tel un troupeau de bisons en colère.

Le jeune homme prend une grande inspiration douloureuse, puis ferme les yeux et plonge le plus loin possible de la surface.

Il est aussitôt pris dans un courant sous-marin qui entraîne son corps affaibli dans les profondeurs sombres de l'océan. Il est secoué en tous sens, tant et si bien qu'il a l'impression de se trouver dans le tambour d'une machine à laver. Puis il s'évanouit.

27

La vérité sur le monde

Shy ouvre brusquement les yeux.

Il flotte au beau milieu de l'océan, porté par son gilet de sauvetage. Pris d'une série incontrôlable de haut-le-cœur, il vomit de l'eau salée et de la bile qui se répandent devant lui et lui reviennent dans la bouche. Le goût atroce le fait vomir à nouveau. Les haut-le-cœur se poursuivent pendant plusieurs minutes. Et même quand il n'a plus rien à rendre, les spasmes continuent. Ses yeux le piquent et sa vision est brouillée.

Il crache, puis regarde autour de lui.

Personne.

Il ignore depuis combien de temps il dérive, ou combien de temps il est demeuré sous l'eau. Son gilet de sauvetage lui a sûrement sauvé la vie en le faisant remonter à la surface.

Il tourne sur lui-même à la recherche de la vague qui l'a entraîné jusqu'ici, mais il ne voit rien.

À dire vrai, l'océan semble plus calme et le vent moins violent. Il aperçoit, étonnamment loin, ce qu'il subsiste du bateau de croisière : une partie de la proue enflammée qui pointe droit vers le ciel.

Il est seul. Il n'y a personne autour de lui. Ni vivant ni mort.

— Kevin ! Marcus !

Il crie tous les noms qui lui passent par la tête, mais ne reçoit aucune réponse. Submergé par la colère et le désespoir, et sans aucune idée de ce qui peut bien nager sous lui, il frappe l'eau de ses mains.

Pendant les minutes qui suivent, il fait du surplace, luttant contre la panique qui menace de le rendre fou. Et s'il était perdu pour de bon ? Sans rien à boire ni à manger, sans personne pour lui tenir compagnie quand surviendra sa dernière heure. Il craint de ne plus jamais rien voir que cette interminable étendue d'eau, et il a l'impression que la vérité sur le monde vient de lui être révélée. Son pouvoir absolu. Les hommes ne sont rien d'autre que des grains de poussière aisément balayés par la brise.

L'eau ainsi que le vent sont glacés et le garçon tremble de froid. Il jette un nouveau coup d'œil autour de lui. Cette fois, sa vue s'est adaptée à l'obscurité et il distingue des débris de bateau. Des corps. Un gilet de sauvetage vide. La rame d'un radeau, peut-être même du leur. Une cape de pluie qui flotte grâce à une bulle d'air coincée en dessous.

À une trentaine de mètres de lui, il repère l'épave d'un canot, probablement celui qui a été projeté contre le navire. Sans réfléchir, il se met à nager dans sa direction, récupérant au passage la rame et l'imperméable. Ses côtes lui font souffrir le martyre, néanmoins il avance. Un bras passé dans la cape, il lance la rame devant lui, et la rattrape. Parfois de petites vagues lui aspergent la tête et à plusieurs reprises il avale de grandes gorgées d'eau salée qu'il doit recracher, ou vomir. Malgré tout, il ne s'arrête pas avant d'avoir atteint ce qu'il reste du canot. La partie supérieure a été complètement arrachée, et les bords déchiquetés sont coupants. Il y a également des fissures tout le long de la paroi. Après avoir fait deux fois le tour de l'embarcation afin de repérer l'endroit le plus lisse, il balance la cape de pluie ainsi que la rame dans l'épave et se hisse légèrement pour jeter un coup d'œil à l'intérieur.

Il y découvre un groupe de passagers, tous allongés au fond dans plusieurs centimètres d'eau. Aucun d'eux n'est Carmen, ou une autre de ses connaissances.

— Ohé ! appelle-t-il.

N'obtenant pas de réponse, il réessaie plus fort.

— Ohé !

Personne ne semble l'entendre.

Il flotte encore pendant quelques minutes, regarde derrière lui l'étendue sans fin de l'océan, puis se hisse jusqu'à la taille et bascule à l'intérieur. En tombant, il atterrit sur quelqu'un et s'empresse de rouler pour se dégager. Une fois assis, il examine la femme. Ses cheveux gris coupés court sont couverts de sang.

À genoux, Shy se déplace dans l'eau teintée de rose afin d'inspecter les autres corps. Il leur soulève la tête, les secoue pour les réveiller, cherche leur pouls. Ils sont tous morts. Le jeune homme ramasse la rame, la pose sur ses cuisses et observe l'océan.

— Il y a quelqu'un ?

Où sont passés tous ceux qui étaient avec lui sur le radeau ?

Où sont Kevin, Marcus et Paolo ?

Et s'il était le seul survivant ?

Il repose la rame, se met debout avec précaution et traverse l'embarcation pour tenter d'allumer le moteur. Sans succès. Le tableau de bord est défoncé et parsemé d'éclaboussures de sang. Il se penche pour fouiller dans le compartiment situé en dessous. Il contient : un grand filet de pêche, des hameçons, du colorant de détresse, une corde, un pistolet de détresse avec six cartouches, un kit de réparation et une bâche.

En revanche, ni eau ni nourriture.

Il ne touche à rien et reporte son attention sur l'eau salée au fond du bateau. Elle lui arrive aux genoux, ce qui risque de poser problème, car à certains endroits les brisures sont à peine plus hautes. Il plonge la main sous l'eau à proximité de la plus grosse fissure et sent l'eau qui s'infiltre dans l'embarcation.

Sachant que le colmatage ne peut se faire que sur une surface sèche, il retire au corps le plus proche son sweat-shirt trempé et l'utilise pour boucher le trou. Puis il commence à écoper en se servant de ses deux mains en coupe.

Pendant une heure, il balance l'eau de l'océan par-dessus bord. Le niveau baisse avec une lenteur décourageante, et Shy s'oblige à ne pas trop réfléchir à l'après.

À deux reprises il s'interrompt en voyant des éclairs de lumière dans la nuit sombre. Ça ressemble à des étoiles filantes, mais il s'agit probablement de fusées de détresse. Ce qui lui redonne de l'espoir. D'autres ont survécu. Il s'arrête, en tire une en réponse et s'accroupit en fixant anxieusement le ciel du regard.

Après avoir attendu en vain un autre signe pendant plusieurs minutes, il se remet à la tâche.

Quand il est fatigué au point de ne plus pouvoir lever les bras, il s'assied pour reprendre son souffle et soulager ses côtes douloureuses. Mais demeurer immobile est encore pire, car il se met alors à penser à la situation désespérée dans laquelle il se trouve. Perdu au milieu de l'océan dans un canot rempli de cadavres, sans eau ni nourriture et aucune idée de la direction à prendre.

Il sent une montée de panique lui nouer la gorge et peser sur sa poitrine au point de rendre difficile sa respiration. Pendant quelques secondes, perdant tout contrôle, il s'arrache les cheveux. Puis il ferme les yeux et inspire profondément à plusieurs reprises jusqu'à ce qu'il se soit suffisamment calmé pour recommencer à écoper.

Il ne faut pas longtemps à Shy pour être à bout de forces.

Il enfile la cape de pluie afin de se protéger du vent et s'assied dans l'eau du canot qui est légèrement plus chaude que l'air. Il frissonne et observe les corps qui l'entourent. Il y a deux hommes d'un certain âge, dont un avec des lunettes et un bras dans le plâtre. Une blonde assez jeune qui était sûrement jolie avant d'être blessée à la tête. Et deux femmes. La plus proche de lui est défigurée par une hideuse balafre sur le côté du visage.

Il songe à les balancer par-dessus bord pour ne pas les avoir sous les yeux en permanence et pour éviter de les voir pourrir ou être incommodé par l'odeur, mais il craint que cela ne lui porte malheur. Et puis une part de lui continue à espérer que les secours arriveront au matin. Si les dépouilles sont dans l'embarcation, il sera possible de les enterrer comme il se doit.

Il remarque alors que le ciel est légèrement moins sombre. Bientôt, le soleil se lèvera sur l'océan. Et avant ça, sur la Californie.

Comment est-ce encore possible ?

Après tout ce qu'il vient de traverser.

Il songe à sa famille, en sécurité dans l'enceinte de l'hôpital, mais il est incapable de visualiser les visages. Quelque chose ne va pas. Il a dû ingurgiter trop d'eau de mer, ou bien son cerveau a manqué d'oxygène à un moment, car il ne parvient pas à se souvenir des traits de sa propre mère, de sa sœur et de son neveu.

Il ne se rappelle qu'un seul visage : celui de Carmen.

Le bateau de croisière a désormais presque complètement sombré. Shy regarde la proue s'enfoncer dans l'eau, sa pointe couronnée de flammes. Puis juste les flammes. Et enfin plus rien.

Là où se trouvait le paquebot apparaissent à présent les premiers rayons du soleil.

Les genoux serrés contre la poitrine, Shy contemple l'immense astre aux contours brouillés qui se lève lentement. Le froid le fait claquer des dents, chaque respiration est un calvaire, et il ne cesse de penser à Carmen et à ce qui a pu lui arriver.

Il passe une main sur ses yeux fatigués, et la ramène pleine de larmes.

Jour 3

28

Les autres survivants

Shy se réveille en sursaut.

Il fait maintenant plein jour.

Le jeune homme inspire profondément et jette un coup d'œil autour de lui. Il vient de rêver que les mains froides d'un mort se refermaient sur sa gorge. Mais tous les cadavres ont le visage dans l'eau, comme il les a laissés.

Et le niveau de l'eau est monté de façon alarmante. Assis, Shy en a presque jusqu'au cou, ce qui lui donne l'impression de se noyer, alors qu'il est seulement en train de couler.

Une secousse l'informe que le canot vient de heurter quelque chose. Un morceau d'épave, ou un corps, peut-être.

Il s'accroupit et cherche le moindre signe de vie dans l'océan scintillant. Il repère au loin des débris d'embarcation. Un radeau dégonflé. Des gilets de sauvetage vides.

Le soleil brûlant est haut dans le ciel, ce qui signifie qu'il a dormi plusieurs heures. L'air est chaud et sec. Quant à l'océan, il est presque plat sous le ciel le plus bleu que Shy ait jamais vu. Un ciel de carte postale.

C'est alors que tout lui revient.

Les vagues gigantesques, le bateau en feu, la Californie ravagée, sa famille… À l'heure qu'il est, il devrait être sur le pont Lido, à fournir des serviettes aux passagers, des clubs pour le minigolf… À mater les jolies femmes en bikini, y compris les mères de famille. Et à attendre que Carmen vienne papoter cinq minutes en buvant son café. Sauf que le pont Lido n'existe plus, car l'intégralité du navire repose à présent au fond de l'océan Pacifique tandis qu'il est seul perdu en mer. Sans aucun autre survivant à l'horizon.

Une nouvelle secousse, plus violente, ébranle le canot.

Il se penche par-dessus le rebord et ce qu'il voit lui glace le sang.

Cinq ou six requins tournent autour de l'embarcation, leur gueule entrouverte dévoilant d'impressionnantes rangées de dents acérées. Les yeux écarquillés d'horreur, Shy regarde l'un d'eux quitter le groupe, plonger dans sa direction et remonter en donnant un coup de museau dans la coque du bateau, le faisant tomber sur les fesses.

— Qu'est-ce que c'est que ce bordel !

Repoussant avec colère l'un des corps, il se relève puis va récupérer la rame du radeau. Cette fois, il est vraiment en rogne. Comme s'il n'avait pas assez de problèmes, il faut en plus qu'il se tape des putain de requins.

Il se met alors à frapper l'eau à grands coups de rame en hurlant :

— Cassez-vous !

Les squales se dispersent quelques secondes, puis se rapprochent à nouveau, reprenant leur sinistre ronde.

Shy repose la rame à l'intérieur de l'embarcation et s'assied dans le fond inondé. Le cœur battant, il se balance d'avant en arrière en essayant de calmer sa respiration et de réfléchir en regardant autour de lui.

Le sweat-shirt n'est plus dans le trou, ce qui explique pourquoi l'eau a tant monté. Il faut qu'il trouve un moyen de réparer la coque, sans quoi il coulera. Et s'il coule... Les mots de sa grand-mère lui reviennent en mémoire : *Mais j'ai des photos de leurs dents,* mijo. *C'est qu'ils en ont des tas de rangées.*

Après avoir rebouché le trou avec le vêtement, Shy traverse le canot pour aller ouvrir le compartiment sous le tableau de bord.

Une nouvelle secousse ébranle l'embarcation.

Il sort la bâche de son emballage, mais, n'arrivant pas à trouver une façon de la fixer efficacement, il la jette pour prendre le kit de réparation. S'il veut pouvoir s'en servir, les contours du trou doivent être secs, il doit donc d'abord vider assez d'eau pour qu'ils ne soient plus submergés.

Les deux mains à nouveau en coupe, il se remet à écoper aussi vite qu'il le peut.

Il a l'impression de faire ça depuis des heures. Ses bras, ses épaules et son dos le font souffrir. Les requins sont toujours là à tourner autour du canot, venant de temps en temps cogner le fond pour le renverser. Ou alors, ils soulèvent leur gueule menaçante hors de l'eau, toutes dents dehors.

La journée s'écoule lentement, mais le soleil finit tout de même par entamer sa descente. Au soir, l'eau dans le canot n'est plus qu'à hauteur de chevilles.

Shy s'agenouille et retire son bouchon de fortune. La brèche n'est plus submergée, néanmoins elle est mouillée. Et il n'y a pas un seul morceau d'étoffe à bord qui ne soit pas trempé. Il n'a donc aucun moyen de la sécher. Faute de mieux, il se penche et commence à souffler sur les bords, chaque respiration provoquant une intense douleur dans ses côtes.

Après plusieurs minutes de ce traitement, il passe le doigt autour du trou et constate qu'il est presque sec. Il prend un patch dans le kit de réparation et le positionne sur la fissure, puis il le recouvre d'une épaisse couche de résine.

C'est alors que, lentement, un requin sort la tête de l'eau la gueule ouverte, et lui lance un étrange regard en coin. Shy bondit sur ses pieds en attrapant la rame, la lève aussi haut qu'il peut et l'abat de toutes ses forces dans les dents du requin.

— Prends ça, putain de bestiole ! Reviens si t'en veux encore, hurle-t-il tandis que l'animal disparaît sous les flots.

Puis il reste debout, la rame au-dessus de la tête, prêt à frapper à nouveau, mais les requins gardent leurs distances.

Au bout d'un moment, il finit par s'asseoir en s'adossant à la partie la plus haute du canot et regarde le soleil couchant barioler le ciel tout en se remémorant le visage de Carmen au moment de la première alarme. Cette image lui brise le cœur.

La faim commence à lui provoquer des crampes.

Ses pensées deviennent confuses.

L'océan continue de lui murmurer des choses, comme il le fait depuis le premier jour de sa première croisière. Il sait que jamais il ne comprendra ce qu'il dit.

Alors que le ciel s'assombrit, il retourne près du trou et passe la main sur la résine. Elle est complètement sèche. Et solide, constate-t-il en donnant un petit coup dessus. Au moins, l'embarcation ne coulera pas. Autre bonne nouvelle : les requins sont partis.

À présent c'est la nourriture et l'eau qui posent problème. L'estomac de Shy gronde, et sa bouche est aussi sèche que le désert. Quelle injustice d'être entouré d'eau et de ne pouvoir boire la moindre goutte !

Installé à sa place favorite dans le canot, il est en train de se balancer en regardant au loin quand quelque chose attire son attention.

Un radeau, peut-être.

Avec des gens.

Shy se lève et agite les bras au-dessus de sa tête.

— Par ici ! Ohé !

Il sort une fusée de détresse et la lance dans la nuit tombante. La seconde. Il ne lui en reste plus que quatre.

Une voix d'homme retentit dans le lointain, et il voit quelqu'un bouger.

Il a récupéré la rame, sauf qu'il ne sait pas comment s'en servir. Il tente d'abord de ramer d'un seul côté, mais ça le fait tourner en rond, alors il se place à l'avant du canot, plonge la rame d'un côté de la pointe et pousse. Puis il fait la même chose de l'autre côté.

Il n'a pas beaucoup d'appui et pourtant il a l'agréable surprise de constater qu'il avance, petit à petit, et presque en ligne droite.

Quelques requins, de retour, nagent devant lui.

Au bout d'un long moment, Shy est suffisamment près pour distinguer malgré l'obscurité les personnes qui se trouvent à bord. Il compte sept têtes. La plupart sont à genoux de chaque côté de l'embarcation et pagaient à main nue dans sa direction, sans grand résultat.

Un inconnu lui crie :

— Dépêchez-vous ! Nous n'avons plus beaucoup d'air.

— J'essaie ! répond Shy.

Plusieurs requins tournent également autour du raft, dont la moitié dégonflée est à présent dangereusement proche de l'eau.

Tandis que Shy redouble d'efforts, il commence à reconnaître certains des visages.

Il y a le Texan et aussi Toni, du restaurant Le Destin. Tous deux, les yeux exorbités, sont à quatre pattes en train de ramer.

Puis Shy voit une autre fille juste derrière eux.

La blonde qu'il a dû chasser du pont Lune de Miel pendant la tempête. Addison.

29

Bain de sang

Shy plonge et replonge sa rame dans l'océan, avançant à une lenteur désespérante vers le raft en perdition. Il reste à peine la moitié d'un terrain de basket à parcourir.

Soudain, l'un des requins fonce sur le radeau et mord dedans à proximité du Texan qui bondit en arrière. Les naufragés se mettent à crier, et se regroupent au centre de l'embarcation, blottis les uns contre les autres.

Le PVC serré entre les dents, l'animal secoue la tête à la façon d'un chien qui a trouvé un os, puis lâche son butin et se laisse couler dans l'eau.

Shy est tétanisé par leur agressivité.

À croire qu'ils ont conscience d'être à deux doigts de réussir à attirer ces gens dans l'eau.

Le raft commence à pencher du côté endommagé.

Un autre requin quitte le cercle. Celui-ci est plus petit que le précédent et arrive par le côté opposé. Shy s'attend à ce qu'il répète la manœuvre du premier, mais au lieu de ça, il se propulse hors de l'eau en tournant sur lui-même et atterrit sur le dos à l'arrière de l'embarcation.

Plusieurs passagers perdent l'équilibre et basculent dans l'océan en se débattant avec maladresse. Ils hurlent et frappent l'eau autour d'eux, tout en essayant de rejoindre Shy. Mais ils sont attirés sous les flots par les requins sous le regard horrifié du garçon.

Deux autres personnes, dont Toni, choisissent d'elles-mêmes de plonger et nagent vers le canot de sauvetage dans l'espoir de les prendre de vitesse.

— Arrêtez ! s'écrie Shy.

L'un après l'autre, les naufragés sont attrapés par les requins qui les entraînent sous l'eau. Leurs cris déchirent l'air chaque fois qu'ils refont surface et tentent désespérément de s'échapper.

Addison, toujours assise près de l'avant du radeau, hurle tandis que le Texan remplit un sac étanche et saute à son tour.

— Restez sur le radeau ! leur crie Shy.

Dieu seul sait comment, Toni parvient à atteindre le canot de Shy. Il tend sa rame vers elle afin qu'elle s'en saisisse, et tire dessus jusqu'à ce qu'elle soit assez près pour lui prendre la main et qu'il la hisse à bord. Mais juste au moment où elle s'apprête à basculer à l'intérieur, elle pousse à l'oreille du jeune homme un hurlement strident et plante dans ses yeux un regard terrifié. Puis, arrachée à sa prise, elle retombe à l'eau.

— Toni !

Shy se penche par-dessus le rebord du canot et la voit lutter contre le requin. Elle réussit à se libérer et recommence à nager vers le bateau, mais à peine quelques secondes plus tard, elle disparaît à nouveau sous les flots. Ses cris se transforment en gargouillements étouffés, puis c'est le silence.

Tout le corps de Shy est alors pris de tremblements incontrôlables.

Il n'a rien fait pour l'aider.

D'autres squales arrivent pour le festin. L'eau bouillonne sous l'action de leurs nageoires et de leur queue tandis qu'ils se repaissent du cadavre de Toni.

Shy replonge sa rame dans l'océan et se dirige vers le Texan et Addison. Tous les autres sont morts. Le Texan fonce droit sur l'amas de requins, pointe sur eux le pistolet de détresse, et tire. L'explosion orange illumine brièvement les eaux sombres et fait fuir les prédateurs. Méconnaissable, la dépouille de Toni flotte à la surface, son gilet de sauvetage en lambeaux.

L'homme lâche le pistolet et parcourt en un temps record la courte distance qui le sépare encore du canot. Il saisit la rame de Shy qui l'aide à se hisser à bord avant de reporter son attention sur Addison.

La jeune fille est toujours sur le radeau presque entièrement dégonflé. En état de choc, elle regarde fixement l'eau devant elle. Shy fait avancer le canot jusqu'à ce que les deux embarcations se touchent. Un requin sort son énorme tête de l'eau, la gueule grande ouverte, l'un de ses yeux noirs rivé sur le garçon.

Ce dernier abat la rame de toutes ses forces sur la tête de l'animal. Puis il la relève, prêt à frapper à nouveau tandis que le Texan attrape Addison par le bras et l'attire dans le canot avec eux. Elle tombe sur l'un des cadavres, et se redresse prestement. Puis elle se recroqueville contre le bord et, le visage dans les mains, éclate en sanglots.

Shy se débarrasse de la rame et va la rejoindre. Personne ne dit rien. Ils se contentent d'échanger des regards en reprenant leur souffle avec, en fond sonore, les bruits macabres des squales en train de festoyer.

Il fait à présent nuit noire, à l'exception de quelques étoiles et de la lune à moitié pleine qui semble flotter devant leur embarcation de fortune.

Shy se frotte les yeux et serre les dents, mais il ne parvient pas à chasser de son esprit la vision de Toni aux prises avec les requins, les cris, le sang…

Le Texan plonge la main dans son sac et en sort un bidon d'eau. Après l'avoir ouvert, il le tend à Addison qui tremble si violemment qu'elle est incapable de le porter seule à sa bouche.

Puis c'est le tour de Shy. À la seconde où la première goutte d'eau lui touche la langue, il a l'impression de sentir son corps revivre. Il pourrait boire ainsi des heures, mais ils doivent se rationner. Qui sait combien de temps ils devront faire durer ce bidon ? Il le rend donc au Texan qui boit lui aussi une gorgée tout en se tenant la cuisse.

Même dans le noir Shy peut voir le sang couler entre ses doigts.

L'homme repose le récipient et lève les yeux sur ses compagnons. Puis il retire la main de sa blessure et Shy ne peut s'empêcher de grimacer. Elle est si profonde qu'on aperçoit l'os. Du sang jaillit régulièrement, imprégnant la jambe du pantalon avant de se répandre dans l'eau autour de sa chaussure.

Il replace sa main sur la plaie et dit :

— Je crois que j'ai été mordu.

30

La réponse de M. Henry

Assis dans le bateau en face d'Addison, Shy écoute les gémissements du Texan, le murmure de l'océan, et le bruit des minuscules vagues qui lèchent la coque de leur canot.

La jambe de l'homme saigne encore malgré le garrot noué par Shy en haut de sa cuisse, plusieurs centimètres au-dessus de la plaie comme on le lui a montré durant sa formation. Mais c'est la première fois qu'il voit une blessure pareille, déchiquetée et irrégulière, avec le muscle en bouillie complètement exposé. Il ne comprend même pas comment il est possible de survivre avec une jambe dans cet état.

Addison a l'air mal en point, elle aussi. Elle semble physiquement indemne, mais elle refuse de parler, même quand Shy lui demande comment ils se sont retrouvés sur le radeau et ce qui est arrivé à leur canot. Elle reste assise là, de l'autre côté du bateau, à frissonner en luttant contre le sommeil.

Elle finit cependant par s'endormir, et Shy la couvre avec la cape de pluie. Certes, elle s'est comportée comme une garce avec lui sur le navire, sûrement la pire qu'il ait jamais rencontrée, mais cela n'a plus d'importance. Il retourne à sa place et observe l'océan. Il a froid, et faim, sans parler de la soif. Et puis il y a ses côtes qui continuent de le faire souffrir. Il est avec d'autres personnes, à présent. Des personnes vivantes. Mais il ne se sent pas moins seul.

Tandis qu'il est assis là dans le noir, son esprit se focalise à nouveau sur les mêmes questions. Pourquoi tout ça est-il arrivé ? Pourquoi a-t-il échoué ici au lieu d'être avec sa famille, quitte à mourir avec eux lors du tremblement de terre ? Quand il était petit, sa grand-mère lui répétait souvent que tout arrivait pour une raison, même la façon dont son père le traitait. Il avait d'ailleurs fini par y croire… Jusqu'à maintenant.

Quelques heures plus tard, il rouvre les yeux.

Il fait encore nuit.

Addison dort toujours et n'a pas changé de position. En revanche, le Texan est réveillé. Le visage tordu de douleur, il se tient la jambe, mais au moins il a l'air conscient de ce qui l'entoure. Shy va le voir et insiste pour qu'il boive un peu d'eau.

— Ne la gâche pas pour moi, dit-il en repoussant le bidon.

Shy prend une petite gorgée et dit :

— Nous avons tous besoin d'eau.

— Tu sais bien que je ne survivrai pas à ça, réplique-t-il en désignant sa cuisse mutilée.

C'est malheureusement vrai, il a de plus en plus mauvaise mine et la jambe de son pantalon, sous le garrot, est couverte de sang. Il baisse les yeux et Shy voit ses épaules s'affaisser.

— De toute façon, je n'en ai pas envie. Pas sans Angela.

— Angela est celle à qui vous alliez donner la bague ? demande le garçon.

L'homme acquiesce.

Shy se dit qu'il devrait le faire parler afin de détourner son esprit de la douleur. Mais il ne sait pas comment s'y prendre. Au lieu de ça, à nouveau il lui propose à boire. Cette fois, le Texan accepte une gorgée et lui rend le bidon.

Shy le rebouche et dit :

— Je ne connais même pas votre nom.

— William. William Henry.

— Shy, réplique Shy en lui serrant la main.

Il n'a plus rien à voir avec le type rencontré sur le bateau. Il est plus humble. Peut-être est-ce un effet secondaire d'une méchante morsure de requin, pense Shy. Ça vous dépouille de toute arrogance.

— M. Henry, tout ce qui est arrivé est atroce, c'est sûr. Mais je trouve dommage que vous n'ayez pas eu l'occasion de faire votre demande.

M. Henry esquisse un sourire forcé, et secoue la tête.

— Je connaissais la réponse de toute façon.

Shy penche la tête et lui lance un regard perplexe.

— Comment ça ?

— Dans l'après-midi, j'ai dit à Angela de porter sa parure de perles pour le dîner.

L'homme grimace en baissant les yeux sur sa jambe et palpe doucement le pourtour de la blessure.

— Je ne comprends pas.

— La plupart des femmes sont prises au dépourvu lorsqu'on leur demande leur main, explique M. Henry.

Après une quinte de toux, il poursuit :

— Quand elles y repensent après, elles regrettent de ne pas avoir choisi une autre robe. Ou de ne pas s'être maquillées. Ce genre de broutilles. Nous avions l'habitude de plaisanter à ce sujet. Alors quand je lui ai parlé des perles, elle a deviné.

— Elle était au courant pour la bague et tout le reste ?

L'homme hausse les épaules.

— J'ai vu son regard quand j'ai quitté la cabine cet après-midi-là. Elle n'avait pas l'intention de me rejoindre pour le dîner.

— Peut-être qu'elle soignait son maquillage, comme vous l'avez dit.

— Je le sais, rétorque M. Henry en secouant tristement la tête.

Shy le regarde s'adosser contre la coque et fermer les yeux sans cesser de triturer sa blessure. Il trouve injuste qu'en plus de ce rejet, le pauvre type se soit fait mordre par un requin. Cependant, force lui est de reconnaître qu'il n'y a pas grand-chose de juste dans les événements de ces derniers jours.

Jour 4

31

Perdus en mer

Au matin, Shy se sent faible. La faim couplée à la déshydratation lui donne des crampes, et il tremble de froid, mais il sait que d'ici cet après-midi, la chaleur deviendra insupportable. Ses lèvres sont gercées et gonflées, et la peau de son visage, brûlée par le soleil, semble tendue à craquer. L'air salé le pique, et des petites cloques ont commencé à apparaître sur ses bras, ses jambes ainsi que sur ses pieds. Qui plus est, son épiderme est recouvert d'une étrange pellicule.

Pendant les premières heures de cette nouvelle journée, le Texan dort tandis qu'Addison frissonne dans son coin, sans piper mot. Shy, quant à lui, cherche à élaborer un plan. Ils ne peuvent pas rester assis là sans rien faire. Grâce à la trajectoire du soleil, il sait où est l'est, mais qu'est-il censé faire ? Pagayer jusqu'en Californie ? Avec sa pauvre rame, il leur faudrait au moins un an. Ils pourraient tenter de rejoindre ces fameuses îles dont tout le monde parle, mais il n'a aucune idée de la direction à emprunter.

Fatigué de réfléchir à leur situation critique, il reporte son attention sur Addison, et son étrange comportement sur le pont Lune de Miel durant la tempête lui revient en mémoire.

Quelques heures plus tard, la jeune fille jette un coup d'œil par-dessus le rebord et s'exclame :

— Ils ne peuvent pas nous foutre la paix ?

Ce sont les premiers mots qu'elle prononce depuis qu'elle est à bord. Shy comprend qu'elle fait allusion aux deux requins qui continuent à rôder autour du canot, mais il décide de profiter de l'ouverture pour aborder le sujet qui le préoccupe.

— Pourquoi ton père avait-il une photo de moi ?

Addison tourne la tête vers lui.

— C'est bien ce que tu as dit, non ? insiste-t-il. Pendant la tempête, quand tu étais sur le pont avec tes jumelles ?

Pas de réponse.

— Tu voulais savoir qui je suis… mais tu es qui, toi ? Et ton père, qui est-ce ?

Une grimace déforme les traits de la fille qui se cache le visage entre les mains et fond en larmes.

Shy se radoucit. Il est incapable de demeurer en colère face à une fille qui pleure.

— C'est juste une question. C'était un peu tordu de me dire que ton père a une photo de moi et de…

— Tu te fous de moi ! crie Addison entre deux sanglots. Je viens de voir mourir ma meilleure amie. Tu as une idée de ce que ça peut faire ?

Shy la regarde, stupéfait. Il ne s'attendait pas à ce qu'elle lui fasse une crise d'hystérie.

— En plus, je ne sais pas où est mon père ! Si ça se trouve, il est mort lui aussi ! Et toi, tu viens me prendre la tête avec cette stupide photo ?

— C'est bon, calme-toi ! Je ne faisais que poser une question.

Addison enfouit de nouveau son visage dans ses mains et se remet à pleurer si fort que Shy a l'impression d'être le dernier des salauds. Peut-être que c'est le cas après tout. Il n'aurait sans doute pas dû parler de ça, car au final le monde réel n'a plus d'importance.

— Laisse-lui le temps, intervient M. Henry.

Shy se tourne pour faire face au Texan et croise son regard.

— J'ignore de quoi vous discutiez, mais quel que soit le sujet, laisse-lui le temps.

Shy baisse la tête et inspecte les cloques sur son pied nu en marmonnant pour lui-même.

— Aucun de nous n'a le temps.

Un peu plus tard, tous trois se cachent pour échapper au soleil à présent haut dans le ciel. Addison est assise sous la cape de pluie de Shy tandis que M. Henry est recouvert par la bâche. Quant à Shy, il a ôté son gilet de sauvetage et mis sa chemise sur sa tête de sorte qu'elle lui couvre aussi les épaules. Le jeune homme en a assez de rester là à attendre. Il faut qu'il agisse. Maintenant.

Il se lève alors et annonce :

— Nous avons besoin d'eau et de nourriture. Et nous devons absolument rejoindre ces îles.

Addison et M. Henry le regardent sortir le kit de pêche. Il ignore comment ils vont faire pour l'eau, car vu le ciel limpide, il est inutile de compter sur la pluie, mais il peut au moins tenter d'attraper un poisson.

— Ça, c'est intelligent, ironise Addison.

— Quoi ?

— Tu ne portes pas de gilet de sauvetage, répond la jeune fille en secouant la tête d'un air dégoûté.

Shy lui lance un regard incrédule.

— Tu as peur que je me noie ?

— Non, se moque-t-elle. Fais ce que tu veux. Tout ce que je dis, c'est que c'est débile. D'un autre côté, venant de toi, ça ne m'étonne pas.

Shy ne sait pas comment se comporter avec ce genre de fille. Il n'a jamais vraiment eu l'occasion d'interagir avec une gosse de riches. En temps normal, il l'aurait probablement envoyée bouler et serait parti. Comme il n'a pas envie de se disputer avec elle, il se contente de hausser les épaules et de reporter son attention sur le matériel de pêche.

— De quelles îles parlez-vous ? s'enquiert M. Henry depuis le dessous de la bâche.

Entendre la voix du Texan est un soulagement, car chaque fois qu'il reste silencieux trop longtemps, Shy craint qu'il n'ait succombé à sa blessure.

— C'est à elle qu'il faut poser la question. Son père est censé y bosser.

— C'est mon père qui travaille là-bas. Pas moi, rétorque Addison. Je n'y ai jamais mis les pieds.

— Qu'est-ce qu'il fait, d'abord, comme métier ? demande le garçon. Quel type de boulot nécessite d'avoir des locaux perdus au milieu de l'océan ?

— Je suis sa fille, bon sang ! Pas sa secrétaire.

— Attends ! Tu ne sais même pas ce que ton père fait comme travail ?

— Et toi, tu n'as probablement pas de père. Les gens comme toi sont tous élevés par des mères célibataires, non ?

Shy fixe sur elle un regard stupéfait. Il n'en revient pas d'avoir affaire à une garce pareille.

— Quoi ? fait-elle.

— Je préfère ne pas relever ce genre de connerie, répond-il en secouant la tête avant de lui tourner le dos.

D'un geste rageur, il déchire l'emballage contenant les lignes de pêche et les appâts. Il n'arrive pas à croire qu'il est perdu en mer avec une foutue raciste.

Le silence s'installe pendant plusieurs minutes, puis Addison se racle la gorge.

— Ce n'est pas ce que je voulais dire.

Shy fait mine de ne pas l'entendre.

Là d'où elle vient, les gars tolèrent probablement son fichu caractère parce qu'elle est bien roulée. Mais pas Shy.

De toute façon, pour l'instant, elle n'est même pas jolie. Elle est aussi sale et débraillée que n'importe qui le serait après avoir survécu à un naufrage et s'être retrouvé coincé dans un canot de sauvetage brisé.

— Très bien, dit-elle. T'as qu'à ne pas accepter mes excuses. Pour ce que j'en ai à faire…

Shy remet son gilet de sauvetage. Décidément cette fille a de sérieux problèmes psychologiques.

Il ne lui faut pas longtemps pour accrocher l'appât à l'hameçon et l'envoyer dans l'eau. Un banc de poissons colorés flotte non loin de leur embarcation. Il essaie d'attirer leur attention en faisant vibrer la ligne, mais ils font mine de ne pas s'y intéresser. Alors il se contente d'attendre, assis, en laissant son esprit vagabonder. Il songe à Carmen qui est la plus cool de toutes les filles qu'il connaît. Rien à voir avec l'autre garce. Puis il se met à penser à sa famille.

De temps en temps, il ramène sa ligne et la relance, dans l'espoir que ça donnera quelque chose. Sans résultat.

Le jeune homme regarde les poissons passer à côté de son hameçon pendant ce qui lui semble être des heures, sans comprendre ce qu'il fait de travers. Peut-être que c'est à cause du faux appât, ou parce qu'il ne pêche pas assez profond. Ou alors ce sont les requins qui ont effrayé tous les poissons des environs et ceux qui restent sont trop nerveux pour manger.

À un moment il entend Addison dire au Texan qu'un bateau va venir à leur secours. Ou alors un avion. Mais Shy, lui, n'y croit plus. Toutes les équipes d'urgence sont sûrement accaparées par les victimes du tremblement de terre. Leur minuscule canot, dérivant au milieu de l'océan, ne doit même pas apparaître sur les radars. Un poisson orange et blanc s'approche de son hameçon pour l'examiner. Il est fin, et pas plus gros que la paume de sa main, mais il le supplie de mordre.

— Allez, mon petit… Gobe cet hameçon pour moi. C'est délicieux, tu verras.

Mais le poisson se détourne et s'en va.

Dépité, Shy baisse la tête.

Il sent le regard d'Addison dans son dos, jugeant silencieusement son échec.

32

Huit jours

À la fin de l'après-midi, Shy se sent plus affaibli que jamais, le corps perclus de crampes dues à la faim et à la déshydratation. Malgré tout, il est debout à l'avant du bateau avec sa ligne de pêche, attendant qu'un poisson se décide à mordre à l'hameçon.

Afin de penser à autre chose qu'à ses douleurs, il commence à se remémorer des éléments de sa vie à Otay Mesa. Les magasins de tacos et d'alcool le long de sa rue. La laverie de Neddie, où ils vont faire leur lessive le dimanche. L'asphalte fissuré du parking de son immeuble où il s'entraîne à dribbler. Sa mère rentrant chez eux après le travail, accrochant son trousseau au porte-clés à côté de la porte avant de passer le courrier du jour en revue.

Il rejoue dans sa tête leur dernier moment tous les quatre ensemble. Assis à la table de la cuisine en train de manger une brioche achetée à l'épicerie du coin en buvant un jus d'orange. C'était le matin avant qu'il embarque pour son second voyage. Ils ne s'étaient pas encore habitués à la mort de leur grand-mère et ne savaient pas trop comment se comporter, le petit déjeuner s'était donc déroulé dans un silence relativement pesant.

— On se revoit dans huit jours, avait-il dit avant de s'en aller en serrant sa mère dans ses bras.

Il avait ensuite tendu son poing fermé à Miguel qui avait cogné dedans avec le sien, puis il était sorti rejoindre le taxi qui l'attendait pour l'emmener à la gare routière.

Huit jours.

Shy ramène la ligne dans le canot et reste debout, les yeux rivés sur l'océan à penser à tout ça. Le soleil lui brûle le visage. Son estomac se contracte dans le vide sous l'effet de la faim.

Otay Mesa, où il avait sa maison, sa famille.

Toute sa vie.

Envolée.

C'est la première fois qu'il songe de façon consciente à tout ce qu'il a perdu.

Il se tourne vers Addison et le Texan qui l'observent. Puis il reporte son attention sur l'océan qui s'étend à perte de vue dans toutes les directions. Et eux trois dans ce petit canot, sans nourriture et bientôt à court d'eau, se dirigeant lentement vers leur mort.

Un peu plus tard, il entend Addison venir vers lui.

— Ils sentent vraiment mauvais, dit-elle en désignant les cadavres boursouflés.

— Oui. Ça commence à puer sérieusement.

Au moins ils sont d'accord sur un point.

— Eh bien, qu'est-ce que tu attends pour t'en occuper ?

Shy regarde Addison, puis les corps. Depuis le début, ils symbolisent son espoir d'être secouru. Il s'était convaincu que s'il les gardait à bord, il avait plus de chances d'être retrouvé. Et quand cela arriverait, l'équipe de sauvetage le féliciterait de les avoir conservés afin que leurs familles puissent les ramener chez eux et les enterrer dignement. Shy comprend alors que c'est une chose que de renoncer à l'espoir, mais qu'en détruire le symbole est une tout autre affaire.

Il se dirige vers le premier cadavre, se baisse pour l'attraper et suspend son geste en grimaçant. L'odeur est atroce. Il ne veut même pas les toucher. Mais il n'a pas le choix. Prenant son courage à deux mains, il redresse le corps poisseux en position assise et le considère. Son visage est complètement déformé.

Addison a détourné la tête, comme si elle refusait de voir. Le Texan aussi.

Shy reporte à nouveau son attention sur la femme.

— Je suis désolé, lui murmure-t-il.

Puis il tourne la tête, inspire profondément et retient son souffle en soulevant avec difficulté la lourde dépouille afin de la faire passer par-dessus bord. Il la regarde tomber dans l'eau et s'éloigner lentement du canot, tout en s'essuyant les mains sur son pantalon.

Avant de faire la même chose avec les autres, il les débarrasse de leurs gilets de sauvetage.

Une fois sa macabre tâche terminée, il retourne auprès d'Addison.

— C'est bon, tu es contente ?

— Au moins, nous ne mourrons pas asphyxiés par l'odeur.

Il récupère sa ligne de pêche et la remet à l'eau.

— OK, reprend la jeune fille. Maintenant, nous devons rejoindre ces îles.

Shy lui lance un regard en coin et réplique :

— Encore faudrait-il savoir où elles sont…

Elle observe l'océan autour d'elle, l'air concentré.

— Nous pourrions choisir une direction au hasard ? Même si ça ne nous mène nulle part, au moins nous aurons essayé.

Son ton est condescendant, comme si elle en voulait à Shy pour la situation catastrophique dans laquelle ils se trouvent.

— D'accord. Choisis une direction, et je la suivrai.

— Pourquoi moi ?

— Parce que c'est ton idée.

— Vous n'êtes pas censés être formés pour ça ?

— Pour quoi ? Naviguer vers un archipel dont personne n'a jamais entendu parler, dans une coquille de noix, avec une seule rame ?

— Pas la peine de le prendre sur ce ton.

— Écoute, Addison, dit Shy, trop fatigué pour gâcher le peu d'énergie qu'il lui reste dans une dispute, je suis désolé pour ton amie, d'accord ? Et pour ton père. Ça craint. Mais moi aussi, j'ai perdu des gens qui m'étaient chers.

Elle baisse les yeux sur ses pieds, comme si elle allait se remettre à pleurer.

— Mais je suis sérieux. Choisis une direction et on tentera notre chance. Comme tu l'as dit, c'est toujours mieux que d'attendre sans rien faire.

Addison se tourne vers M. Henry.

— Qu'en pensez-vous ?

L'homme secoue la tête, sans même lever les yeux. Shy voit bien qu'il n'en a plus pour longtemps. Il aimerait pouvoir faire quelque chose. Ne serait-ce que lui donner des antidouleurs pour le soulager. Mais ils n'ont rien.

— Et toi ? Tu as une suggestion ? demande-t-elle ensuite à Shy.

Le garçon observe l'océan. Le courant semble suivre une direction particulière. Peut-être est-il attiré par les îles. Ou il pourrait aussi aller dans le sens contraire. Shy hausse les épaules et répond :

— Je pense que nous pourrions suivre le courant. Au moins, on avancera plus vite.

— OK. Ça se tient.

Shy montre à Addison comment fixer l'appât sur l'hameçon et lancer la ligne. Puis il prend sa rame et repart à l'avant du bateau.

— Au fait, c'est Addie, lui dit-elle depuis l'autre extrémité du canot.

Il se retourne pour la regarder d'un air perplexe.

— Mon nom. Il n'y a que les personnes âgées qui m'appellent Addison.

— OK.

Il plonge sa rame dans l'eau. C'est qu'ils seraient presque en train de devenir aimables l'un envers l'autre.

33

Au cimetière d'Otay Mesa

Alors que le soleil commence à se coucher, Addie vient trouver Shy et lui propose d'échanger leurs postes. Il accepte avec joie et lui tend la rame, puis il recule et l'observe. Il faut à la jeune fille un peu de temps pour prendre le coup de main, mais une fois la manœuvre assimilée, elle parvient à les faire avancer à bonne allure. Le garçon est surpris de voir que cette raciste maigrichonne sortie d'une école privée s'en sort plutôt bien.

Elle tourne la tête vers lui avec un petit sourire satisfait.

— Comme ça, ça va ?

— Eh bé, Addie. Tu n'es pas si inutile que ça au final.

Elle lui répond par un doigt d'honneur, et il décide de se concentrer sur la pêche. Il essaie tout ce qui lui passe par la tête : mettre deux appâts sur l'hameçon, le lancer le plus loin possible du bateau, mettre deux lignes à l'eau en même temps. Rien ne fonctionne. Son plus grand succès est quand un minuscule poisson rond vient toucher l'appât avant de repartir à toute vitesse.

Alors qu'il commence à faire nuit, voyant un requin faire des allers et retours sous son appât, Shy abandonne et ramène la ligne dans le canot. La nuit est plus claire que d'habitude grâce à la lune montante, mais il n'y a toujours rien à manger, aucune pluie en perspective, et pas d'île à l'horizon.

Shy se dirige vers M. Henry qu'ils n'ont pas entendu depuis un long moment. Il ne gémit même plus de douleur. Shy lui soulève la main pour examiner la plaie. Du pus et du sang suintent de l'horrible blessure et la peau tout autour a pris une couleur violacée tandis que des marbrures noires lui descendent le long de la jambe. La puanteur prend le garçon à la gorge. Il se détourne et va chercher le bidon d'eau qu'il tend ensuite au mourant.

— Buvez.

Le Texan secoue la tête et ferme les yeux.

— Sérieusement. Vous avez besoin d'eau.

Pas de réponse.

Shy sait que cet homme sera bientôt mort et qu'il leur reste moins d'un tiers de la ration d'eau. S'il n'insiste pas, Addie et lui pourront la faire durer un peu plus longtemps. Il se tourne pour jeter un coup d'œil à la jeune fille. Elle rame depuis au moins une heure et elle n'a pas encore pris de pause. Le garçon n'en revient pas. Il est impossible qu'elle ait eu à fournir ce genre d'effort avant aujourd'hui, et pourtant elle continue de ramer comme si elle avait fait ça toute sa vie.

Reportant son attention sur M. Henry, il le secoue par l'épaule jusqu'à ce qu'il rouvre les yeux.

— Vous savez que je ne vous laisserai pas tranquille tant que vous n'aurez pas bu, n'est-ce pas ?

L'homme prend deux toutes petites gorgées qu'il avale en grimaçant avant de s'essuyer le menton en le frottant sur son épaule et de redonner le bidon à Shy.

Ce dernier lui tapote le dos. Il aimerait pouvoir faire davantage.

Puis il va voir Addie afin qu'elle boive à son tour.

— Tu n'es pas fatiguée ?

— Bien sûr que je suis fatiguée, répond la jeune fille en lui rendant la bouteille. Je suis crevée. Ça craint.

Après avoir bu lui aussi et rebouché le récipient, il le soulève afin d'en évaluer le contenu. Il a l'impression de contempler un sablier décomptant le temps qu'il leur reste à vivre.

— Écoute, soupire Addie, je vais te dire ce que je sais à propos des îles Cachées, d'accord ?

— D'accord.

Shy est déstabilisé. Il est surpris qu'elle lui offre spontanément des informations.

— Je ne sais pas grand-chose de toute façon. (Elle regarde l'océan devant elle.) Donc, d'après mon père, il y avait autrefois quatre îles, mais trois sont à présent sous l'eau. Seule l'île Jones est encore habitable, et c'est là qu'il travaille. (Elle hausse les épaules.) Ah oui, j'oubliais. C'est une île privée, donc on ne peut pas y aller en vacances. Il faut y être invité.

— Et tu n'y as jamais mis les pieds ? demande Shy.

— Mon père m'emmenant sur son île secrète ? Tu plaisantes ? s'exclame-t-elle en levant les yeux au ciel.

— Qu'est-ce qu'elle a de si secret ?

Addie sourit en secouant la tête.

— J'ignore l'impression que nous avons pu te donner sur le bateau. Mais je connais à peine mon paternel. Tout ce qui compte pour lui, c'est travailler et amasser de l'argent.

— Il t'a quand même emmenée en croisière.

— Ah oui, la croisière père-fille. Sa prétendue tentative pour être « plus présent dans ma vie », dit-elle sur un ton moqueur en mimant les guillemets. J'ai accepté uniquement parce qu'il a bien voulu que j'invite Cassie.

Shy hoche la tête. Même si le monde réel n'a plus vraiment d'importance désormais, il a envie d'en apprendre plus sur le père de la jeune fille. Surtout sachant qu'il avait une photo de lui dans sa cabine.

— Si vous étiez là pour vous rapprocher, pourquoi est-il parti ?

— Il fallait que tu la poses celle-là, hein ?

Le jeune homme hausse les épaules.

— Il m'a dit qu'il avait besoin d'aller jeter un coup d'œil à de nouvelles recherches sur lesquelles ils travaillaient. Mais il devait nous retrouver à Hawaï.

Addie affiche soudain une expression sérieuse. Comme si elle pensait à ce qui a pu lui arriver pendant la tempête. Elle cogne la rame contre le fond du canot, puis ajoute :

— Je suppose que sa société devait avoir un arrangement avec vous. Il a quitté le paquebot pour embarquer sur un bateau privé.

Elle pince à nouveau la bouche en une moue contrariée, aussi Shy décide-t-il de lui accorder un peu de répit.

— Enfin, peu importe. Et si tu me laissais prendre…

— Ils fabriquent du matériel pour les hôpitaux, l'interrompt-elle en lui tendant la rame avant d'étirer ses bras. Et des produits pharmaceutiques. Tu vois ? Je sais quand même ce que fait mon père comme travail.

Shy ne comprend pas pourquoi une société de ce genre aurait besoin d'avoir ses locaux sur une île perdue au milieu de nulle part. Il trouve ça suspect.

— Pendant un moment, j'ai vraiment gobé qu'il voulait qu'on passe des vacances ensemble, poursuit Addie. D'habitude, il utilise plutôt un avion privé pour aller là-bas. Il lui suffit de se rendre à l'aéroport de Santa Monica qui est proche de chez nous. Mais lors de cette dernière nuit sur le bateau, Cassie et moi avons surpris une conversation que nous n'étions pas censées entendre.

— C'est-à-dire ? demande Shy, curieux.

Il sent qu'elle est sur le point de lui apprendre quelque chose d'important.

— Je crois que c'était il y a environ une semaine, quelqu'un de la boîte de mon père s'est suicidé en se jetant par-dessus bord.

Shy se fige, stupéfait. L'homme à la calvitie travaillait avec le père d'Addie ?

— Je suis pratiquement certaine que la véritable raison pour laquelle il a décidé de faire cette croisière n'avait aucun rapport avec moi. Je pense qu'il voulait essayer de découvrir par lui-même ce qui s'était passé. (Addie lève les yeux et les plante dans le regard de Shy.) Tu étais sur ce bateau ? Il allait à Mexico.

Shy s'écarte du bord du canot et répond :

— Oh que oui ! C'est moi qui ai vu le gars sauter.

— Quoi ? Vraiment ?

Curieusement, elle n'a pas l'air si surprise que ça, et Shy se demande ce qu'elle sait réellement.

— Je l'ai rattrapé avant qu'il tombe, raconte Shy. S'il est mort, c'est parce que je n'étais pas assez fort pour le retenir. Ton père te l'a dit, ça aussi ?

— Il ne m'a rien dit. Si je suis au courant pour le suicide, c'est parce que j'ai entendu l'un des employés de la sécurité de mon père interroger le maître d'hôtel. Et après t'avoir vu à la gym, Cassie et moi avons commencé à nous poser des questions. C'est vrai, quoi, on a trouvé bizarre qu'il t'invite à dîner comme ça, sans raison apparente.

— Tu m'étonnes, je n'ai pas compris non plus.

— C'est entre autres à cause de ça que nous avons décidé de fouiner.

Soudain les pièces du puzzle se mettent en place dans la tête de Shy.

— Tu connais un certain Bill ? demande-t-il brusquement.

— Je connais beaucoup de Bill.

— Sur le bateau, je veux dire. Des cheveux bruns bouclés. Toujours en costume noir. (La veille, il avait été incapable de se rappeler les traits de sa mère, et là, le visage de ce type se présente à son esprit aussi clairement que s'il l'avait sous les yeux.) Il a un grain de beauté sur le nez.

— Ah, lui. C'est un des employés du service de sécurité de mon père. Par contre, je ne savais pas qu'il s'appelait Bill. Pourquoi ?

— Il m'a posé tout un tas de questions sur le suicide. Juste après que toi et ta copine avez quitté le pont Lune de Miel.

— Ça ne m'étonne pas.

— Ah bon ?

— Ce suicide les a rendus complètement paranoïaques. L'homme qui s'est jeté à l'eau, il s'appelait David Williamson…

— Oui, c'est ça. Il m'a dit son nom avant de sauter.

— C'était un des piliers de la société.

Shy repense à sa conversation avec l'homme à la calvitie, enfin, David Williamson. Sur le moment, il avait cru que ce n'était que les délires d'un gars friqué ayant trop forcé sur la bouteille. Il ne se doutait pas qu'une semaine plus tard, il serait perdu au beau milieu de l'océan en train d'en analyser chaque mot.

— Tu sais le plus bizarre dans tout ça ? demande Addie. Il venait souvent à la maison quand j'étais petite. Lui et mon père étaient amis. (Elle secoue la tête.) Dans mon souvenir, il avait l'air normal. Mais il faut quand même être un peu instable pour se jeter à l'eau du haut d'un paquebot, non ?

— En effet, il n'était pas très net ce soir-là. Il n'arrêtait pas de parler de corruption, et du fait qu'il se cachait.

Shy prend conscience qu'il n'est jamais autant rentré dans les détails avec qui que ce soit. Pas même avec sa famille.

— Je me demande ce qui lui est arrivé.

— Et moi je me demande pourquoi ton père est aussi flippé à ce sujet, réplique Shy.

Il lève les yeux sur la lune, surpris de constater comment tout s'emboîte à présent. L'homme en costume qui le suivait, la mise à sac de sa cabine, et le père d'Addie l'invitant à dîner. Tout cela est lié au suicide du premier voyage. Et maintenant voilà qu'il se retrouve avec cette fille dans un canot.

— Addie ? J'aimerais tout de même en savoir plus sur…

— La photo de toi que mon père avait ? C'est ça ?

— Oui.

La jeune fille met la main dans la poche de son jean et en sort une photo pliée qu'elle tend à Shy.

— Tu veux parler de celle-là ?

Shy la prend et la déplie, stupéfait. La photo a beau être froissée et mouillée, il parvient malgré tout à se reconnaître dessus. Il est assis à côté de la tombe de sa grand-mère à Otay Mesa, seul.

— Je l'ai prise dans la cabine de mon père, et je n'ai pas eu l'occasion de l'y remettre.

— Comment as-tu mis la main dessus ?

— Il nous avait laissé une clé pour que nous puissions avoir deux douches. Quand ils nous ont dit d'aller au restaurant plus tôt à cause de la tempête, Cassie et moi avons semé les gars de la sécurité afin de nous faufiler dans sa cabine pour jeter un coup d'œil. (Elle désigne la photo.) On l'a trouvée sur son coffre. Maintenant tu comprends pourquoi j'étais perturbée lorsque nous t'avons vu sur le pont ?

Shy baisse à nouveau les yeux sur la photo et les souvenirs de ce moment lui reviennent. C'était la nuit avant le départ pour sa seconde croisière. Il avait traversé la ville à vélo pour déposer un tournesol sur la pierre tombale de sa grand-mère. C'était sa fleur préférée. Puis il était resté assis là, à penser à ses dernières heures, à sa lutte contre la maladie de Romero, et à l'avenir de sa famille. Non seulement une personne formidable avait disparu de leur vie, mais en plus sa grand-mère payait la moitié des factures. Il ignorait comment ils allaient pouvoir s'en sortir sans son aide.

Savoir que quelqu'un l'a espionné cette nuit-là, alors qu'il pleurait son aïeule, lui donne envie de vomir.

Soudain, les paroles du superviseur Franco lui reviennent à l'esprit.

— Est-ce que par hasard ton père ne travaillerait pas pour une société appelée LasoTech ?

— Est-ce que mon père travaille pour LasoTech ? répète-t-elle sur un ton moqueur. Tu veux rire ? Mon père possède LasoTech.

34

L'étrange requête de M. Henry

Ils discutent un moment de la société et de ce qu'elle cherchait à savoir à propos de la conversation entre Shy et David Williamson, se demandant pourquoi tout le monde s'inquiétait autant au sujet d'un gars qui était déjà mort. Puis la jeune fille dit :

— Si je ne m'assieds pas bientôt, je vais tomber dans les pommes.

— Va te reposer. Nous pourrons continuer à parler demain.

— Oui. Il est temps d'aller me geler les fesses, réplique-t-elle en rejoignant son côté du bateau.

— Hé ! Shy, l'appelle-t-elle, une fois assise.

— Oui ?

— Je suis vraiment désolée que tu te sois retrouvé mêlé à tout ça.

Elle semble sincère.

— Pareil pour toi.

Shy va ensuite voir M. Henry. Ce dernier a l'air de dormir profondément. Afin de s'assurer qu'il respire toujours, le garçon place la main sous son nez puis, rassuré, il s'installe dans son coin habituel. L'eau lui arrive aux chevilles. Il s'adosse à la coque et réfléchit à tout ce qu'il vient d'apprendre.

Il est si fatigué qu'il a du mal à trouver le sommeil, alors il regarde les étoiles en laissant son esprit vagabonder.

Il revoit l'homme au costume noir l'acculant dans le grand salon, puis le menaçant du doigt tandis qu'il s'enfuit en direction des escaliers. L'expression sur le visage du père d'Addie quand il est intervenu à la piscine et a offert à Shy de balancer l'insolent Muppet par-dessus bord. Peut-être qu'il s'agissait d'une sorte de référence au suicide de l'homme à la calvitie. Peut-être croyait-il Shy responsable. Il se souvient ensuite de sa grand-mère ouvrant son album afin de lui montrer l'article sur les requins. Puis il se surprend à se remémorer l'aperçu qu'il a eu de Carmen se déshabillant dans la salle de bains.

Il ferme les yeux afin de se concentrer sur cette image. Penser à Carmen est toujours agréable, et pas seulement quand il s'agit de son superbe corps. Mais là, tout de suite, alors qu'il est assis, tremblant de froid contre la coque du canot, il n'a envie de songer qu'à ses courbes et à sa peau, ainsi qu'aux mots tatoués sous son nombril. Probablement une citation d'un grand philosophe ou quelque chose dans le genre qui lui parlerait autant qu'à elle, décide-t-il.

Le sentiment de bien-être qu'il ressent à ses côtés lui manque. De même que les papillons qu'il sent s'agiter dans son ventre chaque fois qu'il la voit. Il se demande si en ce moment même elle est dans un canot ailleurs sur l'océan, en train de mourir, seule comme lui. Si elle aussi a les yeux fermés et si elle pense à lui. Peuvent-ils être ensemble en pensée, bien que leurs corps soient à des kilomètres l'un de l'autre ? Il resserre ses bras autour de lui dans l'espoir de se réchauffer un peu et se laisse emporter par le sommeil.

Carmen est également présente dans ses rêves.

Elle se dirige vers son stand au bord de la piscine, souriante.

— Viens avec moi, dit-elle.

— Tout de suite ? Mais je ne peux pas quitter mon poste.

— De quoi parles-tu, Shy ? C'est ton rêve, non ? Les gens peuvent faire ce qu'ils veulent dans leurs rêves.

Soudain le matin cède la place à la nuit. Franco est là et lui dit que son service est terminé, et qu'il devrait aller manger un morceau.

Shy comprend alors qu'il est à la lisière du sommeil, là où il est encore partiellement possible d'influer sur ses rêves.

Il suit Carmen dans l'escalier jusqu'au salon Sud. Les papillons dans son ventre s'affolent en espérant qu'elle l'a amené ici pour lui confesser son amour et pour lui annoncer qu'elle va rompre avec son étudiant en droit. Ce type ne la comprend pas. Pas comme lui. Elle a enfin pris conscience de l'absurdité d'être avec quelqu'un qui ne s'intéresse pas à ce qu'elle ressent, qui jamais ne comprendra ce que ça fait de perdre un être cher à cause de la maladie de Romero.

Mais l'expression sur le visage de Carmen n'est pas celle que l'on arbore quand on est sur le point de faire une déclaration, constate-t-il alors qu'ils s'installent à une table.

— J'ai beaucoup réfléchi à propos de nous deux, Shy.

— Moi aussi, dit-il, bien qu'il lui semble évident que leurs réflexions n'ont pas du tout suivi le même chemin.

— Je crois que si les choses sont si compliquées entre nous, c'est parce que je suis la seule à être en couple. Si nous étions tous les deux sérieusement engagés dans une relation, nous pourrions être plus proches en tant qu'amis. Qu'en penses-tu ?

Les papillons dans le ventre de Shy cessent de battre des ailes, tombent comme des pierres et meurent.

— Tu sais que je tiens à toi ?

— Sans doute.

— Eh bien, durant les deux derniers jours, j'ai fait connaissance avec quelqu'un. Et je suis convaincue qu'elle serait parfaite pour toi.

— Une fille ?

— Oui, Shy, une fille.

Carmen se retourne et appelle.

— Tu peux nous rejoindre, Addie.

Shy lève un regard surpris sur Addie tandis qu'elle s'approche de leur table.

Elle s'assied en souriant et lui adresse un petit signe de la main.

— Tu ne l'apprécies même pas, s'exclame Shy à l'intention de Carmen.

— C'est faux. Une fois que tu auras réussi à voir derrière la façade de garce qu'elle affiche, et que tu te seras habitué à son côté un peu snob, tu constateras que c'est une chouette fille. (Carmen se tourne vers Addie.) Et je vais aussi être honnête à propos de Shy. Il lui arrive de faire preuve d'égoïsme, il ne peut pas s'empêcher de mater les nanas, et il est aussi capable de te sortir des trucs mièvres du genre un test où il faut se tenir la main. Mais il a un bon fond.

— Parfois un peu de mièvrerie ça peut être mignon, commente Addie.

— Dans le cas de Shy, pas vraiment. Crois-moi sur parole. Mais c'est toujours mieux qu'un salaud, non ?

Shy commence à se sentir frustré. Bon sang, c'est son rêve ! Pourquoi laisse-t-il Carmen lui dicter sa conduite ?

— Regardez-vous, reprend Carmen. Vous frissonnez tous les deux. Vous avez besoin l'un de l'autre.

Shy baisse les yeux sur ses bras. Carmen a raison. D'ailleurs il claque des dents. De même qu'Addie.

— Alors les amis, qu'en pensez-vous ? demande Carmen. Vous vous sentez le courage de tenter le coup ?

Shy se frotte les yeux avec force pour essayer de se réveiller.

Quand il laisse retomber ses mains, il se trouve à une table en face de M. Henry en train de démarrer une tronçonneuse. Carmen et Addie ont disparu.

— Holà ! crie Shy par-dessus le rugissement de l'engin. Qu'est-ce que vous faites avec ça ? Et où sont passées les filles ?

Sans prendre la peine de répondre à ses questions, le Texan abaisse la lame vers sa jambe blessée en criant :

— Je n'aurai plus besoin de ça, désormais.

Du sang se met à gicler.

— Putain, mec ! hurle Shy en se protégeant le visage.

Le son horrible du membre qu'on sectionne le fait grimacer.

Quelques secondes plus tard, le Texan éteint la tronçonneuse et la pose sur la table.

— Ça me gênait plus qu'autre chose, dit-il en jetant sa jambe sur le sol du salon Sud où elle atterrit en faisant un étrange bruit d'éclaboussure.

M. Henry contourne la table en sautillant et vient s'asseoir à côté de Shy.

— Je tenais à te remercier.

— Me remercier ? Pour quoi ?

Ce rêve est en train de tourner au cauchemar et Shy n'a plus qu'une envie : en finir. Il ferme les yeux aussi fort que possible et les frotte à nouveau avec ses poings, plus vigoureusement que la fois précédente. Puis il les rouvre en grand en se donnant l'ordre de se réveiller. Il est toujours avec le Texan, mais à présent au lieu de se trouver dans le salon Sud ils sont à bord d'un canot en piteux état, adossés à la coque, côte à côte. En face d'eux Addie dort.

— Pour m'avoir écouté. J'avais besoin d'admettre devant quelqu'un qu'Angela ne voulait pas de moi. C'est comme si on m'avait ôté un poids.

L'esprit de Shy est embrumé, mais il sait qu'il n'est plus en train de rêver. C'est la réalité. Il en a la certitude, car la jambe du Texan, de nouveau attachée à son corps, dégage une odeur pestilentielle.

— Tu sais, j'ai toujours cru que les femmes aimaient les bijoux hors de prix. Mais j'ai compris quelque chose à quoi je n'avais jamais pensé avant de monter sur ce bateau. Les femmes aiment encore plus les bijoux hors de prix quand ils sont offerts par la bonne personne.

Shy regarde cet homme dont les yeux sont rivés sur l'océan et se demande pourquoi, dans son état, il lui parle de bijoux. De la sueur lui coule sur le front, et il serre les dents pour supporter la douleur. À sa place Shy utiliserait toute son énergie pour rester en vie.

— C'est dur à admettre, reprend M. Henry en tournant la tête vers Shy. Mais j'ai beau avoir les moyens d'acheter n'importe quel bijou, je n'ai jamais été la bonne personne pour l'offrir.

Shy ouvre la bouche pour protester, mais M. Henry lève la main et dit :

— J'ai une requête qui va te paraître étrange.

Le garçon ferme la bouche et écoute.

— J'aimerais te serrer dans mes bras, Shy.

— Me serrer dans vos bras ? (Il s'était attendu à tout sauf à ça.) Qu'est-ce que vous racontez ?

— Je n'en ai plus pour longtemps.

— Écoutez, je suis désolé pour tout ce qui s'est passé. Cependant je n'ai pas l'intention de faire un câlin à qui que ce soit…

Mais le Texan est déjà en train d'enrouler ses bras autour des épaules de Shy.

— Je n'ai aucune mauvaise intention, marmonne-t-il à l'oreille de Shy. C'est juste une accolade. Rien de plus.

— Lâchez-moi, s'exclame Shy en faisant son possible pour le repousser.

Mais il est trop faible, et l'homme le tient fermement. Par ailleurs, ce n'est pas comme s'il tentait d'abuser de lui. Il veut seulement lui faire un stupide câlin, comme l'aurait fait Rodney. Et puis Shy a de la peine pour lui.

Après un maximum de huit secondes, le Texan libère Shy et s'éloigne de lui.

— Sois la bonne personne. Les cadeaux ont plus de valeur quand ils viennent de la bonne personne.

Tout en se massant la jambe, M. Henry se traîne à travers le canot jusqu'à son emplacement.

Shy se frotte à nouveau les yeux en essayant de comprendre ce qui vient de se passer, mais il a trop froid et trop faim pour penser clairement.

Il reste assis un moment avant de prendre conscience qu'il va mourir lui aussi. Certes, il tiendra davantage que M. Henry. Mais combien de temps ? Est-ce qu'Addie et lui survivront assez longtemps pour trouver les îles ? Pour être secourus ? Vivront-ils assez longtemps pour rentrer chez eux un jour ? Et qu'adviendra-t-il s'ils n'ont plus de maison où rentrer ? Que se passera-t-il alors ?

Il jette un coup d'œil à Addie, de l'autre côté de l'embarcation. Les jambes serrées entre ses bras, les yeux fermés, elle tremble de tout son corps. Le Texan a lui aussi les paupières closes.

Shy est seul.

Il lève à nouveau les yeux sur la lune et écoute le murmure de l'océan. Ses pensées sont plus embrouillées que jamais, cependant, pour la première fois depuis que l'été a commencé, il a l'impression de comprendre le murmure de l'océan. Il parle de ténèbres. De solitude. De mystère. Du fait que les jours de tout le monde sont comptés, peu importe qu'on soit un passager de première classe ou une femme de ménage. Ce ne sont que des costumes que portent les gens. Et une fois qu'on a ôté le costume, il ne reste que la vérité toute nue. Cet immense océan et ce ciel sombre et oppressant. Nous n'avons que quelques minutes, mais le monde, mystérieux, est éternel et ne cesse jamais d'avancer. Cette prise de conscience donne à Shy la nausée. Comme si on venait de lui montrer quelque chose que les humains ne sont pas équipés pour voir.

Il se redresse, et en silence traverse le bateau pour aller s'asseoir à côté d'Addie et glisser son bras autour de ses épaules afin qu'ils puissent se tenir chaud.

Elle ouvre les yeux et le regarde.

Sa poitrine bouge à chacune de ses respirations, mais elle ne dit rien. Lui non plus. Puis, après un court instant, elle pose la tête sur l'épaule du jeune homme, et se rendort.

Jour 5

35

Un porte-bonheur inattendu

Le lendemain matin, Shy est réveillé par des claquements de dents. Les siens. Il est surpris de voir qu'il tient Addie dans ses bras. Les yeux de la jeune fille sont ouverts et il suit son regard jusqu'à l'endroit où dort le Texan. Sauf qu'il n'y est plus. Il ne reste que son gilet de sauvetage.

— Que s'est-il passé ? demande Shy en se relevant.

— Je l'ignore, répond Addie. Quand je me suis réveillée, il avait disparu.

Shy patauge jusqu'au gilet de sauvetage, le ramasse puis scrute l'eau. Pas la moindre trace de M. Henry. L'étrange conversation de la veille lui revient à l'esprit.

L'accolade. Il avait probablement déjà décidé de se jeter par-dessus bord.

Tout comme l'homme à la calvitie.

Voyant Addie bouleversée, il lâche le gilet et retourne à côté d'elle.

— Au moins, il ne souffre plus. Il était vraiment dans un sale état.

— Je sais, dit-elle en se frottant les tempes. Ce n'est pas seulement à cause de lui. C'est tout ça. Je veux rentrer chez moi.

— Et moi donc.

La jeune fille lève les yeux sur lui et Shy remarque alors à quel point elle a maigri depuis leur première rencontre sur le pont Lido. Ses cheveux blonds sont tout emmêlés et son visage brûlé par le soleil commence à peler. Pour la première fois depuis que le bateau a sombré Shy se demande à quoi il ressemble. Combien son apparence à lui a changé.

Les larmes jaillissent des yeux d'Addie et coulent sur ses joues. Elle les essuie d'un revers de la main.

— On va s'en sortir, n'est-ce pas ?

L'expression qu'elle arbore lui tord le cœur. Il se penche et lui tapote maladroitement l'épaule.

— Écoute…

Mais il ne termine pas sa phrase. Il voudrait dire quelque chose de profond, de rassurant, seulement rien ne lui vient qui ne soit pas un mensonge.

— Ce dont je suis sûr, finit-il par reprendre, c'est que nous allons passer la journée à ramer dans la même direction qu'hier. Et cette fois, je vais nous attraper un foutu poisson. Tu m'entends, Addie ? S'il le faut, je me mettrai à l'eau et j'irai en étrangler un à mains nues.

Sa tentative d'humour ne fait pas naître le sourire espéré sur les lèvres de la jeune fille qui se contente de hocher la tête en regardant l'endroit où se trouvait M. Henry et en essuyant de nouvelles larmes.

Le soleil se lève tranquillement dans le ciel limpide, réchauffant l'air. Les mains de Shy sont couvertes de cloques et son dos ainsi que ses épaules le font souffrir. Il n'a plus beaucoup de forces, et le bateau avance avec une lenteur décourageante, néanmoins il continue de ramer. Il ne cesse de penser à M. Henry, au père d'Addie, ainsi qu'à l'homme au costume noir le bombardant de questions dans le Grand Salon et, plus tard, s'éloignant précipitamment de la cabine de Carmen. Quelque chose lui échappe. Il y a plus dans cette histoire qu'un simple suicide. Mais son cerveau est trop embrumé pour assembler toutes les pièces du puzzle.

Au bout de quelques heures, Addie et lui changent de place. La jeune fille prend la rame sans un mot et Shy rejoint l'arrière du canot. Alors qu'il s'accroupit pour remettre un appât sur l'hameçon, il sent quelque chose lui gratter le haut de la cuisse. Il baisse les yeux, convaincu d'être en train de se faire mordre par une bestiole marine, mais au lieu de ça, il remarque un renflement dans la poche de son jean. Il fouille dedans et y découvre avec stupéfaction la bague de fiançailles du Texan.

Il regarde avec étonnement l'énorme diamant, puis jette un coup d'œil à Addie qui est déjà en train de ramer.

L'homme a dû le glisser dans sa poche pendant son espèce de câlin. D'ailleurs c'est certainement pour cette raison qu'il l'a pris dans ses bras. Shy lâche la ligne, se lève et va se poster au bord du canot. Il tient le bijou au-dessus de l'eau en se disant qu'il devrait l'y laisser tomber afin qu'il rejoigne son propriétaire légitime. Il ne veut pas de la bague de quelqu'un d'autre. Peu importe la taille de la pierre. Ce genre de chose ne compte pas ici. De plus, si quelqu'un trouve le bateau après sa mort et celle d'Addie, on le soupçonnera sûrement de l'avoir volée.

Mais il ne peut se résoudre à ouvrir la main.

Il ne peut pas s'en débarrasser de cette façon.

— Ça fait deux jours et toujours rien en vue, crie Addie en le faisant sursauter.

Après avoir rangé la bague qui a bien failli lui échapper, il se tourne et répond :

— Ça ne va pas tarder.

— Arrête, dit-elle en jetant la rame dans le canot. On perd notre temps. Et puis, on a probablement choisi la mauvaise direction.

Shy récupère l'hameçon et rejoint Addie à l'avant de l'embarcation.

— Qu'est-ce que tu veux faire, Addie ? Abandonner ?

— Je veux rentrer chez moi !

— Moi aussi. Et à ton avis, qu'est-ce qu'on essaie de faire, là ?

La jeune fille s'assied et se prend la tête dans les mains. Toutefois, elle ne pleure pas, se contentant de regarder fixement l'eau au fond du canot.

Shy va chercher le bidon d'eau et le débouche avant de le lui tendre.

— Ce n'est pas en t'apitoyant sur ton sort que tu vas survivre.

— Tu crois que je ne le sais pas ? rétorque-t-elle en lui arrachant le bidon des mains. Merde, pourquoi a-t-il fallu que je me retrouve coincée sur cette coquille de noix avec toi !

Elle boit deux minuscules gorgées, puis rend le récipient à Shy afin qu'il fasse de même. Une fois qu'il a fini, le garçon jette un coup d'œil à ce qu'il leur reste. C'est-à-dire pas grand-chose.

Addie semble se faire la même réflexion.

Leurs regards se croisent brièvement, mais elle détourne les yeux, récupère la rame et se remet à l'ouvrage en lui tournant le dos.

Shy repart à l'autre extrémité de l'embarcation et lance sa ligne dans l'océan en se demandant pourquoi il ne lui a pas parlé de la bague. Moins de dix minutes plus tard, il sent une traction sur la ligne. Il la saisit à deux mains et se lève. Un fin poisson jaune a mordu à l'hameçon et se contorsionne en essayant de se libérer. Avec un regain d'énergie, Shy commence à ramener la ligne aussi vite qu'il le peut.

C'est alors qu'il entend Addie arriver derrière lui.

— Qu'est-ce que c'est ?

— Je t'avais dit que j'en attraperais un.

Elle se penche pour regarder et s'écrie :

— Oh, mon Dieu !

Une fois que sa prise est proche de la surface, le garçon tend le bras et pince la ligne entre son pouce et son index à quelques centimètres du poisson qui se débat. Puis il le tire hors de l'eau et le balance dans le canot.

Les deux jeunes considèrent la pauvre créature toujours accrochée à l'hameçon qui s'agite frénétiquement dans les quelques centimètres d'eau tapissant le fond de l'embarcation.

— Tu as réussi, s'exclame Addie.

— Avoue que tu doutais de moi, réplique Shy.

— Ça n'arrivera plus, promis, dit-elle en se retenant d'éclater de rire. Tu es le roi de la pêche.

Il aimerait lui expliquer que c'est grâce à leur nouveau porte-bonheur : la bague du Texan. Mais d'un autre côté, il craint qu'en dévoilant son secret, la chance tourne.

— Qu'est-ce qu'on fait, maintenant ? demande Addie.

Il baisse les yeux sur sa prise en haussant les épaules. Il n'est jamais allé jusque-là dans la réflexion. Toutefois, il est évident qu'ils ne peuvent pas le manger vivant. Il va chercher la rame, la lève au-dessus de sa tête, et l'abat sur le poisson qui cesse alors de bouger.

— Mince, s'exclame Shy en regardant le trou qu'il vient de faire dedans.

Addie lui tend le sac étanche de M. Henry.

— Tiens, mets-le là-dedans.

Shy soulève l'animal, le balance à l'intérieur du sac et s'essuie les mains sur son jean. Puis les deux jeunes examinent le poisson. Il est jaune terne, fin, mais plutôt long. Ses yeux semblent rivés sur Shy.

Addie surprend ce dernier en plongeant soudain la main dans le sac pour le récupérer. Puis, après avoir ôté l'hameçon, elle déchire le poisson en deux. Les mains dégoulinantes de sang, elle offre la plus grosse moitié à Shy qui la regarde comme si elle était folle.

— Quoi ? fait-elle.

— J'ignorais que j'étais avec une foutue cannibale ! dit-il en regardant sa portion.

— Je voyais bien que tu n'allais pas le faire.

— Je me préparais psychologiquement.

— Oui, oui, c'est ça. (Elle baisse les yeux sur sa moitié.) On a qu'à imaginer qu'on mange des sushis.

Voyant que Shy ne répond pas, elle relève la tête, le dévisage, et dit :

— Oh, désolée. Tu n'as jamais goûté de sushis, c'est ça ?

— Bien sûr que si, ment-il.

Tous deux mangent en grimaçant. Parfois, ils retirent de leur bouche des arêtes qu'ils balancent dans l'océan. La chair tiède a un goût de fer, ce qui n'est pas si terrible en soi. Cependant la pensée de ce qu'il est en train d'ingurgiter lui donne la nausée et il doit faire un gros effort pour se retenir de vomir à chaque bouchée. En revanche, avoir quelque chose dans le ventre est appréciable, et très vite il cesse de mâcher pour avaler tout rond.

Au final, cette moitié ne contient que très peu à manger, mais son estomac a tellement rétréci qu'il se sent quand même rassasié.

Addie jette la peau écailleuse par-dessus bord, et se rince les mains dans l'eau à ses pieds. Puis elle adresse à Shy un grand sourire. Le premier depuis le naufrage.

Il lui rend son sourire, avant de reprendre la rame. Alors qu'il se dirige vers l'avant du canot, il glisse la main dans sa poche et caresse la bague du bout des doigts en espérant que la chance ne s'arrêtera pas là, et que son porte-bonheur leur sauvera la vie.

36

Le visage de la corruption

Aussitôt que le soleil commence à se coucher, Shy et Addie, complètement épuisés, titubent jusqu'au coin de la jeune fille et s'asseyent l'un contre l'autre. Il ne fait pas encore assez froid pour qu'ils aient besoin de se tenir chaud, aussi Shy s'abstient-il de la prendre dans ses bras.

— Désolée pour tout à l'heure, dit-elle.

Shy fronce les sourcils.

— Ma crise d'hystérie, ajoute-t-elle. Je ne veux pas finir ma vie comme ça, et quand j'y songe, je panique.

— Pareil pour moi. Sauf que j'intériorise, réplique Shy.

Elle secoue la tête et regarde au loin, perdue dans ses pensées.

Tous deux gardent le silence quelques minutes, puis Addie laisse aller sa tête en arrière contre la coque et ferme les yeux. Alors que Shy est persuadé qu'ils ne discuteront pas davantage ce soir, elle pousse doucement son genou avec le sien et dit :

— Au fait, j'ai pas mal réfléchi à toi et à LasoTech. Je ne comprends pas pourquoi tu les inquiétais autant si tu as seulement vu David faire le grand saut.

À présent c'est au tour de Shy de basculer la tête en arrière.

— Ils devaient croire que je lui avais fait quelque chose, non ? Mais l'autre gars, Bill, m'a affirmé qu'ils n'avaient aucun doute sur le fait qu'il se soit suicidé.

— Je pense plutôt qu'ils voulaient savoir comment il se comportait avant de mettre fin à ses jours. Ou peut-être qu'ils craignaient que David t'ait raconté quelque chose susceptible de leur attirer des ennuis.

Shy réfléchit quelques instants. Il joue avec la bague dans sa poche en tâchant, une fois de plus, de se remémorer avec exactitude sa conversation avec l'homme à la calvitie. Les maisons de vacances. La création de sa propre société, avec le père d'Addie, comme il l'avait appris depuis. « Dis-moi que je suis gros. »

— Est-ce que tu te souviens de quelque chose d'important qu'il aurait pu te dire ?

— Tu crois que je n'ai pas essayé ?

Il avait déjà trouvé difficile de se remémorer tout ça sur le bateau, alors qu'il était convaincu qu'une fois son contrat fini il pourrait mettre toute cette histoire derrière lui. Mais dans ces conditions, c'est encore pire. Soudain, quelque chose lui revient et il se tourne vers Addie.

— Il y a eu un moment bizarre, où il m'a dit que j'avais sous les yeux le visage de la corruption. À ton avis, il parlait de la société ?

Addie se redresse brusquement.

— Il a dit ça ?

— Oui. Sur le moment, j'ai juste pensé qu'il était saoul…

— Bien sûr. Ils cherchaient à savoir ce qu'il t'avait raconté, l'interrompt-elle. Je parie que la société travaille sur quelque chose d'illégal, et ils ont eu peur que David t'ait tout expliqué afin de soulager sa conscience avant de mourir.

— Je vois ce que tu veux dire. Dommage qu'il ne m'ait rien expliqué du tout.

La jeune fille secoue la tête, perplexe.

— Je me demande ce qu'ils ont fait. Et surtout ce que mon père a fait.

Shy regarde le soleil disparaître lentement dans l'eau à l'ouest de leur embarcation, emportant avec lui presque toute la lumière.

— Il a aussi dit qu'il m'avait trahi, ajoute Shy en tournant à nouveau la tête vers sa compagne d'infortune. Ou quelque chose dans ce goût-là. Comme s'il m'avait causé du tort personnellement. Ce qui n'a aucun sens, étant donné que je n'avais jamais vu ce type avant.

Addie le dévisage pendant de longues secondes.

— Peut-être que ça a un rapport avec les pauvres en général, dit-elle.

Puis, voyant les sourcils froncés de Shy, elle ajoute :

— Sans vouloir te vexer.

— Ouais, bien sûr.

— Peut-être qu'ils font payer aux pauvres bien plus qu'ils ne le devraient ?

— S'ils fabriquent les fournitures et les médicaments, ils ne les vendent pas aux gens en direct, objecte Shy.

— Attends, et si c'était une arnaque à l'assurance ? C'est le genre de chose qui peut te valoir de gros ennuis.

Shy ne connaît pas le sujet des arnaques à l'assurance, toutefois il est quasiment sûr qu'Addie pense qu'il est issu d'une famille de sans-abri qui fouille les poubelles pour se nourrir. Mais cela non plus n'a plus d'importance.

— Ou peut-être que ton père et sa société sont juste paranos.

— Mon Dieu, s'exclame la jeune fille en baissant les yeux sur ses mains. Et si ma vie entière était un mensonge ? Ma maison, ma voiture, mon école. Et si tout ça avait été payé avec de l'argent sale ?

Shy se rend compte à quel point cette conversation doit être difficile pour Addie. Elle ne sait absolument pas si son père est mort ou vivant, et les voilà en train d'envisager qu'il puisse être un criminel. Il est sur le point de faire un commentaire en ce sens quand Addie se met soudain à genoux, avec sur le visage une expression d'intense concentration.

— Qu'est-ce qu'il y a ? demande Shy en se redressant à son tour.

Elle désigne un point en face de leur canot.

Shy sent tout son corps vibrer tandis qu'il balaie l'horizon du regard en espérant y voir une terre. Il discerne bien une forme, mais ce n'est pas ça. Plus il regarde, plus la forme se précise, la nuit tombante offrant juste assez de lumière pour voir.

— Est-ce que c'est un bateau ? (Il se tourne vers Addie.) On dirait un bateau.

— Oui, je crois bien que c'est ça ! s'exclame-t-elle, excitée, avec un sourire radieux.

Shy se lève et va chercher le pistolet de détresse.

37

Le bateau

Ils ont encore quatre cartouches. Shy en charge une dans le pistolet et se redresse. À l'entraînement, il a appris qu'il fallait tirer un premier coup en l'air, puis un second cinq secondes plus tard afin que les secours potentiels puissent localiser le point d'origine des tirs.

Il brandit donc le pistolet vers le ciel, et appuie sur la détente.

La traînée de feu jaillit au-dessus d'eux et Shy reporte son attention sur le bateau.

— Par ici, crie Addie en agitant les bras.

Allez, pense Shy en se dépêchant de mettre la seconde cartouche. Au loin, le bateau continue de flotter. Il réitère la manœuvre et regarde la boule de feu décrire un arc dans le ciel avant de tomber dans l'eau une vingtaine de mètres plus loin et de s'éteindre en produisant un minuscule nuage de fumée.

Toujours aucun mouvement du côté du bateau.

— Et si nous allions jusqu'à eux ? propose Addie.

Shy a le regard rivé droit devant. Il est impossible qu'ils n'aient pas entendu ou vu les fusées. Qu'est-ce qu'ils attendent ? À moins qu'ils n'aient pas envie d'aider ? Le garçon baisse les yeux sur le peu d'eau potable qu'il leur reste. Pas le choix. Ils doivent y aller.

— Passe-moi la rame, dit-il à Addie.

Elle se penche pour la ramasser et la tend à Shy qui se précipite à l'avant du canot.

Plus il se rapproche, plus la silhouette se précise. Il s'agit bien d'un bateau. Immobile. Shy s'efforce d'écarter le mauvais pressentiment qui lui noue le ventre et continue à faire progresser leur embarcation. Hormis les appels lancés par Addie à l'intention des occupants du bateau, les deux jeunes gens gardent le silence.

Il ne leur faut pas longtemps pour arriver à destination : un bateau à moteur marron à peu près deux fois plus grand que leur canot de survie. Le moteur est éteint. Il dispose d'une cabine sous le niveau de l'eau et de fenêtres teintées. Sur sa coque on peut lire *Numéro 220.* Aucun signe extérieur de vie.

— On dirait qu'il est abandonné, commente Addie.

— Ohé ! Il y a quelqu'un ? appelle Shy.

La jeune fille écarte les cheveux qui lui tombent sur le visage et demande :

— Pourquoi abandonner un bateau ici ?

— Peut-être que les tsunamis l'ont arraché à son quai. (Shy sort la rame de l'eau et laisse leur élan les emporter jusqu'au bateau à moteur.) Et que nous sommes plus près d'une terre que nous ne l'imaginions.

— Mon Dieu, s'exclame Addie. Les tsunamis. Et si toute l'île a été engloutie ?

— Évitons de penser à ça, réplique Shy en tendant le bras afin d'amortir l'impact entre les deux embarcations, sans pour autant parvenir à les empêcher de se heurter.

— Ohé ?

Toujours pas de réponse.

— Tu viens avec moi ? propose-t-il à Addie.

— Non, je t'attends là.

Shy s'empare de la corde qu'il est allé chercher dans le compartiment du canot et attache les deux bateaux ensemble. Puis, prenant appui sur les rebords déchiquetés de leur épave, il se hisse à bord du bateau à moteur. Il parcourt le pont parfaitement sec sans avoir la moindre idée de ce qu'il va trouver. Autour de lui, deux gilets de sauvetage vides, une chaise pliante posée sur le côté. Une boîte de pêche près de l'escalier ne contient pas le moindre matériel, mais des fioles brisées. Étrange. Par ailleurs, Shy détecte une légère odeur de fumée.

Après s'être assuré qu'il n'y a rien ni personne à l'extérieur, il descend les trois marches menant à la cabine. Son cœur bat à tout rompre. Il passe la tête par la porte ouverte. L'odeur de fumée s'accentue.

— Ohé ?

Seul le silence lui répond et il fait si noir qu'il n'y voit rien.

Il pénètre dans la cabine en longeant la paroi jusqu'à ce que l'odeur désormais familière de la mort le prenne à la gorge. Voyant deux silhouettes à terre, il s'empresse de ressortir. Il est prêt à remonter, quand il tombe sur une lampe torche accrochée au mur dans son étui. Il l'attrape, l'allume et retourne à l'intérieur. Le faisceau éclaire deux hommes vêtus de blouses de laboratoire : un roux étendu sur le sol, face contre terre, et un individu chauve avachi contre le mur du fond.

Shy se couvre la bouche et le nez d'une main en voyant les mares de sang sous les deux cadavres. Il reste figé quelques secondes avant de se forcer – sans trop savoir pourquoi, vu qu'il est évident que les deux hommes sont morts – à pousser du pied la dépouille du rouquin.

Balayant les alentours avec le faisceau de sa lampe, il repère un pistolet à moitié dissimulé par un sac marin étanche. Il donne un coup de pied pour le découvrir complètement et garde quelques instants les yeux rivés dessus, se sentant soudain terriblement nerveux. Pendant ces quelques jours sur le canot il pensait s'être habitué à la mort, mais là c'est encore différent. Ça ressemble à un meurtre.

Le garçon retourne le premier corps du bout du pied. On lui a tiré dans la poitrine, dans la jambe et dans le bras droit. Sa blouse est couverte de sang séché. Quant à l'autre homme, plus mince et plus vieux, il est défiguré par une énorme plaie sur le côté du visage. Comme s'il avait été frappé avec un objet. Il a également pris une balle dans le ventre. Shy détourne sa lumière de cet horrible spectacle en essayant de comprendre ce qui s'est passé.

Il met un genou à terre et éclaire l'intérieur du sac qui contient des dizaines de boîtes de pilules ainsi que des sachets de seringues identiques à celles utilisées pour le vaccin contre la grippe. Aucune n'est brisée et il y a une espèce de code écrit sur chaque étiquette. Il ne reconnaît là rien d'illégal, contrairement aux drogues qu'il a pu voir à Otay Mesa. Ces produits-là viennent d'un hôpital ou d'une pharmacie. Il se souvient alors qu'Addie lui a expliqué que son père travaillait dans le domaine médical, ce qui signifie qu'ils ne doivent plus être très loin de l'île. Sous les paquets de seringues, Shy découvre une vieille enveloppe blanche dans laquelle se trouvent quelques feuilles pliées.

Il dirige à nouveau sa lumière sur les cadavres. Ces hommes sont habillés comme des médecins. Ou des scientifiques. Mais pourquoi ont-ils été tués ? Et qui les a tués ? Shy se relève et éclaire de sa lampe le reste de la cabine. Il y a des impacts de balle sur les murs, et une partie de la pièce a l'air brûlée, comme si quelqu'un avait tenté de mettre le feu. En revanche, pas la moindre goutte d'eau nulle part. L'embarcation n'a visiblement pas été touchée par les tsunamis.

Au bout d'un moment, la puanteur devenant insupportable, Shy remonte sur le pont puis rejoint le canot où l'attend Addie.

— Il y a quelqu'un ? demande-t-elle aussitôt.

— Deux hommes. Mais ils sont tous les deux morts.

— Comment ?

— On leur a tiré dessus.

Addie porte la main à sa bouche et sa respiration s'accélère.

— Mon père ?

— Non. Si je peux faire démarrer le moteur, il faudra que nous changions de bateau, OK ? Il est un peu brûlé à l'intérieur, mais il ne semble pas avoir été affecté par les tsunamis.

— Tu es sûr que mon père n'est pas en bas ?

— Promis. Par contre, je n'ai aucune idée de ce qui s'est passé là-dedans, ajoute Shy en jetant un coup d'œil en direction de la cabine. Qui voudrait tuer des docteurs ?

— C'étaient des docteurs ?

— Je pense. Ou des scientifiques. Laisse-moi vérifier que tout fonctionne. Et puis je m'occuperai du transfert, d'accord ?

Elle acquiesce d'un hochement de tête, et il remonte sur le pont. Toutefois, impossible de faire démarrer le moteur. Quelqu'un a tiré dans le tableau de bord, ainsi que dans le GPS. Et le réservoir est vide. Où pouvaient bien se rendre ces types avec un sac plein de médicaments ? Et qui les a tués ? D'ailleurs, où est leur assassin ? Il pourrait s'agir de pirates, mais Shy doute que quiconque ait pris la mer pour piller juste après les tsunamis.

Les rangements ne contiennent ni eau ni nourriture.

Il n'y a même pas de cordes ou de fusées de détresse.

Shy réfléchit aux possibilités qui s'offrent à eux. S'ils changent d'embarcation, ils n'auront plus à dormir dans dix centimètres d'eau, ils pourront se mettre à l'intérieur pour échapper au soleil durant la journée. Mais le bateau à moteur est beaucoup plus lourd, et de toute façon il ne pourra jamais atteindre l'eau pour ramer. S'ils veulent continuer à avancer, ils sont donc condamnés à rester sur leur épave. Avant d'aller demander son avis à Addie, il retourne dans la cabine pour jeter un dernier coup d'œil. Avec le faisceau de sa lampe torche, il examine à nouveau les corps et les murs calcinés. Puis il se baisse, récupère le pistolet et vérifie le barillet. Il contient encore trois balles. Shy laisse tomber l'arme dans le sac étanche qu'il balance sur son épaule, et ressort.

— Tout a été détruit, dit-il à Addie. Et il n'y a ni carburant ni provisions. Si nous changeons d'embarcation, nous ne pourrons qu'attendre qu'on vienne à notre secours. Par contre, si nous restons dans celle-ci, nous pourrons continuer à avancer. Qu'en penses-tu ?

Après un petit moment de réflexion, Addie répond :

— Ça serait peut-être mieux de continuer à avancer, non ?

— C'est aussi mon avis.

Shy la rejoint dans le canot avant de défaire le nœud reliant les deux bateaux. Puis les deux jeunes s'asseyent côte à côte, en silence. Le garçon passe un bras autour des épaules de sa compagne et ils se serrent l'un contre l'autre pour se réchauffer. Après quelques minutes, Shy attrape le bidon d'eau potable afin d'en vérifier le niveau. S'ils n'atteignent pas la terre d'ici demain, ça sera fini pour eux. Il repense aux deux cadavres. Quelqu'un de l'île a dû les abattre. Mais pourquoi ? Qu'est-ce qui les attend là-bas ? Et si les deux gars s'étaient entretués ?

Il lève alors les yeux vers le ciel en songeant à l'arme dans le sac marin. Serait-il possible que les choses empirent au point que lui et Addie envisagent une telle solution ? Utiliser les balles pour mettre fin à leurs souffrances. Tout en ruminant ces sombres pensées, il triture la bague au fond de sa poche.

La nuit noire parsemée d'étoiles semble s'étirer à l'infini, jusqu'aux côtes dévastées de Californie. Il essaie d'imaginer toutes les vies perdues. Toutes les familles déchirées, et tous les foyers détruits.

Croire que deux gamins sur une coquille de noix ont une importance particulière reviendrait à croire aux contes de fées.

Shy écoute les changements dans la respiration d'Addie tandis qu'elle se laisse aller au sommeil, tout en regardant le bateau à moteur s'éloigner lentement d'eux jusqu'à n'être plus qu'une ombre dans la nuit. Et alors même que l'embarcation a disparu, il continue de regarder.

Jour 6

38

L'amour

Au matin, l'eau à l'intérieur du canot a monté de plusieurs centimètres. Effaré, Shy se redresse et regarde autour de lui pour comprendre ce qui s'est passé. Il découvre une grosse fissure dans la réparation qu'il a effectuée quelques jours plus tôt. Cela doit venir du moment où les deux bateaux se sont heurtés. Lui et Addie écopent autant que possible et il rebouche le trou en priant pour que ça tienne. Puis il récupère la rame afin de reprendre leur progression en se concentrant sur le soleil qui se lève lentement et réchauffe ses membres endoloris.

Trop vite, il est à nouveau haut dans le ciel et tape cruellement. Shy noue son T-shirt autour de sa tête pour s'en protéger, mais cette fois il enfile le gilet de sauvetage à même sa peau nue. Ses lèvres sont craquelées. Il a des cloques tout le long des jambes sous son jean ainsi que sur le dessus de ses pieds. Il est à présent si faible qu'il a du mal à faire avancer le canot, et sa raison commence à lui échapper. Les yeux rivés sur l'océan scintillant, sans grand espoir d'apercevoir une terre, il est désagréablement conscient des deux requins revenus tourner autour du bateau. À croire qu'ils sentent eux aussi la fin approcher.

Addie quant à elle pêche en silence à l'arrière, la bâche sur la tête pour s'abriter du soleil. Shy se met à penser à leur improbable relation. Tous deux viennent de mondes que tout oppose. Dans la vraie vie, ils n'auraient pas été amis pour tout l'or du monde, mais aujourd'hui ils sont littéralement tout l'un pour l'autre.

Au bout d'un moment, la jeune fille vient pêcher à côté de lui.

— Tu veux bien me faire la conversation ? Quand c'est trop calme, mon esprit échafaude en boucle les pires scénarios, et je fais des crises de panique.

— La conversation sur quoi ?

— Parle-moi de ton lycée. Ou de comment ça se fait que tu t'appelles Shy. Honnêtement, ça m'est égal.

Il hausse les épaules. Lui aussi se sent mieux quand ils discutent.

— Quand j'étais gamin, mon père m'appelait tout le temps Shy. Et c'est resté.

— Comme « timide » en anglais ? Pourquoi ? T'étais timide comme gamin ?

— Pas que je sache.

Tandis qu'il pousse faiblement sur la rame, Shy pense à toutes les fois où on lui a posé cette question. À force, il a pris l'habitude d'inventer n'importe quoi. Une histoire différente pour chaque personne. Mais ici, sur cette épave avec Addie, l'idée de raconter un mensonge lui semble déplacée.

— D'après ma mère, chaque fois que je tombais, ou que je renversais quelque chose, mon père disait : « Ce gamin ferait pas la différence entre de la merde et du Shinola. » Ça devait arriver souvent, car il a commencé à m'appeler Shinola. Le temps que j'entre à l'école, c'était devenu Shy. Et tout le monde a pris le pli.

Addie lui lança un regard horrifié.

— Et c'est quoi ce Shinola ?

— Une vieille marque de cirage pour chaussures. En gros, cette expression est utilisée pour traiter quelqu'un d'imbécile.

Addie le dévisage d'un air peiné.

— C'est l'une des histoires les plus tristes que j'aie jamais entendues.

— Mais non. Il est comme ça, il aime bien charrier les gens, réplique Shy en se demandant quelle serait sa réaction si elle était au courant des violences, et de la raison pour laquelle il a fini par partir.

— D'ailleurs, qui sait pourquoi certains surnoms restent et d'autres pas.

Ils abordent ensuite tout un tas de sujets. L'amie d'Addie qui s'est fait renverser par un chauffard ivre. Son école privée à Santa Monica où, tous les après-midi, des stars viennent chercher leurs enfants. La Lexus neuve qu'elle a eue au début de l'été en récompense de ses bonnes notes. Shy raconte sa dernière saison de basket-ball, la solidarité qui unit sa famille, mais aussi les terribles moments qui ont suivi le décès de sa grand-mère atteinte de la maladie de Romero.

C'est comme s'ils essayaient de faire connaissance tant qu'ils en ont encore la possibilité. Shy se rend compte qu'Addie est loin d'être telle qu'il l'avait imaginée de prime abord. Mais c'est sûrement valable pour tout le monde, quand on prend le temps de discuter et d'aller voir ce qui se cache derrière la façade.

Ils finissent par aborder le sujet de l'amour. Addie lui parle des deux relations qu'elle a eues au lycée et qui, selon elle, n'étaient pas sérieuses.

— Que ce soit l'un ou l'autre, nous n'avons jamais vraiment rompu. Nous avons juste cessé de nous téléphoner et d'échanger des messages. Bizarre, non ?

Tout en continuant de ramer, Shy lance un coup d'œil à Addie.

— Tu n'as jamais été amoureuse ?

— Je ne pense pas. Mais c'est difficile à dire. Comment savoir, quand on n'a aucun point de comparaison ?

— Je suppose qu'on le sait, c'est tout.

— Et toi ? demande Addie en le dévisageant. Tu étais amoureux de cette fille avec qui tu travaillais ?

— Qui ça ? Carmen ? s'exclame le garçon, stupéfait qu'Addie ait remarqué Carmen.

— Je ne connais pas son nom. Je parle de la fille avec qui je t'ai vu discuter avant que tu nous donnes l'équipement de ping-pong.

Après avoir écarté les cheveux qui lui tombent sur le visage, elle ajoute :

— Elle est jolie.

— Elle est pas mal. Mais nous sommes amis, c'est tout. Nous avons grandi dans le même genre de quartier.

— Tu es sûr ? J'ai vu la façon dont tu la regardais. Tu bavais littéralement.

Shy se renfrogne en secouant la tête.

— En fait, nous étions en train de nous disputer ce jour-là.

Un étrange sentiment envahit Shy. Il est affamé, déshydraté, et plus faible qu'il ne l'a jamais été de sa vie, et voilà qu'il craint d'être déloyal. Comme s'il n'avait pas le droit de parler de Carmen à qui que ce soit.

— Alors ni toi ni moi n'avons jamais été amoureux. C'est triste, non ? Et si l'occasion ne se présentait plus jamais ?

— Il ne faut pas penser à ça, lui reproche Shy alors que ses propres pensées ont suivi le même chemin.

La jeune fille hausse les épaules et se penche par-dessus le rebord du bateau pour vérifier leur ligne.

— Il n'y a qu'une seule chose qui est plus triste que ça, dit-elle après quelques minutes.

— Ah bon ? Et c'est quoi ?

— L'histoire de ton stupide surnom, réplique-t-elle en esquissant un petit sourire.

Shy se tourne vers elle, outré.

— Vraiment ? Parce que Addie, tu trouves ça joli comme prénom.

Elle le fusille du regard, puis tous deux partent d'un énorme fou rire. Comme s'ils n'avaient jamais rien entendu de plus drôle que leur petite joute verbale. Shy sort sa rame de l'eau et s'agenouille afin de mieux se laisser aller. C'est si bon de rire.

Il n'a que faire de la douleur qui lui laboure les côtes.

Cependant, au bout d'un moment, le rire d'Addie commence à changer. Son visage se froisse et elle se met à pleurer en silence.

Shy reprend alors sa rame et la replonge dans l'eau, les yeux rivés sur l'horizon afin qu'elle ne se sente pas observée.

39

Les deux dernières fusées de détresse

Le soleil est en train de se coucher et Shy est à présent de l'autre côté du bateau. Mais Addie veut encore discuter.

— J'aimerais en savoir plus sur ta grand-mère, crie-t-elle.

— Ma grand-mère ?

Addie sort la rame de l'eau et se tourne vers lui.

— En fait, j'ai entendu dire que la maladie de Romero était une invention des médias pour effrayer la population.

Shy relance sa ligne avec le dernier des hameçons en s'astreignant à garder son calme face à l'ignorance d'Addie.

— Pourtant je t'assure que ça nous a semblé bien réel quand ses yeux sont devenus rouges de sang et qu'elle a commencé à s'arracher la peau. Et quand, deux jours plus tard, elle est morte, ça n'avait rien d'une mise en scène.

— Je ne voulais pas…, bafouille-t-elle, gênée. Mon Dieu, c'est horrible ! Je suis désolée.

— Qui t'a dit que c'était une invention ?

La jeune fille se tourne à nouveau vers l'océan et replonge la rame dans l'eau.

— Mon père. Je me suis dit qu'il devait savoir de quoi il parlait vu qu'il a passé beaucoup de temps à Mexico ces deux dernières années. C'est bien là que ça a commencé, non ?

Shy aimerait pouvoir dire à Addie que son père est un idiot. Mais étant donné qu'il est toujours porté disparu, le garçon préfère s'abstenir. À la place, il lui raconte tout ce qu'il sait à propos de la maladie de Romero. Que les premiers cas ont bien été signalés à Mexico, puis que la maladie est arrivée dans les villes frontalières des États-Unis, comme la sienne. Il lui énumère tous les symptômes que sa grand-mère a eus et lui explique à quelle vitesse son état s'est dégradé, et la détresse de sa famille en la voyant mourir de déshydratation aussi rapidement. Et, pour la première fois, il lui dit que c'est au tour de son neveu d'être infecté.

— Je suis vraiment navrée.

Le silence s'installe un moment, puis Addie s'éclaircit la voix et ajoute :

— Je ne comprends pas pourquoi il m'aurait menti. Je ne suis pas une petite fille naïve qu'il faut protéger de la réalité.

Quelques minutes plus tard, Shy sent que ça tire sur sa ligne. Fort. Il jette un coup d'œil par-dessus bord et voit un poisson pâle, trois fois plus gros que le premier qu'ils ont attrapé, luttant pour se libérer. Enroulant la ligne autour de sa main recouverte au préalable d'un T-shirt, il cale un pied contre le fond du canot et, le cœur battant d'excitation, se met à tirer.

Addie est à présent près de lui, les yeux rivés sur le poisson.

— Waouh ! Regarde comme il est gros ! s'écrie-t-elle.

Shy ramène la ligne vers lui et continue d'enrouler le mou autour de son poignet. Il répète la manœuvre plusieurs fois en observant l'animal se rapprocher de la surface. Mais soudain, du coin de l'œil, il aperçoit un mouvement, l'un des requins est en train de foncer sur leur prise.

— Shy ! hurle Addie en se baissant précipitamment.

Le requin semble être sur le point de se jeter sur le bateau, mais le poisson est désormais presque à portée de main. Shy continue de tirer, déterminé à ne pas le perdre.

À la dernière seconde, le squale ouvre son immense gueule, et, l'espace d'un instant, le garçon se laisse hypnotiser par les rangées de dents acérées. Puis il détourne le regard en tirant toujours sur la ligne, tout en se préparant à l'impact.

Le requin vient s'écraser contre le flanc de l'embarcation qui manque de peu de chavirer. Shy bascule en arrière, les yeux rivés sur ce qu'il reste de la ligne enroulée autour de son bras. Non seulement l'animal a réussi à leur voler leur poisson, mais dans la foulée, il a emporté leur dernier hameçon. Quand il relève la tête, Addie est penchée par-dessus le bord du bateau et vise le requin avec le pistolet de détresse. Shy se remet debout tant bien que mal au moment où elle appuie sur la détente. Une boule lumineuse s'enfonce dans l'eau où elle s'éteint en grésillant.

— Qu'est-ce que tu fais ? s'exclame-t-il.

Mais Addie est déjà en train de charger la deuxième cartouche. Quand Shy arrive sur elle, il est trop tard et il ne parvient qu'à dévier son tir qui part alors vers le ciel. La tête levée, les deux jeunes observent la traînée de feu former un arc dans la nuit tombante avant de disparaître dans l'océan à moins de cinquante mètres du canot.

Addie s'écroule à genoux, puis éclate en sanglots.

— Je n'en peux plus ! Je veux juste qu'on en finisse.

— Ça va aller, dit Shy en s'agenouillant à côté d'elle. On va trouver une solution, Addie. Je te le jure.

Cependant, ils savent tous les deux qu'il n'y a plus rien à faire. Ils n'ont plus ni nourriture, ni hameçon, ni fusée de détresse, ni force. Et leur réserve d'eau est presque épuisée.

— Ça va aller, réaffirme-t-il.

Alors même qu'il voit de l'eau s'infiltrer à nouveau par la fissure – la réparation a dû céder suite à la collision avec le requin –, il se rend compte que la rame a disparu. Il continue pourtant à répéter en boucle : « Ça va aller. Ça va aller. »

40

Les veines de la terre

Les ténèbres envahissent rapidement le ciel, et la lune, presque pleine, se lève au-dessus d'eux. Shy et Addie sont assis, adossés à la coque du canot, blottis l'un contre l'autre, en silence. Shy est si faible que même respirer lui coûte. Ses pensées sont embrouillées. La seule certitude qu'il ait, alors qu'il contemple la lune, c'est qu'ils vont mourir.

Une fois qu'il a accepté ce fait, il se sent soudain soulagé d'un poids immense. Car c'est ainsi que ça fonctionne. L'océan qui murmure, les tremblements de terre, les incendies, les naufrages, les gens qui sautent par-dessus bord, ceux qui meurent, ceux qui naissent. Certains sont assez chanceux pour avoir un rôle à jouer, mais quand ce rôle prend fin, le monde ne s'arrête pas, il continue de tourner.

Shy plonge la main dans sa poche et la referme sur la bague du Texan, en espérant qu'elle lui indiquera la marche à suivre.

Il se met debout avec difficulté et traverse le canot pour aller chercher le bidon d'eau. Il le lève face à la lune et, après avoir vu le peu qu'il reste, il retourne vers Addie et le débouche.

Il le lui tend afin qu'ils le finissent, qu'ils en finissent. Elle semble le comprendre.

Avant de porter le récipient à ses lèvres, elle lui prend la main et entrelace ses doigts aux siens. Et cette fois, ce n'est pas un test. Puis elle boit une gorgée avant de le rendre à Shy qui fait de même. Deux tours plus tard, le bidon est vide.

Le garçon le jette à leurs pieds sans lâcher la main d'Addie, puis tous deux ferment les yeux sur la nuit tandis que Shy se demande sur quoi il les rouvrira, s'il les rouvre un jour.

Le temps passe et les souvenirs défilent. Les flocons de nourriture flottant au milieu des bulles de l'aquarium, dans la chambre en désordre qu'il partageait avec Miguel. L'allée derrière son immeuble où il avait l'habitude d'aller s'asseoir sur un seau en plastique retourné afin de réfléchir. Il se revoit sortir des livres de son casier pendant que Maria déblatère sur une fille qui l'a énervée. Et les visages de sa famille qui lui reviennent enfin, même celui de son père.

Puis c'est au tour d'un match de basket-ball disputé deux ans plus tôt. Celui qui s'était joué sur les dernières secondes. Un de ses coéquipiers lui avait passé le ballon. Il avait remonté le terrain en dribblant, évité un mur et bondi pour envoyer le ballon par-dessus les mains tendues de deux défenseurs. Le temps avait paru ralentir tandis que tout le monde suivait des yeux la trajectoire en arc de cercle du ballon. Les arbitres, la tête levée, le sifflet au bord des lèvres. Les joueurs remplaçants des deux équipes debout, retenus par les entraîneurs.

Quand le ballon avait traversé le cerceau, une explosion de joie avait retenti dans le gymnase, et tous ses coéquipiers s'étaient mis à sauter de joie avant de le serrer dans leurs bras en scandant son nom. C'était la première fois de sa vie qu'il marquait le panier gagnant. Après quelques secondes, il s'était écarté des réjouissances et avait balayé les gradins du regard à la recherche de sa mère. Il avait fini par la repérer, presque tout en haut, seule, agitant les bras, le visage rayonnant de fierté.

Peut-être était-ce pour ce moment-là, songe Shy, l'esprit à mille lieues du bateau, dans cet autre espace d'un autre temps.

Peut-être était-ce pour ça qu'il était venu au monde. Quand arrive l'heure de faire le bilan de leur vie, certaines personnes ont envie d'avoir la sensation de laisser derrière elles une sorte d'héritage. Comme des enfants. Ou un film. Ou une invention qui leur a rapporté beaucoup d'argent. D'autres ont envie d'avoir accompli quelque chose d'héroïque. Mais Shy est heureux de se dire qu'il a inspiré de la fierté à sa mère.

Les yeux de Shy sont toujours fermés, mais il est de retour dans le présent et il sent l'eau froide lui recouvrir peu à peu les jambes, ainsi que le souffle d'Addie contre son oreille.

— Je crois que j'étais en train de tomber amoureuse de toi, Shy, murmure-t-elle.

Le garçon essaie de tourner la tête, mais elle l'arrête avec sa main.

— S'il te plaît, ne me réponds pas.

Il obéit, tandis que son cœur se gonfle doucement. À cause de ces quelques mots. Parce qu'il sent les doigts de la jeune fille se mêler aux siens. Et parce qu'il comprend à présent la chance qu'il a d'avoir vécu en ce monde. Jamais il ne pourra utiliser le pistolet pour mettre fin à ses jours. Ou à ceux d'Addie. Le monde n'aura qu'à s'en charger, si c'est ce qu'il désire. Et, alors que son esprit continue de s'éloigner de son corps, il prend conscience d'une dernière vérité. Le monde est vivant, lui aussi. Il tourne autour de toi et défile devant tes yeux, si vite qu'il t'est impossible de le voir, et en même temps aussi lentement qu'un arbre en train de croître dans un parc. Tous les sons que tu entends – le vent qui te siffle dans les oreilles, le murmure de l'océan et l'eau qui clapote contre la coque du bateau –, c'est le sang de la terre qui coule dans des veines imperceptibles, et certaines de ces veines ne sont autres que des gens tels que toi, Shy, Carmen, ou Addie.

Et quand la fin arrive, elle a l'odeur de la rosée et de l'eau salée, et le monde qui t'entoure prend la forme d'un homme. Un homme qui braque dans tes yeux la lumière d'une lampe torche, s'agenouille à côté de toi, te caresse la tête et te dit :

— Tu vas t'en tirer, mon gars. Allez, viens.

Et il te prend dans ses bras et t'emporte tel un enfant dans une grotte où tu pourras retourner à la terre riche et fertile. La terre d'où tu viens et à laquelle tu appartiendras pour toujours.

JOUR 7

41

L'île Jones

Shy ouvre les yeux.

Cireur est penché au-dessus de lui, armé d'une seringue avec laquelle il s'apprête à le piquer à l'épaule.

Il tente de se libérer en roulant sur le côté, mais l'homme le maintient immobile d'une main ferme.

— Doucement, lui dit-il en reculant l'aiguille. Il s'agit seulement de quelques vitamines dont vous aurez besoin sur l'île. Fais-moi confiance.

— Quelles vitamines ? demande Shy en regardant autour de lui.

Tout cela ne rime à rien. Il était sur le point de mourir, et voilà qu'il se trouve dans une cabine familière. Vivant. La bague du Texan est toujours à l'abri dans sa poche. Et derrière Cireur, Shy aperçoit Addie, debout contre le mur, en train de se frotter l'épaule.

— Tu veux bien arrêter de te débattre ?

— C'est bon, Shy, le rassure Addie. Il nous a sauvés.

Shy plonge son regard dans les yeux de l'homme. Puis examine ses cheveux gris en bataille, son bouc tressé, sa peau parcheminée. Il est hors de question pour le garçon de laisser un cireur de pompes lui faire une piqûre. Mais son esprit est si embrumé qu'il lui est impossible de réfléchir clairement.

Cireur approche lentement la seringue de son épaule. L'aiguille lui transperce la peau et il sent un liquide froid s'infiltrer dans son bras. Shy cesse de lutter pour se concentrer à nouveau sur la cabine. C'est l'exacte réplique de celle où gisaient les médecins morts. Sauf qu'il n'y a personne au sol. Et pas de tache de sang non plus. La seule chose qu'il reconnaît avec certitude, c'est le sac marin grand ouvert. Deux seringues manquent à l'un des paquets. Il en déduit que l'injection qu'on lui a administrée a été faite avec l'une de celles qu'il a rapportées du bateau.

Le vieil homme s'écarte et Shy se redresse brusquement pour aller vomir dans la poubelle. Ses yeux sont exorbités à cause de la pression, et ses lèvres gercées saignent. Il est surpris de voir tout ce qu'il arrive à rendre, étant donné que depuis le naufrage il n'a avalé qu'un demi-poisson et un peu d'eau.

Addie pose la main sur le dos de Shy

— Il a vu la fusée de détresse, dit-elle avec des larmes dans la voix. Et il nous a trouvés. Nous avons été secourus, Shy.

À son expression, il comprend que c'est la vérité.

Ils ont survécu.

Tous trois remontent l'escalier menant sur le pont, et l'île que découvre Shy une fois en haut des marches lui coupe le souffle.

Il y a aussi un navire assez gros pour les ramener sur le continent.

Submergé par l'émotion, le garçon tombe à genoux, les larmes aux yeux.

Addie s'agenouille à côté de lui et lui tend une banane.

— J'ai encore du mal à y croire, et toi ?

— Je ne t'avais pas dit qu'on s'en sortirait, hein ? réplique Shy faiblement, en épluchant son fruit.

— Si, tu l'avais dit, admet-elle en essuyant ses joues humides du revers de la main.

Les deux jeunes dégustent leur banane, puis Shy jette la peau dans la poubelle avant de regarder autour de lui. Ce bateau est indemne, pas la moindre trace de balle, et au lieu de *220*, c'est *320* qui est écrit sur le côté.

— Où avez-vous eu ce bateau ? demande-t-il à Cireur qui est occupé à manœuvrer l'embarcation en direction du rivage.

— Il était amarré dans une grotte de l'autre côté de l'île. (Il donne un petit coup de pied dans la glacière posée à côté de lui.) Il y a encore de la nourriture là-dedans. Vous devez être affamés.

Shy se remet debout.

— Nous en avons croisé un identique à celui-ci, explique-t-il. Sauf qu'il était HS et qu'il flottait au milieu de l'océan.

Cireur hoche la tête.

— C'est là que j'ai trouvé le sac, poursuit Shy en guettant une réaction qui lui indiquerait que Cireur est au courant pour les corps et le pistolet, mais l'homme demeure impassible.

— J'ai aussi vu deux cadavres, ajoute-t-il alors.

Cette fois Cireur se tourne vers lui, mais il ne semble pas surpris. L'espace d'un instant, Shy se demande si leur sauveur a quelque chose à voir avec ces meurtres. Mais si c'était le cas, il aurait pris le sac, non ?

— Comment saviez-vous ce qu'il y avait dans le sac ? s'enquiert Addie en se frottant à nouveau le bras.

— Il a été volé sur l'île, explique l'homme sans quitter Shy du regard. Il y a eu un léger désaccord concernant ce qui devait être fait de son contenu.

— Que se passe-t-il là-bas ? Est-ce qu'il y a un problème ?

Cette fois, Cireur se tourne vers elle.

— C'est toujours moins dangereux que d'être perdu en mer.

— Ça, c'est bien vrai.

— Qui d'autre a survécu ? demande Shy en pensant à Carmen, Rodney, Kevin et à tous les autres, mais surtout à Carmen. Il y a eu d'autres survivants, n'est-ce pas ?

— À peu près quatre-vingts. Ils sont installés à l'hôtel que vous voyez sur la colline.

— Est-ce que mon père est là-bas ? Il est grand, avec des cheveux gris.

— Je l'espère, répond Cireur, mais ils sont plusieurs à correspondre à cette description.

Shy reporte son attention sur le rivage. L'île est dotée de magnifiques falaises verdoyantes. L'imposante bâtisse située au sommet et qui surplombe l'océan est de toute évidence l'hôtel.

Puis il se tourne à nouveau vers leur sauveur.

— Comment nous avez-vous trouvés ?

— Comme l'a dit la demoiselle, j'ai vu une fusée de détresse en direction du soleil couchant. Cela fait trois jours que je cherche des survivants, malheureusement vous êtes les premiers que je trouve.

— Pourquoi je ne me souviens de rien ?

— Parce que tu étais à moitié mort, répond l'homme en manœuvrant à la barre. Mais j'avais un pressentiment te concernant, mon garçon. J'étais convaincu que tu finirais par refaire surface.

Shy dévisage Cireur avec l'étrange impression que ce dernier l'a cherché, lui. Sur le paquebot aussi, il a eu le sentiment que le vieil homme veillait sur lui. Mais pourquoi ?

Il se retourne vers l'hôtel. C'est un bâtiment bleu et blanc bordé de palmiers serrés. L'île entière ne paraît pas plus grande que quelques terrains de football juxtaposés. Elle est entièrement entourée de falaises sur lesquelles viennent se briser les vagues, à l'exception d'une bande de verdure vers laquelle ils se dirigent, justement. Shy repère quatre canots de sauvetage alignés sur la grève à côté d'un voilier dont le flanc est appuyé contre les rochers, une voile déchirée flottant au vent. Et, juché sur le navire qu'il a remarqué tout à l'heure, il distingue un hélicoptère.

— À qui il appartient, celui-là ?

— Il est arrivé il y a deux jours, explique Cireur. Ce sont des chercheurs à bord, à ce qu'ils prétendent. Ils sont un peu plus d'une dizaine.

Addie se précipite au bastingage.

— Ils vont nous ramener à la maison, n'est-ce pas ?

Shy observe Cireur qui lui-même regarde le navire un long moment avant de répondre.

— C'est ce qu'ils ont promis.

— Et les téléphones de l'hôtel ? s'enquiert Shy. Ils fonctionnent ? On peut appeler chez nous ?

— Pas d'électricité. Et les téléphones satellites sont hors service.

— Et les radios ? Est-ce qu'au moins quelqu'un sait que nous sommes là ?

— Les chercheurs ont affirmé avoir alerté les autorités.

Shy baisse les yeux sur le sac marin aux pieds de Cireur.

— Qui étaient ces docteurs sur l'autre bateau ? Pourquoi nous avoir injecté des vitamines venant du sac ? Et pourquoi…

Cireur l'interrompt en levant la main.

— Nous aurons le temps pour les questions, mon gars. Mais occupons-nous déjà de vous faire rejoindre la terre ferme, dit-il en éteignant le moteur et en jetant l'ancre.

Ils se trouvent juste en face d'une longue bande de gazon ressemblant à un bout de terrain de golf.

— Nous sommes obligés de laisser le bateau ici, car la jetée est sous l'eau, explique Cireur. De même que la piste d'atterrissage qu'ils utilisaient pour de petits avions.

Addie tapote le bras de Shy pour attirer son attention, puis elle désigne l'île.

— Il pense qu'elle est quatre fois plus petite qu'avant les tsunamis.

— Quand le niveau d'eau baissera, renchérit Cireur, nous pourrons en apprendre davantage sur cet endroit. Est-ce que vous vous sentez capables de nager un peu ?

Shy et Addie acquiescent d'un signe de tête.

Le vieil homme retourne dans la cabine et en ressort avec son carnet enveloppé dans du plastique. Il le fourre avec les seringues dans le sac étanche qu'il balance sur son épaule.

— Ça ne te dérange pas si je le porte pour l'instant ? demande Cireur à Shy.

— Vous pouvez même le garder, répond le garçon en songeant plus particulièrement au pistolet.

Tandis que tous trois se dirigent vers le côté du bateau, le vieil homme ajoute :

— Avant que vous ne mettiez les pieds sur cette île, il y a une dernière chose que vous devez savoir.

Shy baisse les yeux sur l'eau. Elle est si claire qu'il peut voir jusqu'au fond. Pas de requin. Et pas de sable non plus, mais une étroite route pavée, et une cabane. Une partie de l'île a bel et bien été submergée.

— Certains des rescapés… (Il marque une pause.) En fait, quelque chose ne va pas chez eux…

— Que voulez-vous dire ? demande Addie.

Shy voit bien au visage de Cireur que c'est sérieux.

— Personne n'est sûr de quoi que ce soit. Pour le moment, ils ont été placés en quarantaine. Le médecin vous expliquera ça mieux que moi.

Le garçon est convaincu qu'il leur cache quelque chose. Peut-être à propos des seringues. Ou du pistolet. Ou des survivants et de leur mystérieux problème.

L'homme fait volte-face et plonge son regard dans celui de Shy, comme s'il avait senti ses questions.

— L'essentiel à retenir est que je ne vous ai pas donné de vitamines. D'accord ?

— Pourquoi ?

— Et vous n'avez jamais vu ce sac, ajoute-t-il en tapotant le sac étanche marron et bleu. Il est très important que ça reste entre nous, vous m'entendez ?

Shy et Addie échangent un regard, mais avant qu'ils aient le temps de dire quoi que ce soit, Cireur reprend :

— Je comprends que tout ça puisse vous sembler étrange pour l'instant. Mais faites-moi confiance. Moins vous en savez, mieux c'est. Maintenant, allons-y.

Et sur ces mots, il fait demi-tour et saute.

42

La terre ferme

Addie saute à son tour, les pieds en avant, équipée de son gilet de sauvetage. Ses cheveux blonds flottent à la surface de l'eau. Shy enlève son gilet et le balance dans le bateau. Il est faible, mais il s'en moque, le rivage est tout proche. Une sensation de liberté l'envahit tandis qu'il bondit hors de l'embarcation, juste avant que l'eau froide se referme sur son corps et le ramène à la vie. Pendant quelques secondes qui lui paraissent irréelles, il a la tête sous l'eau et voit ses pieds s'agiter au-dessus du gazon qui tapisse le fond. Puis, en battant des bras et des jambes, il remonte à la surface.

Il échange un sourire avec Addie et les derniers mots prononcés par la jeune fille sur le canot lui reviennent en mémoire. Quand elle lui a dit qu'elle était en train de tomber amoureuse de lui. Il se demande si elle a dit ça uniquement parce qu'elle croyait être sur le point de mourir, ou si elle a vraiment éprouvé ce sentiment. Et lui, qu'en pense-t-il vraiment ?

Ne trouvant rien de mieux pour lui faire savoir qu'il l'a entendue, il tend le bras et, sous l'eau, lui serre le genou à travers son jean. La fille lui sourit, puis se met sur le ventre et commence à nager vers l'île.

Shy considère une fois encore le bateau qui vient de leur sauver la vie puis, derrière l'embarcation, l'immense océan qui s'étend à perte de vue. Quelques heures auparavant, ils étaient perdus au beau milieu. À moitié morts. Et voilà qu'à présent, ils sont à moins de vingt mètres d'une terre.

Shy savoure à nouveau la sensation de son corps en train de reprendre vie et se retourne pour suivre Addie.

Il est le dernier à atteindre l'île.

Après avoir fait quelques pas sur l'herbe rase, les jambes flageolantes, il se laisse tomber à côté d'Addie, et tous deux observent les alentours en silence.

Ils sont assis sur ce qui était, il y a peu, un terrain de golf dont la plus grande partie est désormais submergée. Le bateau des chercheurs avec son hélicoptère se trouve à environ soixante mètres au large et Shy distingue deux personnes se déplaçant sur le pont supérieur. Il tourne la tête pour examiner l'île. Un escalier de pierre qui semble être là depuis longtemps monte en zigzaguant le long de la falaise et un câble de téléphérique sort de l'eau pour rejoindre l'hôtel. La falaise elle-même est très verdoyante, tapissée de nombreux arbres et buissons. Des mouettes se poursuivent dans le ciel en poussant des cris aigus.

Shy a l'impression d'être arrivé au paradis. Il pose ses deux mains sur le sol, ébahi d'être enfin de retour sur la terre ferme. Puis il s'intéresse au voilier échoué à sa gauche : il y a des trous sur le côté de la coque et le mât autour duquel bat faiblement la voile déchirée est méchamment tordu. Aucune chance que ce bateau puisse un jour reprendre la mer. L'épave témoigne des dégâts causés par les vagues.

— Nager jusqu'ici était le plus simple, les prévient Cireur. Maintenant, il faut monter les quatre cent soixante-cinq marches. Je le sais, je les ai comptées.

— Ça me fait bizarre, dans quelques minutes je saurai s'il est en vie, dit la jeune fille à l'intention de Shy.

Ce dernier hoche la tête.

— Même s'il a fait des choses terribles, ajoute-t-elle. Il reste mon père, tu sais.

— Je comprends, la rassure Shy en se levant avec difficulté.

C'est tout juste si ses jambes parviennent à supporter son poids, et il a du mal à mettre un pied devant l'autre.

Pour l'instant, il n'a pas envie de penser au père d'Addie. Ni aux affaires louches dans lesquelles il est peut-être impliqué. Et encore moins à la photo trouvée dans sa cabine. Il préfère se concentrer sur la chance qu'il a d'être vivant, et sur la terre ferme.

— Je ne sais même pas si j'arriverai à grimper jusqu'en haut. Je me sens tellement faible, s'inquiète Addie.

— Il doit y avoir de l'eau et de la nourriture là-haut. Et des lits, lui dit Shy en l'aidant à se relever.

Il est pleinement conscient du lien qui les unit désormais. Ils ont survécu ensemble. Personne ne pourra jamais leur enlever ça. Cependant, il sait également que les papillons qui s'agitent dans son ventre ne sont pas dus à ce lien. Et cela lui donne l'impression d'être un salaud. Tandis que les deux jeunes montent l'escalier côte à côte derrière Cireur, Shy se remémore les cheveux sombres de Carmen et ses yeux chocolat. Il voudrait penser à autre chose, mais c'est plus fort que lui. Il se souvient de la fois où elle est sortie de sa cabine avec une bouteille de vin parce qu'il n'arrivait pas à dormir. Et de toutes les conversations matinales sur le pont Lido quand elle passait le voir à son stand, un café à la main.

Je t'en prie, Carm. (Il ferme les yeux et serre dans sa main la bague du Texan qui est toujours dans sa poche.) *Il faut que tu sois là-haut. Je t'en supplie.*

Cireur s'arrête alors qu'ils ont presque atteint le sommet. Après avoir jeté un coup d'œil à l'hôtel, puis aux hommes sur le bateau des chercheurs, il extrait son carnet du sac marin puis dissimule ce dernier, contenant encore le flingue ainsi que les seringues, dans les buissons qui bordent l'escalier.

— Pourquoi avoir fait ça ? demande Shy alors qu'ils reprennent leur ascension.

— Nous savons que le monde a changé, mais nous ne savons pas dans quel sens.

Shy et Addie échangent un regard perplexe.

— Que voulez-vous dire ? s'étonne le garçon.

Cireur secoue la tête, puis ajoute en désignant l'hôtel :

— Il y a plein de chambres vides. Toutes les portes sont ouvertes et les clés sont à l'accueil. Une fois que vous en aurez choisi une, vous pouvez la fermer. Vous trouverez de l'eau et de la nourriture dans le restaurant à l'arrière, ainsi que des vêtements propres dans le lobby.

Shy se renfrogne.

— Vous ne venez pas ?

— J'ai quelque chose à vérifier de l'autre côté, répond le vieil homme. Demandez Christian, le médecin dont je vous ai parlé. Il vous expliquera tout ce qu'il faut que vous sachiez.

Après avoir regardé Cireur disparaître derrière le bâtiment, Addie se tourne vers Shy.

— Tu le connaissais, avant ?

— Cireur ? En quelque sorte. Et j'ai également déjà eu affaire à Christian. Nous sommes partis sur le même radeau.

Shy se rappelle qu'il était assis près du jeune médecin quand la vague géante s'était abattue sur eux. Il secoue la tête afin de chasser les images qui lui reviennent en mémoire et espère que Kevin et Marcus seront là, eux aussi. Et Paolo.

— Je ne comprends pas pourquoi il fait tant de mystères, commente Addie en s'accroupissant et en posant une main à terre.

— Moi non plus.

Shy examine l'hôtel qui compte au moins dix étages, tous équipés de grandes fenêtres et de balcons. Puis il reporte son attention sur Addie qui se frotte les tempes.

— Ça va ? s'inquiète-t-il.

— Oui. J'ai juste la tête qui tourne. Cet effort m'a vidée… Je pense que j'ai besoin de m'allonger.

— Tu crois que tu tiendras jusqu'à ce que nous soyons à l'intérieur ? Je suis sûr que tu y seras plus à l'aise.

La jeune fille hoche la tête en signe d'assentiment et Shy l'aide à se relever.

Tous deux traversent le gazon parsemé de flaques d'eau.

Le lobby rappelle à Shy l'atrium du paquebot, en dix fois plus grand. Un plafond haut en forme de dôme et d'immenses lustres. Des tableaux gigantesques sur chaque mur. De larges piliers sculptés. Des canapés d'aspect ancien. Un sol et des escaliers de marbre qui forment une arche montant vers le premier étage. Shy se demande s'il va trouver Carmen là-haut.

— Je savais qu'ils avaient un hôtel ici, mais ce n'était pas du tout comme ça que je l'imaginais.

— C'est donc là que séjournent les employés de ton père ? s'enquiert Shy.

— Et c'est aussi là qu'ils envoient les docteurs en vacances. D'après ma mère, c'est l'un des moyens qu'ils utilisent pour inciter les gens à investir dans leurs produits.

Les deux jeunes se tournent en entendant des bruits de pas. C'est Christian et deux inconnus. Un barbu brun avec une calvitie naissante. Et un autre homme plus petit, vêtu d'une chemise hawaïenne, d'un short kaki et de tongs. Christian s'arrête net.

— Shy, c'est bien toi ?

Shy hoche la tête, surpris de constater à quel point il est ému de revoir quelqu'un qui était avec lui sur le radeau.

— Bon sang ! Ce que je suis content de te voir, l'accueille le jeune médecin en accélérant le pas pour les rejoindre.

Il prend Shy dans ses bras, puis Addie.

— Comment êtes-vous arrivés ici ? Nous étions certains que personne n'avait survécu.

— Cireur nous a trouvés, explique Shy. Au milieu de la nuit. Nous pensions que c'était fini.

— Cireur. Bien sûr. Heureusement, vous êtes sains et saufs !

— Ils ont l'air en pleine forme, intervient le barbu en faisant un pas en avant. Et si je vous disais que vous allez pouvoir rentrer chez vous ? Ce soir même ?

— Ce soir ? s'exclame Shy. Vous êtes sérieux ?

— Tout à fait, répond son comparse. Nous lèverons l'ancre au coucher du soleil.

— Je suis Greg Walker, dit le barbu en tendant la main à Shy. Et je suis responsable de l'expédition. Voici mon assistant, Connor Simms.

Shy et Addie se présentent en leur serrant la main.

— Vous êtes arrivés juste à temps, poursuit Greg. Nous avons été envoyés ici pour étudier les effets des tsunamis sur la faune marine au large de l'île. Mais notre mission a été avortée quand nous avons trouvé des survivants ici. Notre devoir est désormais de vous ramener chez vous, auprès de vos familles.

Shy serre le bras d'Addie. Il a du mal à contenir son excitation.

Elle lui sourit, mais elle semble vaciller légèrement. Le garçon lui agrippe le coude afin de la stabiliser.

— Vous avez des nouvelles de Californie ? demande-t-il aux deux hommes. La région n'a pas été dévastée ?

— Il y a eu beaucoup de dégâts, confirme Connor, la mine grave. C'est terrible. Mais tout le pays est venu au secours des États qui ont été touchés. Vous allez être surpris de voir à quel point les gens s'entraident.

— Il paraît que le nombre de morts est bien moins important que ne le laissaient croire les premières estimations des médias, ajoute Christian. Il ne nous reste plus qu'à prier pour que nos familles et nos amis aillent bien.

Greg donne une claque sur l'épaule de Shy à l'endroit même où, un peu plus tôt, Cireur a planté l'aiguille.

— Nous vous expliquerons tout dans quelques heures, pendant le déjeuner. À 13 h 30. En attendant, allez vous reposer. Nous ferons le nécessaire pour que tout le monde soit prévenu quand ce sera l'heure. Je vais m'occuper de l'organisation du départ.

— Vous êtes en sécurité maintenant, renchérit Connor.

Greg approuve d'un hochement de tête.

— Et nous sommes ravis de compter deux survivants de plus.

Soudain, Shy sent Addie lui échapper. Il la rattrape à la dernière seconde et l'allonge sur le sol.

— Bon sang, Addie, dit-il en s'agenouillant pour lui soulever délicatement la tête.

Ses yeux sont fermés.

— Addie ? Tu m'entends ?

Christian fouille dans son sac et en sort une bouteille d'eau. Il la débouche et prend la place de Shy afin de la porter aux lèvres de la jeune fille.

— Addie ? Vous m'entendez ? Il faudrait que vous buviez une petite gorgée d'eau si vous le pouvez.

Ses paupières papillonnent, elle rouvre les yeux et regarde Christian. Puis elle avale une minuscule gorgée et tourne la tête vers Shy.

— Que s'est-il passé ?

— Vous vous êtes évanouie, répond le médecin. Vous avez tous les deux besoin de manger et de boire.

Shy pose la main sur le front de la fille.

— Ça va ?

— Elle a besoin de repos, intervient Connor. Emmenons-la dans une des chambres.

Shy jette un coup d'œil par-dessus son épaule en entendant des gens accourir vers eux.

— Il y a encore plein de chambres vides au premier étage, dit une voix.

En quelques secondes une petite foule s'est amassée autour d'eux. Tout le monde crie, certains donnent des conseils tandis que d'autres demandent comment ils ont survécu tout ce temps en mer. Shy les dévisage et reconnaît certains d'entre eux.

Puis, presque dissimulé par le reste du groupe, il voit le visage qu'il n'a cessé d'imaginer depuis le moment où le navire a sombré, et où il s'est retrouvé seul au milieu de l'océan.

Carmen.

43

À l'ombre du belvédère

Shy, Christian et quelques autres, parmi lesquels les deux chercheurs, aident à transporter Addie dans la chambre inoccupée la plus proche, la 117. Puis ils l'allongent sur l'immense lit aux draps immaculés.

— Elle a besoin d'air, dit quelqu'un.

— Et de nourriture, ajoute une autre personne. Vous avez vu comme elle est maigre ?

Shy les regarde tous s'agglutiner autour du lit, tout en jetant de fréquents coups d'œil vers la porte, le cœur battant. Carmen n'est pas entrée dans la chambre. Elle doit sûrement l'attendre dans le lobby.

— Elle pourra se reposer pendant le trajet vers la Californie, commente l'un des chercheurs.

— Est-ce que mon père est là ? marmonne Addie.

— Qui est ton père ? demande une dame d'un certain âge.

— Jim Miller. Il est grand avec des cheveux gris. Il travaillait sur l'île.

— Repose-toi, mon chou. Je vais me renseigner.

Les deux chercheurs s'écartent du lit et sortent à la suite de la femme.

Shy, Christian et une inconnue restent tandis que tous les autres s'en vont un à un. Après avoir examiné les yeux et les oreilles de la jeune fille à l'aide d'une petite lampe de médecin, Christian écoute son cœur avec un stéthoscope. Shy l'observe, déchiré entre le besoin de s'assurer qu'Addie va bien et celui de partir à la recherche de Carmen.

— Shy ? appelle Addie en soulevant la tête.

— Je suis là.

Elle laisse retomber sa tête sur l'oreiller.

— Mon Dieu, que m'est-il arrivé ?

— Vous avez passé cinq jours en mer, réplique Christan. Tous les deux.

Il se tourne vers la femme qui se tient près de lui.

— Mary, tu veux bien aller au restaurant nous chercher des bouteilles d'eau et des fruits, s'il te plaît ?

Manifestement comblée de pouvoir se rendre utile, cette dernière acquiesce et sort précipitamment de la pièce.

— Tu devrais te reposer toi aussi. Prends celle d'en face, la 118. Je viendrai te voir après, dit Christian à Shy.

— D'accord, répond Shy, tout en sachant qu'il n'en fera rien tant qu'il n'aura pas vu Carmen.

— Ça va un peu mieux ? demande-t-il ensuite à Addie en lui serrant le pied.

— Je crois.

Christian commence alors à poser des questions à sa patiente. Quand deux femmes arrivent avec des vêtements de rechange, le garçon en profite pour s'éclipser.

À la seconde où il est de retour dans le lobby, il repère Carmen qui lui fait signe de la suivre.

Tandis qu'il traverse l'immense pièce, d'autres naufragés l'approchent. Ils ont appris comment lui et Addie ont été secourus et sont ébahis que les deux jeunes aient survécu en mer aussi longtemps.

Shy leur sourit en hochant la tête, mais il n'entend pas un mot de ce qu'ils racontent. Il est trop impatient de parler à Carmen qui l'attend à présent devant les portes de l'hôtel.

— N'oubliez pas d'être au restaurant à 13 h 30, lui rappelle un homme. Ils doivent nous dire quand nous pouvons espérer rentrer chez nous.

— Je serai là, réplique Shy en faisant un signe de la main avant de s'éloigner du groupe.

Les jambes flageolantes, il suit Carmen à l'extérieur. Elle marche légèrement devant lui sur le chemin pavé, comme si elle voulait qu'ils soient seuls tous les deux avant d'engager la conversation.

Ils contournent ainsi l'hôtel. Il y a des flaques d'eau partout, en particulier derrière le bâtiment. Des algues ornent les buissons parfaitement taillés, telles des guirlandes de Noël. Une femme vêtue d'un T-shirt de football américain trop grand pour elle l'interpelle depuis l'autre bout de la pelouse :

— Nous avons entendu parler de vous ! C'est incroyable, vous avez survécu !

— Merci ! lui répond Shy en criant lui aussi.

Ils dépassent d'autres personnes qui saluent Shy de la même façon et Carmen les mène sous un imposant belvédère. Enfin seuls. La jeune femme se tourne pour lui faire face, la tête légèrement penchée sur le côté.

— Shy, dit-elle en affichant un immense sourire.

En l'entendant prononcer son nom, il sent une boule se former dans sa gorge. Toutefois, il arrive tout de même à articuler :

— Carm.

Elle porte un T-shirt blanc tout simple, ainsi qu'un jean large et des tennis. Ses yeux sont brillants et elle s'est couvert la bouche des deux mains, mais aucune larme ne coule. Carmen est bien trop forte pour se laisser aller de la sorte.

— Viens là, dit-elle.

Il va à sa rencontre et elle lui passe les bras autour de la taille et se serre contre lui en murmurant :

— J'ai cru que je t'avais perdu.

Le garçon est si bouleversé qu'il a envie de se fondre en elle. Il lui pose une main derrière la tête et l'autre dans le dos afin de lui rendre son étreinte, le nez dans sa chevelure. Ses genoux tremblent tant il est épuisé, mais il s'en moque. Il pourrait rester comme ça une éternité.

Carmen relève la tête.

— Je n'ai pas cessé de penser à toi. J'ai même tenté de prier.

— Moi aussi j'ai pensé à toi.

Elle lui prend le visage entre ses mains et plonge son regard dans le sien.

— Comment as-tu survécu ? Le naufrage a eu lieu il y a cinq jours. Je commençais à perdre espoir.

— Cireur, répond Shy. Il nous a trouvés alors que nous dérivions dans un canot de sauvetage sur le point de couler.

Carmen le serre à nouveau.

Cette fois, il se laisse aller à fermer les yeux et se concentre sur la sensation du corps de la jeune femme contre le sien. Le fait d'être avec Carmen lui permet enfin de prendre conscience qu'il est bel et bien vivant. Qu'il a une seconde chance. Puis elle se détache pour de bon de lui et s'exclame :

— Mon Dieu, tu es maigre comme un clou ! Ça fait mal au cœur.

— Je n'ai pêché qu'un poisson en cinq jours.

— Tu ne m'as jamais semblé être le candidat idéal pour *Koh-Lanta.* Pourquoi penses-tu que j'ai essayé les prières ?

— C'était à cause des requins, se défend-il. Je t'assure. Ils effrayaient tous les autres poissons.

Elle éclate de rire en secouant la tête.

— En plus, tu pues, dit-elle en l'attrapant par le coude. Allons te décrasser.

Carmen le reconduit à l'hôtel derrière le bureau des réservations pour y prendre des affaires de rechange, puis jusqu'à la piscine naturelle. C'est là où tout le monde se lave, lui explique-t-elle.

— Vas-y, l'encourage Carmen en lui tournant le dos. Je surveille que personne ne vienne mater.

Shy se débarrasse lentement des vêtements trempés qu'il porte depuis cinq jours et s'empare d'un des petits savons de l'hôtel posés au bord de la piscine.

Depuis qu'il a été secouru, il oscille sans arrêt d'une émotion à l'autre, de l'impatience de rentrer chez lui pour retrouver sa famille au serrement de cœur qui menace de le submerger à la simple vue d'un pain de savon.

Il se plonge dans l'eau et commence à se laver les cheveux et le corps. La sensation est merveilleuse. Pendant ce temps, Carmen lui raconte son propre périple et ce qui s'est passé depuis qu'ils sont sur l'île. Ils étaient une trentaine à bord de son canot, dont Christian, qu'ils avaient repêché dans l'océan. Un homme en blouse blanche aux cheveux roux en bataille, le docteur Sullivan, les a accueillis sur le terrain de golf et guidés jusqu'à l'hôtel en empruntant l'escalier. Une fois dans le lobby, il leur a demandé de s'asseoir avant de leur expliquer les événements survenus sur l'île. Le premier tsunami l'avait surpris alors qu'il travaillait avec des collègues scientifiques dans le labo situé de l'autre côté de l'île. En quelques secondes les locaux avaient été envahis, puis complètement submergés. Seules quelques personnes avaient réussi à en réchapper. Mais ça ne s'était pas arrêté là. Le lendemain matin, la plupart des employés de l'île – du serveur au jardinier en passant par les cuisiniers et les femmes de chambre – avaient commencé à tomber malades. Vraiment très malades. Ils les avaient donc installés tout en haut dans l'appartement-terrasse, où ils essayaient de les soigner.

— Puis il a disparu derrière le comptoir de l'accueil, dit Carmen en tournant légèrement la tête, et s'est relevé en tenant un sac marin. Il nous a expliqué qu'il s'agissait d'un virus extrêmement contagieux et que nous allions devoir recevoir une injection afin de ne pas l'attraper.

Shy suspend son geste, les yeux rivés sur les cheveux de Carmen. Il prend soudainement conscience que Sullivan est l'un des cadavres du bateau à moteur. Et que la piqûre faite par Cireur contenait le même produit que celui injecté à la jeune fille et aux autres survivants par le médecin roux.

— Vous l'avez laissé faire ? demande-t-il, bien qu'il connaisse la réponse.

— Bien sûr que oui. Seules deux personnes ont refusé. Elles sont tombées malades, et maintenant, elles sont là-haut avec les autres.

Shy commence à se rincer sans parvenir à décider s'il doit ou non parler à Carmen des scientifiques morts. Ou du fait qu'il a lui aussi reçu la piqûre. Si tout le monde est déjà au courant, pourquoi Cireur a-t-il insisté pour qu'ils gardent le secret ?

— Et qu'est devenu le sac de médicaments ?

— Disparu, répond Carmen en se retournant complètement pour le regarder dans les yeux. C'est pourquoi je m'inquiète pour toi.

Shy songe un instant à s'immerger dans l'eau pour se cacher, mais il n'en fait rien. Il se contente de rester debout.

Elle parcourt brièvement des yeux le corps du jeune homme, sans se départir de son air sérieux.

— Shy, ton torse. Que s'est-il passé ?

Il effleure la blessure qui commence lentement à cicatriser. Il est quasiment certain de s'être brisé une ou deux côtes.

— Aucune idée. C'est arrivé pendant le naufrage.

Carmen grimace.

— Quoi qu'il en soit, le docteur Sullivan a disparu lui aussi le lendemain de notre arrivée. Nous ignorons où il est parti et ce qu'il a fait des médicaments.

— Il y avait un autre docteur ? demande Shy.

— Ils étaient quatre en tout. Mais le docteur Sullivan est le seul à être venu à l'hôtel. Les autres avaient plutôt tendance à rester de l'autre côté de l'île. Excepté quand ils venaient manger au restaurant. À les entendre, le travail de toute leur vie a été englouti par l'océan.

Shy prend une des serviettes sur le tas posé près de la piscine et se sèche en cherchant comment annoncer à Carmen ce qu'il sait. Il ne veut pas trahir Cireur, mais en même temps, il s'imagine mal cacher ces informations à son amie.

Comme si elle se rendait seulement compte qu'il est nu, la jeune femme lui tourne à nouveau le dos.

— Tous ceux qui sont arrivés avec le second canot vont bien, eux aussi, mais quand les troisième et quatrième ont accosté, le docteur Sullivan avait disparu. De même que le sac. Du coup, ils n'ont pas reçu d'injection.

— Et ils sont tombés malades ? s'enquiert Shy en enfilant un pantalon propre et en y transférant la bague du Texan.

— Presque tous, confirme Carmen sans se retourner. Seuls Cireur et quelques autres sont encore en bonne santé. Ce truc est mégacontagieux, comme l'a dit Sullivan. C'est pour ça que Christian et les chercheurs interdisent à quiconque de se rendre au dernier étage.

— Est-ce que par hasard le sac contenant les seringues était bleu et marron ?

Carmen fait volte-face et plante son regard dans celui de son ami.

— Comment le sais-tu ?

Shy met son T-shirt, puis répond :

— Écoute, Cireur m'a demandé de n'en parler à personne…

— Dis-moi ce que tu sais !

— OK. (Le jeune homme est si fatigué qu'il est obligé de s'asseoir par terre.) Quand nous étions perdus en mer, Addie et moi sommes tombés par hasard sur le bateau de ce docteur Sullivan. Tu as bien dit qu'il était roux, n'est-ce pas ?

— Oui.

— Eh bien, quelqu'un lui a tiré dessus et a ensuite vidé le chargeur sur le tableau de bord avant d'essayer de mettre le feu au bateau.

Carmen devient soudain livide.

— Qui lui a tiré dessus ? Et pourquoi ?

— Je n'en ai aucune idée. Je l'ai trouvé comme ça, et il y avait un second docteur. Mort lui aussi.

— C'est complètement absurde, s'exclame Carmen. Pourquoi quelqu'un voudrait-il tuer un scientifique ? Il nous aidait, en plus.

Shy jette un coup d'œil derrière Carmen pour s'assurer qu'ils sont encore seuls.

— Tu crois que Cireur a quelque chose à voir là-dedans ? demande-t-il.

— Non. À mon avis, s'il n'est pas tombé malade, c'est parce qu'il se tient éloigné de l'hôtel.

— Il dort où ?

— Dehors, je suppose, dit-elle en haussant les épaules. Il passe ses journées à explorer l'autre côté de l'île, à pêcher et à écrire dans son carnet. Il semble aussi obsédé par le voilier. Peut-être que c'est là-bas qu'il dort. (Elle secoue la tête.) Non. Ce n'est pas lui. Cireur s'est occupé de nous. Et puis il vous a sauvés, non ?

Shy lève les yeux vers le dernier étage de l'hôtel, là où est situé l'appartement-terrasse.

— J'ai pris le sac sur le bateau. Je ne sais même pas pourquoi. Bref, quand je me suis réveillé dans celui de Cireur ce matin, il s'apprêtait à me planter une de ces aiguilles dans l'épaule.

— Shy, s'exclame Carmen en lui saisissant le bras. Mais c'est super. Tous ceux qui ont été piqués vont bien.

— Il m'a dit que c'étaient des vitamines, mais visiblement il m'a raconté des bobards. Et puis c'est quoi, comme maladie ?

— Une maladie tropicale, je suppose, arrivée avec l'inondation. Et tout le monde a appelé ces injections des vitamines. (Elle lui lâche le bras.) Ce dont je suis certaine, c'est que ce virus doit être sacrément costaud, car personne n'est encore redescendu de l'étage de quarantaine.

Après quelques minutes de silence, Shy se lève et ramasse ses vêtements sales.

Carmen toussote en affichant un air peiné.

— Il y a autre chose, Shy. Je voulais m'assurer d'être la première à t'en parler.

Shy tourne la tête vers elle dans l'attente d'une autre mauvaise nouvelle.

— Rodney est là-haut. Il fait partie des malades.

Le garçon a l'impression de se prendre un coup de poing dans le ventre. Il lève à nouveau la tête vers le dernier étage et se sent soudain beaucoup plus faible, prêt à s'évanouir d'un instant à l'autre comme l'avait fait Addie en arrivant à l'hôtel. Pourtant il tient bon.

— Mais il va guérir, n'est-ce pas ?

— C'est ce qu'affirme Christian. Et les chercheurs ont promis de rapatrier tout le monde en Californie, même les plus atteints.

— On peut aller les voir ?

Carmen secoue la tête.

— Non, en tout cas on n'est pas censés le faire.

Ils retournent en silence jusqu'à l'hôtel. Shy est certain que Carmen pense elle aussi à Rodney. Ça le tue de savoir que son ami a réussi à rejoindre l'île, tout ça pour tomber malade. Il se jure de prendre soin de son colocataire pendant le voyage qui les ramènera sur le continent.

Shy suit Carmen qui passe devant la chambre d'Addie et celle que Christian a indiquée au jeune homme avant de commencer à monter l'escalier.

— Il me semble qu'on m'a mis dans la 118, commente Shy.

— Qui a dit ça ?

— Christian.

Elle secoue la tête.

— Tu peux prendre celle que tu veux. Allez.

Elle le conduit jusqu'à une porte ouverte au troisième étage, juste en face de sa chambre. Puis elle s'appuie au chambranle tandis qu'il va s'asseoir au pied de l'immense lit. La pièce est magnifique. Il y a des tableaux aux murs, de grandes baies vitrées donnant sur l'océan. Des draps propres et des oreillers moelleux. Mais Shy se moque de tout ça. Il pense encore à ce qu'il vient d'apprendre.

Quand il a vu l'île depuis le bateau de Cireur, il a cru que le pire était derrière lui. Et peut-être que c'est le cas. Mais c'est loin d'être fini. La Californie a été secouée par un tremblement de terre. Il ignore ce qu'il est advenu de sa famille. Et voilà qu'on lui dit qu'un certain nombre de personnes, parmi lesquelles son pote Rodney, sont gravement malades…

— Repose-toi, lui dit Carmen. Je viendrai te chercher pour aller déjeuner.

Shy la regarde qui s'attarde devant sa porte.

— Merci de m'avoir dit, pour Rod. Je suppose qu'il vaut mieux que j'évite de demander des nouvelles de Kevin et de Marcus.

— Marcus est là. Les gens du second canot l'ont repêché.

— Alors, il n'est pas malade ?

— Non. D'un autre côté, il n'a quasiment pas quitté sa chambre. Il essaie de réparer une vieille radio portative. Mais bon, étant donné qu'il l'a trouvée au fond d'une énorme flaque, je doute qu'il réussisse.

— Et Kevin ?

— Il n'était sur aucun des bateaux, répond-elle en secouant la tête d'un air attristé.

Non seulement Shy se sent épuisé, mais aussi complètement vide. Il y a à peine quelques jours, ils étaient tous rassemblés sur le paquebot en train de fêter l'anniversaire de Rodney, et à présent Rod est malade.

Et Kevin, le plus fort et le plus intelligent d'entre eux, a disparu. Probablement noyé. Ou dévoré par un requin. Preuve s'il en est besoin que survivre est surtout une question de chance.

Carmen garde les yeux rivés sur le sol pendant un moment, puis ajoute :

— Il s'est passé beaucoup de choses affreuses. Nous avons tous les deux vu les dégâts causés par les tremblements de terre. Je n'arrive pas à dormir. Je pense sans arrêt à ma famille. Et à Brett. Je me demande s'ils sont encore vivants.

Shy hoche la tête, il comprend ce qu'elle ressent.

— Mais toi et moi, nous sommes en vie, poursuit-elle. Nous allons rentrer chez nous. Et nous devons nous concentrer là-dessus.

— Tu as raison, approuve-t-il.

— Maintenant, repose-toi. Je viendrai te réveiller dans quelques heures.

Elle prend l'une des clés de sa propre chambre et la glisse dans la poche de Shy.

— Merci, Carm.

Elle lui adresse un sourire.

— Je te considère comme faisant partie de ma famille, Shy. Ne l'oublie pas.

Alors qu'elle est sur le point de partir, elle s'arrête et ajoute par-dessus son épaule :

— Avant que je file, tu connais la règle. Dis-moi une chose que j'ignore sur toi.

Shy réfléchit en contemplant l'océan. Carmen vient juste de lui dire la vérité sur Rodney et Kevin, et il veut aussi être honnête avec elle.

— Tu sais, cette fille, Addie ? Celle avec qui j'ai passé ces cinq derniers jours ?

Carmen hoche la tête.

— Elle n'est pas si mauvaise que ça en fin de compte. Je ne serais probablement pas arrivé jusqu'ici sans elle.

Carmen le dévisage pendant de longues secondes, comme si elle cherchait à deviner ce qu'il veut lui dire. Puis la lumière semble se faire dans son esprit.

— Je suis content que tu n'aies pas été seul, dit-elle avec un sourire avant de quitter la pièce en fermant la porte derrière elle.

Shy se laisse tomber en arrière sur le lit, et contemple le plafond. Il pense à tout ce dont lui et Carmen viennent de parler ainsi qu'à Kevin, et à Rodney. S'il est plus que reconnaissant d'être là où il est, vivant, en lieu sûr et sur le point de rentrer en Californie, il se sent également coupable.

Pourquoi a-t-il survécu, et pas Kevin ?

En quoi était-il plus méritant ?

En rien.

Il ferme les yeux, et se remémore Kevin l'accompagnant sur le pont Lido afin de l'avertir qu'un homme posait des questions sur lui. Lui signifiant d'un regard qu'il surveillait ses arrières.

Kevin était quelqu'un de bien. Probablement meilleur que toutes les personnes que Shy connaissait, y compris lui-même.

44

Remerciements

Shy a l'impression qu'il vient juste de s'assoupir quand il ouvre les yeux sur Carmen en train de le secouer pour le réveiller.

— Désolée de ne pas pouvoir te laisser dormir davantage, s'excuse-t-elle, mais nous devons descendre écouter ce qu'ils ont à nous dire à propos du départ.

— J'ai dormi combien de temps ? demande Shy en s'asseyant.

— Il est déjà une heure. Donc pas loin de trois heures.

— Vraiment ?

Le garçon se frotte les yeux, puis se lève et emboîte le pas à Carmen.

— J'aurais probablement pu dormir trois jours.

Carmen s'arrête au milieu du couloir.

— Alors, dans quelle chambre est-elle ?

— Qui ça ?

— Blondinette. La fille avec qui tu es arrivé ici.

Shy dévisage Carmen, l'air visiblement perdu.

— De quoi parles-tu ?

— File-moi juste le numéro de sa chambre, Shy. J'ai décidé qu'elle et moi allions devenir amies.

Le jeune homme, l'esprit encore trop embrumé pour savoir ce qu'il pense de ça, lui donne l'information et la suit dans l'escalier. Avant qu'il ait le temps de comprendre ce qui se passe, il se retrouve avec Carmen devant la chambre d'Addie.

— Vas-y, lui dit Carmen. Frappe.

Il obéit.

Tandis qu'ils attendent qu'Addie réponde, Shy sent l'appréhension lui nouer le ventre. Carmen et Addie, ensemble ? Il trouve l'idée dérangeante, comme si deux univers allaient entrer en collision.

La porte s'ouvre lentement sur la fille. Ses cheveux blonds lui retombent sur le visage, mais elle semble alerte. Comme si elle était réveillée depuis un moment. Après avoir adressé un sourire à Shy, elle se tourne vers Carmen.

— Oh. Salut.

— Addie, je te présente Carmen, dit Shy en essayant de faire comme si la situation était parfaitement naturelle. Carmen, Addie.

Il les regarde échanger un sourire emprunté et se serrer la main comme deux femmes d'affaires. Puis un silence inconfortable s'installe.

— Ça va mieux ? finit par demander Shy.

Addie hausse les épaules. Visiblement, quelque chose la tracasse, et le garçon croit deviner de quoi il s'agit.

— Je sais que tu aimerais retrouver ton père, ajoute-t-il, mais tout le monde est bien censé être présent à cette réunion, non ? Du coup, je suppose…

— … qu'il sera là. Ou pas, termine Addie en baissant les yeux d'un air triste.

— Le père d'Addie était sur le paquebot, explique Shy à Carmen.

— Oui, j'avais cru comprendre.

— Sauf qu'il a pris un autre bateau avant la tempête afin de venir ici, ajoute Addie.

— Elle ignore s'il est vivant.

— Oh, je suis désolée.

Les trois jeunes se taisent quelques instants avant que Carmen brise le silence.

— Je ne voudrais pas te vexer, ma chère, mais un tête-à-tête avec un savon ne te ferait pas de mal.

— Fiche-lui la paix, Carmen, intervient Shy. Elle était en train de se reposer.

— Je le sais bien, Shy. Tout ce que je dis, c'est que je peux lui montrer où se trouve la piscine naturelle. Nous avons encore un peu de temps avant que les gens commencent à arriver au restaurant.

— Attends, quoi ? (Shy essaie de les imaginer en train de bavarder toutes les deux, sans lui.) Et si nous y allions tous ensemble ?

Carmen lève les yeux au ciel et se tourne vers Addie

— Non mais, tu as vu ce *vato* ? Et quand on sera là-bas, il voudra te frotter le dos.

Addie esquisse un sourire gêné en lançant à Shy un regard implorant. Mais avant qu'il ait le temps de répliquer, Carmen entre dans la chambre, prend des vêtements propres et repart en passant son bras sous celui de la jeune fille.

— On se retrouve au resto dans quinze minutes, Sancho.

Addie tente un nouvel appel du regard, mais Shy est impuissant. Carmen ira jusqu'au bout de son idée, quoi qu'il dise.

Quelques minutes plus tard, Shy pénètre dans le restaurant bourdonnant de conversations. De la nourriture – des chips, des gâteaux, des bretzels, des sachets de bœuf séché, et des centaines de bouteilles d'eau individuelles – a été disposée façon buffet sur un comptoir, près d'une petite scène. Rien de frais, car comme Cireur le lui a dit, l'île n'a plus d'électricité. Il va se servir, puis s'installe à une table vide et commence à engloutir ce qu'il a rapporté en observant les gens qui l'entourent. Mis à part deux collègues, tous les autres étaient passagers. Tout le monde porte des vêtements laissés sur place par d'anciens résidents de l'hôtel ou appartenant à des employés de l'île.

Cireur, en revanche, brille par son absence.

Tout comme Marcus.

Mais il reconnaît de nombreux visages. Il y a une des femmes à qui le Texan a montré la bague près de la piscine. Un homme âgé aux cheveux gris qui se trouvait au point de ralliement de Shy. Le moustachu qu'il voyait toujours assis à la table de black-jack du casino. Soudain, il remarque quelqu'un qui a les yeux rivés sur lui et son cœur manque un battement.

L'homme au costume noir. Bill.

Il se tient à l'autre bout de la salle et n'est plus vêtu de son éternel costume. Shy soutient son regard pendant de longues secondes avant de détourner les yeux. L'espace d'un instant, il se retrouve transporté au moment où il a aidé le gars à se dégager de sous le lustre du Destin. Il se souvient de la chaleur du feu quand il a bondi à travers les flammes. De lui et de Kevin mettant l'homme dans l'un des canots. Pourquoi ce type est-il encore vivant alors que Kevin est mort ?

Carmen et Addie arrivent à leur tour dans le restaurant et se dirigent vers la table de Shy. Carmen le désigne en disant quelque chose qu'il ne parvient pas à comprendre, et les deux jeunes femmes rigolent doucement.

— Qu'y a-t-il de si drôle ? demande Shy d'un air bougon, une fois qu'elles sont assises.

— C'est entre elle et moi, rétorque Carmen.

Shy se tourne vers Addie qui affiche un large sourire. Cette fois, il n'a rien de forcé. Elle est vêtue d'un jean ample et d'un T-shirt bleu trop grand pour elle. Ses cheveux propres sont encore mouillés, et elle paraît en bien meilleure forme que sur le canot.

— Addie ? Tu vas m'aider toi, non ?

— C'est pas tes oignons, s'interpose Carmen sans laisser à l'intéressée le temps de répondre.

— C'est une réplique digne d'un élève de CE2.

— Je me mets au niveau de mon interlocuteur.

Puis, visiblement fière d'elle, Carmen adresse un clin d'œil à Addie.

Avant que Shy ait l'occasion de riposter, trois membres de l'équipe des chercheurs entrent dans le restaurant et vont se positionner près de la petite scène. Le barbu, Greg, tape une fourchette contre un verre jusqu'à capter l'attention de toutes les personnes présentes dans la salle.

— Mesdames et messieurs, dit-il. Comme beaucoup d'entre vous le savent déjà, nous avons été envoyés ici pour étudier les effets des tsunamis sur cette île minuscule. Certaines des espèces marines les plus rares vivent dans les récifs situés au large de la côte Nord. Cependant, aussitôt que nous avons découvert votre existence, nous avons modifié nos projets. Après avoir informé la base de votre présence, nous avons reçu l'autorisation d'annuler notre mission d'origine. J'ai donc le plaisir de vous annoncer que nous partirons pour la Californie dès cette nuit.

La nouvelle est accueillie par une explosion de joie générale.

Shy ressent une bouffée d'émotion en regardant tous ces visages heureux qui l'entourent. Il pense à sa mère, à sa sœur et à son neveu, et il est impatient d'arriver à Otay Mesa pour se lancer à leur recherche.

— Les garde-côtes ont accepté de nous retrouver à mi-chemin et de nous escorter jusqu'au port de Long Beach.

Un homme aux cheveux attachés en queue-de-cheval s'avance et prend la parole.

— Nombreux sont ceux à nous avoir posé des questions sur l'état de la côte Ouest après les séismes. Nous avons hésité à vous répondre avant d'avoir obtenu plus d'informations. Cependant, je peux désormais vous dire ceci : les dégâts matériels sont conséquents, et les pertes humaines considérables, notamment près des lignes de fracture. Mais il y a sur place des équipes de secours venues de tout le pays, et même du monde entier. Nous sommes convaincus que les États touchés auront rapidement réparé le plus gros des dommages.

— La morale de ce drame, ajoute le barbu, est qu'il ne faut jamais sous-estimer la résilience du peuple américain.

Shy regarde la foule des survivants se mettre à parler entre eux, le sourire aux lèvres. Tout le monde semble aussi excité que lui à l'idée de rentrer. Mais en même temps, il aimerait avoir plus de détails sur les tremblements de terre.

L'homme à la queue-de-cheval lève la main, puis attend que le calme revienne.

— En fait, c'est vous qui avez subi le pire. D'après les scientifiques, les tsunamis dont vous avez été victimes sont les plus forts jamais enregistrés à ce jour. Et comme vous pouvez le voir, ils ont presque complètement détruit l'île. Ils ont également causé d'énormes dégâts à Hawaï, au Japon, à Taïwan et aux Philippines.

C'est alors que Shy commence à se demander si ces types n'essaient pas de minimiser la situation. Dites-nous juste la vérité, a-t-il envie de leur crier.

— Je suis certain que vous avez des tas de questions, reprend le barbu en consultant sa montre, mais nous aurons tout le temps pour ça pendant le voyage qui nous ramènera à la maison. « La maison », ça doit être des mots merveilleux à entendre dans de telles circonstances, non ? (Il désigne ensuite un quatrième homme à la table la plus proche.) Nous partons à 19 h 30 ce soir, au coucher du soleil. Larry va vous donner les consignes pour l'embarquement. Il est impératif que tout le monde les suive à la lettre. Nous voulons tous vous ramener chez vous de la façon la plus sûre et la plus efficace possible. Et cela inclut nos amis actuellement en convalescence dans l'appartement-terrasse.

Shy et Carmen échangent un regard en pensant à Rodney. Puis Shy lève la main afin de poser une question à propos de San Diego, mais les trois chercheurs sont déjà en train de s'éloigner.

Larry, à présent sur le podium, explique que tous les survivants devront être en file indienne le long du rivage à 18 heures précises.

— Des zodiacs vous emmèneront au bateau par groupes de dix. Quant aux malades, ils seront embarqués en dernier. Les quinze membres de l'équipage ont tout préparé, et si tout le monde y met du sien, nous espérons lever l'ancre au plus tard à 19 h 30. Le voyage jusqu'à Long Beach devrait durer environ deux jours.

Shy ne peut s'empêcher de sourire à l'idée de quitter l'île. Carmen non plus. En revanche, Addie semble particulièrement nerveuse et ne cesse de balayer le restaurant du regard. Ses yeux s'attardent un instant sur Bill.

— Peut-être sait-il quelque chose à propos de ton père, lui souffle Shy. Tu devrais aller lui demander.

La jeune fille lui fait non de la tête.

Carmen étend son bras par-dessus la table et pose sa main sur celle d'Addie.

Quelques minutes après le départ des chercheurs, l'un des anciens passagers de la croisière Paradis suggère aux gens présents de dire chacun à leur tour ce pour quoi ils sont reconnaissants.

L'idée séduit et les gens se lancent un à un.

Une femme avec de longs cheveux châtains remercie son défunt mari qui l'a protégée avec son propre corps lors de la deuxième vague.

— Nous n'étions mariés que depuis deux ans, raconte-t-elle, le visage baigné de larmes. À notre retour de voyage, nous envisagions de fonder une famille, ajoute-t-elle avant d'éclater en sanglots.

Les gens assis près d'elle lui tapotent le dos et lui posent la main sur l'épaule.

Christian est le second à se mettre debout.

— Je suis reconnaissant à tous ceux qui m'ont sorti de l'eau. Vous aviez déjà assez de soucis, et pas de place. Mais vous en avez fait. Je ne l'oublierai jamais.

Puis il se rassied au milieu des applaudissements.

Addie annonce à Shy et à Carmen qu'elle repart dans sa chambre pour essayer de se reposer encore un peu.

— Je t'accompagne, propose le garçon en se levant.

La jeune fille accepte d'un signe de tête.

Carmen adresse un clin d'œil à Shy, tandis qu'Addie détourne la tête pour éviter de croiser le regard de Bill.

Une fois hors du restaurant, Shy lui dit :

— Désolé que ton père ne soit pas là. Mais cela ne signifie pas pour autant qu'il n'est pas sur l'île. Cireur non plus n'est pas venu. Et je suppose qu'il y en a d'autres.

Addie le regarde droit dans les yeux pendant quelques secondes sans dire un mot. Puis elle lui prend les mains et soupire.

— Tu as été vraiment adorable avec moi quand on était perdus en mer, Shy.

— J'aimerais pouvoir en dire autant, la taquine-t-il. Au lieu de sourire comme il s'y attendait, Addie conserve son air grave.

— Je veux que tu saches que je pensais sincèrement ce que je t'ai dit le dernier soir, poursuit-elle en lui serrant les mains.

Shy ne sait pas quoi répondre à ça, aussi se contente-t-il de hocher la tête et de sourire en lui rendant son étreinte.

— Va te reposer. Nous viendrons te chercher quand il sera l'heure de descendre sur le terrain de golf.

— Je voulais juste être certaine que tu avais compris, insiste Addie.

— Oui. Et je suis heureux que tu me l'aies dit, mais inutile de sortir les mouchoirs. On se revoit dans quelques heures.

Addie soupire à nouveau, puis se hisse sur la pointe des pieds afin de l'embrasser sur la joue. Elle le dévisage ensuite avec intensité en affichant une expression douloureuse. Puis elle se retourne et part en direction de sa chambre.

Shy rejoint alors Carmen à l'intérieur du restaurant. La jeune femme secoue la tête d'un air attristé.

— Je sais ce que c'est de perdre son père, commente-t-elle.

Shy aimerait parler à Carmen des affaires louches du père d'Addie. Il faut vraiment avoir de gros ennuis pour se promener avec des flingues et des paquets de seringues. Pour que des docteurs finissent assassinés sur un bateau à la dérive. Impossible qu'il s'agisse d'une simple fraude à l'assurance. Cependant ce n'est ni le lieu ni le moment pour ça, aussi se contente-t-il de hocher la tête et de reporter son attention sur les autres survivants qui continuent leur « tour de table ».

— Je suis reconnaissante envers les hommes qui nous ramènent chez nous, dit une femme d'un certain âge. Grâce à eux, je pourrais peut-être revoir mes petits-enfants.

Nouvelle ovation. Certains brandissent même leurs bouteilles comme pour porter un toast.

Bill se lève et désigne Shy.

— Vous voyez ce jeune homme là-bas ?

Tout le monde se tourne vers le garçon qui instinctivement s'enfonce dans sa chaise, craignant ce qu'il va dire. Carmen a également les yeux rivés sur lui.

— Il s'appelle Shy. Et il m'a sauvé la vie sur le navire.

Les gens applaudissent, mais Bill n'a pas terminé.

— Ma jambe était coincée sous un lustre dans l'une des salles de restaurant. Lui et un autre jeune homme l'ont soulevé et m'ont aidé à quitter la pièce en feu. Puis ils m'ont conduit jusqu'à un canot de sauvetage. Sans la bravoure de Shy, je ne serais pas là aujourd'hui.

On l'acclame à nouveau, et cette fois cela dure plus longtemps. Carmen pointe un doigt sur lui et articule en silence : « Tu es mon héros. »

Les yeux rivés sur Bill, Shy hausse les épaules pour cacher son malaise. Se retrouver au centre de l'attention générale le gêne terriblement. De plus, si c'était possible, il échangerait la vie de Bill contre celle de Kevin sans la moindre hésitation. Sans compter qu'il ne peut pas oublier tout ce qui s'est passé sur le bateau avant le naufrage. La façon dont ce type l'a suivi partout, dont il a fouillé sa cabine, et dont il l'a menacé aux portes du Grand Salon.

D'autres se lèvent et les remerciements continuent, mais Shy n'écoute plus. Il regarde dans le vide en repensant aux conversations qu'il a eues avec Addie sur le canot à propos de son père et de sa société. Sur le moment, tout ça ne semblait plus avoir tant d'importance, car leur seule préoccupation était de survivre. Mais maintenant, il ne cesse de jeter des coups d'œil furtifs à Bill, en se demandant ce que ce dernier a en tête. Et qu'en est-il de LasoTech ? Puis une nouvelle pensée lui traverse l'esprit. Bill a sûrement quelque chose à voir avec la mort des deux médecins qu'il a trouvés en mer. Et si c'est bien le cas, cela signifie que le père d'Addie est lui aussi impliqué, même si c'est de façon indirecte.

45

L'appartement-terrasse

Shy et Carmen peinent pour grimper les escaliers menant au douzième étage, là où se trouve l'appartement-terrasse. Le garçon a passé les deux dernières heures au restaurant avec tous les autres, à manger, se reposer et réfléchir. Mais cela ne semble pas lui avoir suffi pour récupérer des forces. Il est déjà à bout de souffle et il leur reste encore sept étages à monter. Il se fait alors une promesse : à la seconde où il sera à bord du bateau des chercheurs, il se mettra en quête d'un lit, ou d'une couchette, ou même d'un coin sur le sol et il dormira pendant douze heures sans interruption.

— Est-ce qu'il y a quelqu'un qui surveille les portes ? demande-t-il à Carmen.

— Il y a des gars qui se relaient. Mais ne t'inquiète pas, ce ne sont que des passagers, et quelques membres du personnel de l'hôtel.

Shy ne comprend pas où est le problème. Surtout si lui et Addie sont censés être protégés par l'injection de vitamines qu'ils ont reçue. Et puis il faut bien que quelqu'un s'assure que les malades ont été mis au courant du programme, non ? D'autant qu'ils doivent partir dans deux heures. Et comment vont-ils faire pour descendre jusqu'au terrain de golf ? Shy n'est pas certain de faire confiance à qui que ce soit pour l'instant, et puis il cherche surtout une excuse pour voir Rodney.

Alors qu'ils viennent tout juste de dépasser le huitième étage, Carmen demande :

— À ton avis, quelles sont les chances que nos quartiers ne soient pas détruits ?

— Aucune idée. Et je n'ai pas envie de nous porter la poisse.

— C'est bizarre, mais lorsqu'ils en ont parlé au déjeuner j'ai eu l'impression qu'ils nous cachaient quelque chose. Tu te souviens des images que nous avons vues sur le bateau, ça avait l'air vraiment catastrophique ?

— Je me suis dit exactement la même chose. (Shy agrippe la rambarde afin de soulager ses jambes fatiguées.) Et tu veux que je t'en raconte une bien bonne ? Le type qui a expliqué comment je lui avais sauvé la vie tout à l'heure. C'est celui qui me suivait partout sur le navire.

— Arrête ! Tu plaisantes ?

— Je te le jure. Kevin et moi étions en train de faire le tour de restaurant afin de vérifier que tout le monde était sorti, quand j'ai entendu quelqu'un appeler à l'aide. Sur le coup, je n'ai pas pris le temps de réfléchir.

— Il semblait t'être vraiment reconnaissant.

Shy hausse les épaules.

— N'empêche qu'il me fiche toujours autant la trouille. Je ne lui fais pas confiance.

Une fois au dixième étage, Shy change de sujet.

— Alors, de quoi as-tu parlé avec Addie ?

— Je lui ai juste donné des conseils concernant son alimentation.

— Je suis sérieux.

— Et moi donc ! Cette fille est trop maigre. Elle a besoin de protéines.

— Alors comme ça tu l'as matée ?

— J'ai jeté un coup d'œil, oui et alors ? répond Carmen avec un sourire.

Après avoir gravi quelques marches de plus, elle ajoute :

— Et ne commence pas à te faire des films, OK ? Nous avons seulement discuté. Elle m'a raconté comment tu avais repoussé un requin à coups de rame. Et aussi qu'un gars blessé s'était jeté par-dessus bord pendant que vous dormiez.

Shy met instinctivement la main dans sa poche et la referme sur la bague du Texan. Il a pris la décision de partager avec Carmen tout ce qu'il sait : la photo trouvée par Addie dans la chambre de son paternel ; le lien qui unit ce dernier à l'homme qu'il a vu faire le grand saut lors de la croisière précédente. Et tout ce qui le pousse à croire qu'il se passe sur cette île des choses pas nettes. Mais ils sont arrivés en haut de l'escalier. Ils jettent un bref coup d'œil en restant cachés derrière l'angle du mur. Deux hommes sont assis sur des chaises pliantes en métal devant la double porte de l'appartement.

— Qu'est-ce qu'on fait maintenant ? murmure-t-il à l'intention de Carmen.

— La meilleure tactique dans ce genre de situation est d'agir comme si tu savais ce que tu fais.

Elle surgit de derrière le mur et s'avance d'un pas décidé.

Shy la suit.

Les deux hommes bondissent sur leurs pieds. Le plus costaud, un chauve, se place devant la porte, tandis que le second, qui arbore une coupe militaire, lève les mains et dit :

— Désolé, mais personne n'est autorisé à entrer pour l'instant. Ordre des médecins.

— C'est Christian qui nous envoie, réplique Shy.

Carmen ralentit et pose la main sur l'épaule de l'homme.

— Nous sommes chargés d'expliquer aux malades le programme des prochaines heures jusqu'à l'embarquement.

— Navré, rétorque l'homme aux cheveux courts. Les ordres sont très clairs. Personne n'a le droit d'entrer. Pas même nous.

— C'est pour notre propre sécurité, insiste celui qui se trouve devant les portes. Et puis Larry est venu leur parler il y a pas si longtemps. Christian a dû faire une erreur.

Carmen et Shy échangent un regard. Il est hors de question pour ce dernier de s'être tapé tous ces étages et de repartir sans avoir vu Rodney.

— OK, dit le garçon en tournant le dos aux deux hommes. Il y a dû y avoir un quiproquo. Nous allons redescendre et dire à Christian que…

Faisant soudain volte-face, il se faufile entre les deux hommes et pousse les portes.

— Eh ! entend-il crier derrière lui.

Il se retourne. Un garde est à terre, et Carmen fonce dans sa direction. Ils remontent le couloir en courant jusqu'à la pièce principale où une horrible odeur prend Shy à la gorge.

Il s'arrête net.

Une vingtaine de personnes sont étendues sur des lits de fortune, les bras et les jambes attachés. Certains essaient de lever la tête en les entendant arriver. Les autres demeurent immobiles.

Carmen se couvre la bouche et le nez d'une main.

Les deux hommes qui gardaient la porte déboulent en hurlant :

— Vous ne pouvez pas rester là ! Nous allons tous tomber malades !

Puis ils se taisent en découvrant les corps ligotés.

Shy entraîne Carmen en la tenant par le poignet et ils vont d'un individu à l'autre à la recherche de Rodney. Les patients sont à des stades variés de la maladie. Certains sont conscients et crient à l'intention des deux jeunes gens. D'autres, couverts de vomissures, gémissent et se tordent de douleur. D'autres encore se griffent frénétiquement les cuisses. Et puis il y en a quelques-uns qui ne bougent plus du tout.

— Non ! marmonne Shy en parcourant les rangées de malades. Pitié, non.

Les hommes derrière eux se sont remis à hurler.

— Il faut sortir d'ici avant que les autres reviennent.

— Là, s'exclame Carmen en désignant une couchette dans un coin.

Rodney. Shy et Carmen se précipitent vers lui. Sa tête est tournée vers le mur. Ses yeux semblent ouverts, mais quand le garçon le secoue il ne répond pas. Carmen lui prend le visage et le fait pivoter vers eux. Shy sent son sang se glacer dans ses veines. Le blanc des yeux de son ami est complètement rouge et son regard est vide.

Carmen continue de le secouer en répétant son nom jusqu'à ce que Shy lui attrape les poignets.

— Allons-nous-en.

Tandis que les hommes leur font retraverser la pièce en les tirant par le bras, Shy observe chacun des corps devant lesquels ils passent. Tous sans exception sont contaminés par la maladie de Romero. Et certains, à l'instar de Rodney, sont déjà morts.

Morts et en train de pourrir.

46

Deux chemins le long de la falaise

Une fois reconduits à l'extérieur de l'appartement-terrasse par les deux hommes, Shy et Carmen, sous le choc, se précipitent dans l'escalier.

— Comment la maladie est-elle arrivée jusqu'ici ? s'inquiète Carmen. Et pourquoi personne ne nous a rien dit ?

— J'ai besoin d'aller récupérer le sac marin, réplique Shy. Et il faut qu'on trouve Christian. Les injections qu'on nous a faites ont forcément un rapport avec la maladie. Je me demande s'il ne s'agissait pas d'un vaccin.

— Mais il n'existe pas de vaccin.

— Alors dans ce cas, pourquoi ne sommes-nous pas touchés ? rétorque Shy.

Elle lui lance un regard perplexe, mais ne dit rien. Tout cela n'a aucun sens. Il y a quelques minutes, ils étaient excités comme des puces à l'idée de rentrer chez eux. Et voilà qu'ils découvrent qu'il y a des gens atteints de la maladie de Romero ici, sur l'île. Sans parler de Rodney qui est mort et en train de pourrir.

— Il y avait aussi des cachets dans le sac, explique Shy. Peut-être qu'il s'agit des médicaments qu'ils ont donnés à mon neveu.

— Qu'est-ce que c'est que ce bordel ? s'écrie Carmen. Tu as senti comme son bras était froid ? Tu as vu ses yeux ?

Une fois en bas de l'escalier, Shy s'arrête.

— Je sais où Cireur a caché le sac. Il faut que nous emportions les médicaments sur le bateau, sans quoi les autres malades mourront avant que nous arrivions en Californie. Il faut aussi que je mette la main sur Cireur, il en sait forcément plus que ce qu'il m'a dit.

— Je vais aller voir Christian, dit Carmen. Et il a intérêt à expliquer pourquoi tout le monde nous a menti. Après ça, j'irai chercher Marcus.

Shy balaie le lobby du regard. Quelques passagers, affalés sur les canapés, discutent et plaisantent. Ils ignorent qu'au-dessus d'eux des gens sont en train de mourir.

— Rendez-vous ici à 18 heures, d'accord ? Nous rejoindrons ensemble la file pour embarquer.

Carmen accepte d'un signe de tête.

— Je ne comprends pas, Shy. Pourquoi nous ont-ils menti ?

Ne sachant que répondre, le garçon hausse les épaules.

Avant de quitter l'hôtel, il se précipite jusqu'à la chambre d'Addie et frappe à la porte. La société de son père doit être au courant pour la maladie. Comment expliquer autrement qu'ils soient en possession d'un sac plein de vaccins et de médicaments ? Et Shy est certain que c'est bien ça qu'il a trouvé sur le bateau à moteur. Il se souvient d'Addie lui racontant que Laso-Tech fabriquait du matériel hospitalier. Mais s'ils avaient des scientifiques travaillant dans des laboratoires, il semblait logique qu'ils fassent également de la recherche médicale. Peut-être étaient-ils en train de travailler sur un moyen de protéger les gens de la maladie de Romero.

Il frappe une nouvelle fois.

— Addie, ouvre ! C'est Shy !

N'obtenant toujours pas de réponse, il repart en courant dans le lobby, puis, sans ralentir, il sort de l'hôtel et se dirige vers l'escalier de pierre. Il est presque arrivé quand il voit l'hélicoptère s'élever lentement au-dessus du bateau, se pencher, puis s'éloigner de l'île. Étrange. Il se demande qui peut bien partir avant eux.

Shy descend quelques marches et fouille dans les buissons, là où Cireur a dissimulé le sac marin, mais il n'y est plus. Quelqu'un l'a pris. Cireur, peut-être ?

Le garçon se redresse et reporte son attention sur l'hélicoptère en essayant de comprendre ce qui se passe. Il ne cesse de revoir le visage sans vie de Rodney. Ses yeux injectés de sang. Et tous les autres ligotés à leurs couchettes là-haut. À l'instant où il a découvert les scientifiques morts en mer, il a su que quelque chose d'horrible se tramait. Cependant, jamais il n'aurait soupçonné que cela avait un rapport avec la maladie de Romero.

Shy emprunte le chemin derrière le belvédère qui le conduit plus haut sur la falaise à travers des arbres touffus et des buissons, l'obligeant à contourner de gros rochers et enjamber des racines. Il ignore où il va, il sait seulement qu'il doit retrouver Cireur et que, la dernière fois qu'il l'a vu, celui-ci s'éloignait dans cette direction.

À un moment, il croise plusieurs membres de l'équipe de recherche en train d'asperger la végétation avec des vaporisateurs du genre de ceux qu'on utilise pour les produits à vitres. Aucun d'eux ne relève la tête, et Shy les dépasse sans attirer leur attention. Arrivé à une fourche, il choisit le chemin qui monte le plus. Ses poumons sont en feu et il a les jambes en coton, mais il doit à tout prix s'assurer que le sac embarque avec eux sur le bateau. De plus, il a vraiment besoin de parler à Cireur. Levant les yeux vers le ciel, il constate que le soleil a déjà commencé sa descente. Il reste environ une heure trente avant de devoir être de retour à l'hôtel, aussi essaie-t-il d'accélérer.

Le paysage s'aplanit et le sentier devient de plus en plus étroit. Mais Shy continue à courir, se baissant pour éviter les branches d'arbres, sautant par-dessus les flaques. Plus il va vite, plus les questions se bousculent dans son esprit. Comment le virus est-il arrivé sur l'île ? Est-ce qu'une personne à bord du bateau de croisière était malade ? Ou était-ce l'un des employés de l'hôtel ? Où se rendaient les deux scientifiques morts, avec le sac marin ? Et qui les a tués ?

À la dernière minute, Shy se rend compte que le chemin se termine brusquement. Il tente de s'arrêter, mais, emporté par son élan, il glisse dans la poussière. Heureusement, il parvient à se rattraper à un arbre qui pousse tout au bord de la falaise.

Il baisse les yeux et est pris d'un haut-le-cœur en voyant les cailloux qu'il vient de cogner faire une chute d'une vingtaine de mètres avant d'atterrir dans l'océan. Il a survécu à des vagues géantes, un naufrage et des requins, et voilà qu'il manque de se tuer en tombant d'une falaise. Il s'accroupit pour reprendre son souffle.

Sur sa droite se trouve une immense clairière avec une grande dalle de ciment ressemblant à une piste d'hélicoptère. À gauche, il distingue, sortant de l'eau, ce qu'il imagine être le toit du laboratoire englouti. Le bâtiment est entouré d'une haute clôture de sécurité.

Aucune trace de Cireur.

Shy fait demi-tour et redescend jusqu'à la fourche. Alors qu'il s'apprête à s'engager sur l'autre branche, il entend quelqu'un l'appeler. Il s'arrête et regarde derrière lui. C'est Bill qui le rejoint en boitant, aidé d'un bâton.

— Shy ! Je t'ai cherché partout.

— Moi ? Pourquoi ?

Le garçon regarde autour de lui pour voir s'il y a quelqu'un d'autre dans les parages. Malgré la déclaration publique qu'il a faite au restaurant, Bill ne lui inspire pas confiance.

— Je voulais te remercier en personne. (Il semble s'être fait de nombreuses griffures en se frayant un passage dans la végétation.) Je pensais ce que j'ai dit tout à l'heure. Je ne serais pas là si toi et ton ami ne m'aviez pas tiré de sous ce lustre.

— N'importe qui aurait fait la même chose, répond Shy avec prudence.

Il faut qu'il se débarrasse de ce type afin de pouvoir continuer à chercher Cireur.

— Mais ce n'était pas n'importe qui. C'était toi. (Bill retire sa casquette et se passe une main dans les cheveux avant de la remettre.) Quel est le problème, Shy ? Tu as l'air contrarié. Tout le monde à l'hôtel est fou de joie à l'idée de regagner le continent.

— C'est parce qu'ils n'ont pas vu les occupants de l'appartement-terrasse, rétorque Shy.

Il en a assez de toutes ces cachotteries. Il est grand temps que les gens commencent à faire preuve d'honnêteté.

— Des gens sont en train de mourir là-haut. Et personne ne nous dit rien !

— Tu as raison, admet Bill en balançant son bâton et en rajustant à nouveau sa casquette. Je pense qu'ils ne veulent pas vous inquiéter. Nous avons déjà traversé suffisamment d'épreuves ces derniers jours, tu ne trouves pas ?

— Et LasoTech ? continue Shy qui ne peut retenir les questions qui lui brûlent les lèvres. Vous travaillez pour eux, n'est-ce pas ? Qu'est-ce que vous faites ?

— Nous fabriquons des produits pharmaceutiques. Enfin, pas moi personnellement. Je ne suis qu'un membre de la sécurité.

Shy a maintenant la confirmation de ce qu'il soupçonnait. Il n'y a jamais eu de matériel hospitalier. Le jeune homme se demande si Addie lui a menti ou si elle n'était vraiment pas au courant.

— Et que savez-vous d'un sac marron et bleu contenant des vaccins ? se met à crier Shy.

Il sent le rouge lui monter aux joues tandis qu'il pointe un doigt rageur vers l'océan.

— Et les deux scientifiques tués par balles sur un bateau à moteur là-bas ?

Bill le regarde en hochant la tête, puis consulte sa montre.

— Écoute, il reste encore un peu plus d'une heure avant le rendez-vous sur le terrain de golf. J'aimerais te montrer quelque chose, Shy. Ça ne prendra pas longtemps. Promis.

— Je n'irai nulle part avec vous, rétorque Shy en laissant échapper un rire nerveux. La société pour laquelle vous travaillez est véreuse. Et tôt ou tard, tout le monde finira par le savoir.

Le garçon est en colère, mais aussi inquiet, car il se rend compte qu'il est peut-être allé trop loin. Il fait donc demi-tour et commence à s'éloigner.

— Ça a un rapport avec la mort de ta grand-mère, lui crie Bill.

Shy s'arrête net, le souffle coupé, puis essaie de mettre de l'ordre dans ses pensées.

— Je te dis tout ça uniquement parce que tu m'as sauvé la vie. (De son bâton, il fait signe à Shy de le suivre.) Crois-moi, tu seras très intéressé par ce que j'ai à te montrer.

Sur ce, l'homme lui tourne le dos et repart en boitant.

47

Un rôle à jouer

Shy remonte la colline à la suite de Bill jusqu'à un point de vue à l'écart du chemin où ce dernier lui désigne le laboratoire submergé. La vue y est meilleure que précédemment.

— Tu vois ce bâtiment, en bas ?

— Je sais, c'est le laboratoire de la société.

— C'était, le corrige Bill. Avant qu'il ne soit détruit par la montée des eaux. Sais-tu ce qui se passait entre ses murs ?

Shy hausse les épaules. Il est venu là pour en apprendre plus sur la mort de sa grand-mère, pas pour entendre une longue et fastidieuse histoire.

— C'était le plus important labo pharmaceutique de recherche et développement du pays, poursuit Bill. Mais en réalité LasoTech n'a pas élaboré que des médicaments. L'homme que tu as vu sauter du navire…

— David Williamson.

— Oui, M. Williamson. Il a laissé une lettre dans la grotte située à une centaine de mètres du labo qui servait de quai secondaire pour nos bateaux. Les scientifiques l'utilisaient aussi comme local de stockage. Le jour où mon canot de sauvetage est arrivé ici, j'ai appris qu'un des membres de l'équipe scientifique avait trouvé cette lettre. Et j'ai pu la lire de mes propres yeux. Elle était longue, sept pages imprimées, et contenait des révélations pour le moins troublantes.

Shy se rappelle alors que l'homme à la calvitie avait mentionné une lettre avant de sauter.

— Mais qu'est-ce que tout ça a à voir avec ma grand-mère ?

— Tout, répond Bill. Cette lettre expliquait l'origine de la maladie de Romero. De mon point de vue, M. Willliamson a eu ce que certains appelleraient une crise de conscience. Depuis tout ce temps, l'information que je cherchais était écrite noir sur blanc ; ironique, tu ne trouves pas ? demande-t-il en boitillant jusqu'à un petit rocher sur sa gauche. Bordel, cette jambe me fait un mal de chien.

Shy le regarde s'asseoir et retirer son sac à dos afin de le poser entre ses jambes.

Bill relève la tête et dit :

— M. Williamson a fait partie de la société dès sa création. Il a élaboré de nombreux médicaments qui ont aidé beaucoup de gens et rapporté un paquet de fric à LasoTech. Mais il voulait accomplir quelque chose qu'aucun scientifique n'avait fait avant lui. C'est alors que lui et M. Miller ont eu une idée. Au lieu de réagir à l'environnement, ils allaient créer l'environnement. Ils ont donc pris le problème à l'envers.

— C'est-à-dire ?

— Au lieu de développer un médicament pour soigner une maladie, ils ont décidé de créer une maladie qui aurait besoin d'un médicament. Et c'est exactement ce qu'ils ont fait.

Lorsque Shy comprend la signification de ce qu'il vient d'entendre, un frisson glacé lui parcourt le corps.

— La maladie de Romero a été fabriquée dans un putain de labo ?

— D'après la lettre, oui. Crois-moi, nous avons tous été aussi choqués que toi quand nous l'avons appris.

Le garçon sent la colère l'envahir.

— Et comment les gens ont-ils été contaminés ?

— C'est là qu'intervient M. Miller, le père de ton amie. Toujours d'après la lettre, ils ont ouvert une clinique gratuite à Mexico sous un faux nom. Pendant deux ans, ils ont prodigué aux pauvres des environs toutes sortes de soins, traitant les rhumes aussi bien que les cancers du sein. Et dans le même temps, ils ont en secret inoculé aux premiers patients leur virus mortel.

Shy fixe sur l'homme un regard horrifié.

— Ils savaient pertinemment que la maladie finirait par traverser la frontière pour gagner les États-Unis. Tout comme ils savaient que la peur de ce virus décuplerait la demande pour un traitement. Quand les premiers rapports sont arrivés, ils ne se sont pas manifestés, conscients qu'une réaction trop rapide aurait éveillé les soupçons. Il y a quelques semaines, le médicament capable de guérir la maladie a été approuvé par les autorités. Leur plan était de soumettre le vaccin d'ici la fin de l'année. Mais les tremblements de terre ont changé la donne. Nous avons appris que l'infection était en train de faire des ravages sur toute la côte Ouest. Et les dirigeants ont décidé que la société devait prendre ses distances par rapport à la situation.

Shy n'en croit pas ses oreilles. Ce n'est en effet pas une fraude à l'assurance. Ces gens ont fabriqué un virus mortel. Virus qui a tué sa grand-mère. Le père de Carmen. Rodney. Sa tête se met à tourner et il est obligé de s'accroupir en posant une main à terre pour ne pas tomber.

— C'est inadmissible. Je sais. Dans sa lettre, Williamson dit qu'il n'a jamais vraiment réfléchi à ce qui arriverait une fois la maladie lâchée dans la nature. Il était obnubilé par l'aspect scientifique de l'affaire. Seul M. Miller était vraiment conscient des profits qu'ils allaient en tirer, et des conséquences humaines aussi…

Shy tremble de rage. Le père d'Addie est responsable de tout. Comment peut-elle ne pas être au courant ?

Perdant le contrôle, Shy se relève, fonce sur Bill et le fait basculer de son rocher en hurlant :

— Vous avez tué des gens !

Il se tient au-dessus de l'homme, le souffle court, tout en luttant pour remettre de l'ordre dans ses pensées.

— Vous avez tué ma famille !

Bill se lève lentement et enlève la terre de ses vêtements du revers de la main.

— Je n'ai rien fait, Shy, rétorque-t-il avec calme. Je n'étais même pas au courant de tout ça avant de trouver la lettre.

— Vous en faisiez partie. Sinon pourquoi m'auriez-vous suivi partout sur le bateau ? Pourquoi me demander ce que le type avait dit avant de sauter ?

Bill se rassied sur le rocher.

— Je ne faisais qu'obéir aux ordres de M. Miller. Il voulait savoir ce que Williamson avait raconté aux personnes à qui il avait adressé la parole ce soir-là. Il craignait que son associé ait laissé échapper des informations ultraconfidentielles. Mais j'ignorais ce qu'il cherchait. Je te le jure.

Shy ne sait plus quoi penser. Il se remémore les jours passés avec Addie sur le canot de sauvetage endommagé. À ce moment-là, il ne se doutait pas qu'il se trouvait avec la fille de l'assassin de sa grand-mère. Ça lui donne envie de vomir. Elle lui donne envie de vomir.

— Je suis d'accord, Shy. C'est abominable, dit Bill en ouvrant son sac à dos sans quitter le garçon des yeux. Toutefois, mon travail n'est pas de juger, mais de protéger.

Shy regarde Bill sortir une arme de son sac et la pointer sur lui.

Figé par la stupeur, il demande :

— Qu'est-ce que vous faites ?

— M. Miller me paie extrêmement bien pour le protéger, poursuit Bill. Et tant qu'il sera vivant, je veillerai sur ses intérêts. Sa société est certes ruinée, mais il m'a assuré qu'il avait plus que jamais besoin de mes services. Personne en dehors de cette île n'est au courant pour le vaccin. Et je compte faire en sorte que ça reste ainsi.

— Mais Miller est mort, réplique Shy.

— Oh que non, rétorque Bill en se levant. Jim Miller est bel et bien vivant, et en ce moment même, il est en route vers chez lui.

L'hélicoptère, pense Shy.

— Et pour ce qui est des deux hommes que tu as trouvés sur le bateau, l'un d'entre eux était un médecin qui voulait rapporter le vaccin en Californie dans le but de protéger les personnes encore saines et de nous dénoncer. L'autre était un de mes gars, il devait s'assurer que ce docteur n'arrive jamais à destination. Je suis navré d'apprendre que j'ai perdu un bon élément, mais au moins, il a accompli sa mission.

De son pistolet, Bill fait signe à Shy de se mettre à genoux. Le garçon obtempère et se retrouve à regarder directement dans le canon de l'arme. Terrifié, il tremble de tout son corps. Ce type va l'empêcher de partir et d'embarquer sur le bateau avec ses amis. À cause de lui, Shy ne regagnera jamais le continent pour rejoindre sa famille.

— Je vais t'enseigner quelque chose. Et c'est uniquement à cause de ce qui s'est passé sur le navire. Si tu ne m'avais pas sauvé la vie, tu serais déjà mort.

— C'est grâce à moi que vous avez pu monter dans le canot, implore Shy.

L'homme inspire profondément en soutenant le regard du garçon.

— Nous avons tous notre rôle à jouer dans la vie. C'est simple. M. Williamson était un génie de la science, et son ego l'a conduit à créer le virus parfait. M. Miller, grâce à son sens des affaires, a trouvé le moyen d'en tirer profit. Mon rôle à moi est de protéger M. Miller. Et tu sais quel est le tien, Shy ?

Shy lève les yeux sur lui.

— Ce que vous faites est mal, proteste-t-il faiblement.

Bill secoue la tête.

— Il y a bien longtemps que je me suis libéré des notions de bien et de mal. Mon problème, Shy, c'est que tu en sais trop. Peut-être que c'est le cas depuis la nuit où M. Williamson s'est suicidé. Ou peut-être est-ce juste à cause de ce que je viens de te raconter. Dans un cas comme dans l'autre, ton rôle prend fin aujourd'hui, conclut-il en inclinant le pistolet et en avançant légèrement de façon que le canon ne soit plus qu'à quelques centimètres du front du garçon.

Shy baisse les yeux sur le sol, puis les ferme en attendant l'explosion qui mettra un terme à tout ça. Son cerveau tourne à plein régime et des centaines d'images défilent dans sa tête : l'embarquement à bord du navire, sa grand-mère allongée sur son lit d'hôpital, les yeux rouges de Rodney, son neveu endormi, sa mère montant l'escalier menant à leur appartement, Addie déchirant le poisson en deux, la première fois qu'il a vu Carmen.

Puis il entend la détonation.

Il bascule en avant, convaincu d'être mort.

Mais ce n'est pas le cas. Il sent l'odeur de la terre. Il respire. Il pense.

Lentement, il rouvre les yeux et lève la tête.

Bill est étendu face contre terre à moins d'un mètre de lui, une flaque de sang se forme sous son corps.

Au début, Shy pense qu'il s'est tiré dessus, puis, sentant quelqu'un sur sa droite, il tourne la tête.

Cireur se tient à côté de lui.

Le pistolet dans sa main droite encore pointé sur l'homme.

Avec, à l'épaule, le sac marin.

48

La chambre d'Addie

Shy se redresse maladroitement, tout en observant Cireur qui cherche le pouls de Bill.

— Il est mort ? demande-t-il.

— Il est mort.

Cireur détache l'arme de la main du cadavre et la glisse à l'arrière de sa ceinture. Puis il ramasse le sac à dos vert et jette un coup d'œil à l'océan.

Shy sait qu'il doit être en état de choc, car il n'arrive pas à assimiler ce qui vient de se passer. Mais voir le trou fait par la balle dans le dos de Bill lui donne envie de se mettre à genoux pour vomir. Il a failli se prendre une balle dans la tête. Juste après avoir appris que la société du père d'Addie a répandu la maladie de Romero dans le but de se faire de l'argent en commercialisant le remède. Il crache, puis lève les yeux sur Cireur.

— C'est la deuxième fois que vous me sauvez la vie. Qui êtes-vous ?

Le vieil homme secoue la tête sans quitter l'eau du regard et répond :

— Rien qu'un cireur de chaussures, mon garçon.

— Impossible, vous ne pouvez pas être que ça.

Désireux de lui montrer sa reconnaissance, Shy sort la bague du Texan de sa poche et la lui colle dans la main.

— Tenez, prenez-la.

Cireur jette un coup d'œil au diamant.

— Non, merci. Je n'ai jamais été un fan de bijoux.

— Mais vous pourriez la revendre quand nous serons de retour en Californie.

— Ça ne m'intéresse pas.

Cireur ouvre le sac de Bill et en examine le contenu tandis que Shy remet la bague dans sa poche. Il pense à tout ce que Bill lui a dit à propos de la maladie, du père d'Addie et du rôle de chacun. Que des gens soient capables d'en rendre d'autres malades intentionnellement le dégoûte. Comment va-t-il expliquer ça à Carmen ? Et qu'en est-il vraiment d'Addie ?

Il se tourne vers le laboratoire immergé, là où tout a commencé.

— Comment saviez-vous que nous étions là ?

— J'observais cet homme en train de te surveiller alors que nous étions encore sur le navire. J'ai toujours su que quelque chose clochait. (Il pivote pour faire face à Shy.) J'ai ressenti la même chose à propos de cette île à la minute où nous avons mis pied à terre. Ce n'est pas fini, mon gars.

Shy hoche la tête. Il n'est pas sûr de comprendre de quoi Cireur parle, mais il le croit. Cet homme ne s'est encore jamais trompé. Après s'être relevé, le garçon se rapproche du corps inerte de Bill et examine la blessure dans son dos.

Cireur sort un vaporisateur du sac et le lève face au soleil qui est déjà bas dans le ciel. Le récipient contient un liquide jaune. Après en avoir versé quelques gouttes sur le dos de sa main, Cireur le sent. Puis il le goûte, et recrache.

— Qu'est-ce que c'est ? demande Shy.

Cireur secoue la tête et reporte son attention sur l'île.

— Qu'est-ce que c'est, Cireur ? insiste le garçon.

Au lieu de répondre, l'homme lui lance le sac marin.

— Veille sur le contenu de ce sac. C'est très important, d'accord ? Je dois aller voir quelque chose.

Puis il commence à descendre la colline au pas de course.

— Où allez-vous ? lui crie Shy.

Pas de réponse.

— Tout le monde au dernier étage a la maladie de Romero, ajoute Shy toujours en criant.

— Tiens-toi à l'écart du bateau, lui dit Cireur par-dessus son épaule. Aussi longtemps que possible, c'est compris ?

Sur ce, il prend un virage et disparaît.

Quelques minutes plus tard, Shy entame à son tour la descente, ruminant tout ce que Bill lui a révélé, rejouant dans sa tête le bruit de la détonation qu'il a cru correspondre à la fin de son existence. C'est alors qu'il entend deux personnes en pleine conversation qui se rapprochent. Il s'arrête aussitôt et se cache instinctivement. Deux membres de l'équipe de chercheurs sont en train de se diriger vers l'hôtel depuis l'autre branche de la fourche.

Une fois qu'ils se sont suffisamment éloignés, Shy jette un coup d'œil autour de lui en quête d'un endroit où cacher le sac. Il ne veut pas prendre de risque, d'autant que c'est la seule chose que lui ait demandée Cireur. Par sécurité, il grimpe dans un arbre, cale le sac dans un creux dissimulé par une importante épaisseur de feuilles, puis redescend. Il viendra le récupérer juste avant le rendez-vous pour l'embarquement. Puis le garçon se dépêche de retourner à l'hôtel où il croise quelques passagers en train de partir.

— Que faites-vous ? s'enquiert-il.

— Certains d'entre nous ont décidé d'aller attendre en bas dès maintenant, lui répond une femme. Nous sommes si impatients !

— Tu n'as qu'à nous rejoindre quand tu pourras. Nous pourrons faire une partie de poker pour passer le temps, propose le gars à côté d'elle en montrant son jeu de cartes.

— Bientôt, leur dit Shy en tâchant de garder le sourire.

Il ne comprend pas pourquoi Cireur veut qu'il retarde le plus possible le moment de monter à bord. Tous les autres sont déjà en train de se mettre en route. Et puis ce n'est pas comme s'il allait laisser le bateau partir sans le vieil homme. Surtout considérant qu'il lui a sauvé la vie à deux reprises.

Shy regarde le petit groupe s'éloigner, puis il se dirige vers la chambre d'Addie. Il a besoin de lui poser des questions à propos de son père qui est encore en vie.

Il frappe et attend.

Pas de réponse.

— Addie, crie-t-il. Ouvre la porte, j'ai besoin de te parler !

Toujours rien.

Il jette un coup d'œil autour de lui afin de s'assurer qu'il est bien seul, puis il donne un coup de pied dans la porte en y mettant toutes ses forces. Sans grand succès. Il recule et envoie un nouveau coup, cette fois à côté de la poignée. Au troisième essai, la porte s'ouvre enfin.

Shy entre dans la chambre.

Vide.

Où est-elle ? Déjà en bas ? Shy s'assied sur le canapé pour réfléchir. Il est fou de rage. Et effrayé. La famille d'Addie a tué la sienne et il la hait pour ça. Mais il a plongé son regard dans le sien quand ils étaient sur le canot. Elle n'est pas comme son père. Ou peut-être qu'il s'est complètement trompé sur elle.

Puis l'hélicoptère lui revient en mémoire. Il donne un coup de poing dans le mur. Si ça se trouve, Addie était à bord, avec son père. Mais ça ne colle pas, elle ne savait même pas s'il était encore vivant ou non.

Shy quitte la chambre d'Addie et se précipite dans le couloir. Un autre groupe de passagers est en train de traverser le lobby en direction de la sortie.

— Nous nous sommes dit que ça ne coûtait rien d'y aller maintenant, lui explique la femme avec le T-shirt de football américain.

L'un des hommes consulte sa montre.

— De toute façon, il ne reste plus que vingt-cinq minutes avant le rendez-vous. À tout à l'heure.

Shy promet de se dépêcher.

49

Un départ en fanfare

Carmen n'étant pas non plus dans sa chambre, Shy se met en quête de celle de Marcus. Et comme il ne connaît ni le numéro ni l'étage, il arpente tous les couloirs en appelant ses amis.

« Carmen ! »

« Marcus ! »

Shy a presque fini de faire le tour du quatrième étage quand il entend une porte s'ouvrir derrière lui. Il se retourne et voit Carmen debout dans l'entrebâillement. D'un geste de la main, elle lui fait signe d'entrer.

Il la suit à l'intérieur de la pièce. Marcus est installé sur un lit en train de tripatouiller une radio qui émet de temps en temps des grésillements, mais rien d'autre.

Le jeune homme lève la tête.

— Shy, s'exclame-t-il en posant la radio avant de bondir sur ses pieds.

Les deux garçons se tapent dans la main et échangent une brève accolade.

— Je suis tellement soulagé que tu t'en sois sorti !

— Et moi donc !

— Dis à Shy ce que tu as entendu, les coupe Carmen, l'air contrarié.

Marcus retourne s'asseoir et récupère sa radio.

— J'ai réussi à capter assez clairement pendant quelques minutes, juste avant que Carmen arrive. (Il jette un coup d'œil à la jeune femme et se tourne à nouveau vers Shy.) Je ne suis pas sûr à cent pour cent, mais d'après ce que j'ai cru entendre, un type avec un fort accent britannique semblait dire que les États-Unis étaient en état d'urgence.

Shy baisse les yeux sur la radio.

— Et qu'est-ce que ça signifie au juste ?

— Je ne sais pas trop, répond Marcus en haussant les épaules.

— Raconte-lui le reste.

— D'après le type de la radio, les gens sont entassés dans les stades sur toute la côte Ouest. Et à cause de la promiscuité et du manque d'hygiène… (il marque une pause en jetant un nouveau coup d'œil à Carmen)… la maladie fait des ravages.

— Romero, ajoute Carmen en agrippant le bras de Shy. Tout le monde l'a maintenant. Tous ceux qui sont dans ces stades. Et ils les empêchent de sortir.

Shy laisse échapper un juron.

Cela vient confirmer l'histoire de Bill, et il se demande avec inquiétude ce qui les attendra à leur retour.

Carmen tend le bras et donne un coup sur la radio.

— Pourquoi ça ne fonctionne pas ?

— Ne tape pas dessus, la réprimande Marcus en mettant la radio hors de sa portée. Tu ne fais qu'aggraver les choses.

Elle s'assied sur le bord du lit, visiblement en colère.

— À la réunion de ce midi, ils ont essayé de nous faire croire que la situation n'était pas si catastrophique que ça, commente Shy. Je savais bien que ça sonnait faux.

— C'est ce dont nous étions justement en train de parler. Peut-être veulent-ils éviter que nous nous fassions du souci avant notre retour, suggère Carmen.

Marcus recommence à tourner les boutons de la radio.

— Comme je l'ai dit, je ne suis pas certain d'avoir bien compris. Le son n'était pas très bon.

— Tu as trouvé le sac de médicaments ? J'ai raconté à Marcus ce que nous avons découvert là-haut.

— Désolée pour Rodney, mon pote. C'était un gars bien.

Shy acquiesce d'un signe de tête.

— Cireur m'a redonné le sac. Mais il s'est aussi passé autre chose, ajoute-t-il en faisant naviguer son regard entre ses deux amis.

— Quoi ? demande Carmen.

— Venez avec moi récupérer le sac, je vous expliquerai en chemin.

— OK, mais nous devons nous dépêcher afin d'être à l'heure pour l'embarquement. Nous pourrons analyser tout ça une fois que nous serons à bord du bateau.

Une fois que Shy a fini de leur exposer tout ce que Bill lui a dit à propos de la maladie de Romero, Carmen étouffe un cri horrifié en se mettant la main devant la bouche.

— Et tu crois cette ordure ?

— Pourquoi aurait-il été inventer ça ? rétorque Shy.

— Et comment ils s'y sont pris ? s'étonne Marcus. On ne crée pas une maladie comme ça du jour au lendemain !

— Ça doit être possible pour des scientifiques, réplique Shy en changeant le sac marin d'épaule.

Les trois jeunes se sont arrêtés pour le récupérer sur la route menant au cadavre. Shy, les yeux rivés sur le corps de Bill, se souvient de l'arme avec laquelle ce dernier le tenait en joue. Il revoit le canon à quelques centimètres de son front et a l'étrange impression d'être un fantôme. Comme s'il ne devrait pas être là, en ce moment, debout et vivant.

— Il avait son flingue quasiment collé contre ma tête, raconte Shy en essayant une fois de plus de comprendre ce qui s'est passé. J'ai cru que c'était la fin.

— Et c'est à ce moment-là que Cireur lui a mis une balle dans le dos, complète Carmen.

— Il m'a sauvé la vie. Deux fois en même pas une journée.

— Je commence vraiment à flipper, commente la jeune femme. Nous n'avons aucune idée de ce qui nous attend sur le continent.

Tous trois restent là quelques minutes à se regarder, et à regarder le corps.

— Donc personne n'est au courant qu'un vaccin existe ? demande Marcus.

— Je ne pense pas. D'après ce qu'il a dit, il semblerait que la société a l'intention de se tenir aussi loin que possible de ce merdier.

— Tu te rends bien compte de ce qu'ils ont fait ? s'exclame Carmen en donnant un coup de pied dans les côtes du macchabée. Ils ont sacrifié des pauvres pour effrayer les riches et leur faire cracher du fric. Ces connards ont sacrifié mon père !

— C'est abominable, s'indigne Marcus. Ça ressemble à un putain de génocide.

— Dès que nous serons rentrés, nous irons le dire à tout le monde, aux flics, au FBI, à la CIA, à tous ceux que nous pourrons trouver !

Pendant la tirade de Carmen, Shy garde les yeux rivés sur la tête du cadavre. Il est si furieux qu'il en tremble de tous ses membres. C'est alors qu'il se souvient de l'enveloppe aperçue dans le sac marin. Il ouvre le sac, l'extirpe de sous le paquet de seringues et la contemple bouche bée. C'est la lettre écrite par l'homme à la calvitie. David Williamson. La voilà, leur preuve !

— Nous ferions mieux d'y aller, dit Marcus.

— Cireur est quelque part sur l'île, rétorque Shy. Il a demandé qu'on l'attende.

Marcus reprend la radio qu'il avait posée au sol.

— On peut très bien l'attendre sur ce foutu bateau.

Shy hausse les épaules, puis referme le sac et les guide sur le sentier menant à l'hôtel. En passant devant le bâtiment pour rejoindre l'escalier de pierre, Shy repense à Addie. Et à l'hélicoptère. Peut-être devrait-il aller frapper à la porte de la jeune fille une dernière fois. Au cas où. Tout à coup, quelque chose lui revient à l'esprit.

Alors qu'ils sont presque arrivés au niveau des premières marches, Shy s'arrête.

Carmen et Marcus lui lancent un regard perplexe tandis qu'il observe le bateau et l'emplacement vide de l'hélicoptère. Si le père d'Addie est toujours vivant, il a dû partir avec. Pour quelle raison les chercheurs auraient-ils laissé un inconnu utiliser leur hélico ? À moins que…

— Allez, viens, Shy, s'impatiente Carmen.

Shy baisse les yeux sur la plage en contrebas sur laquelle ils ont une vue parfaite. Tous les passagers sont alignés et les chercheurs s'activent autour d'eux avec leurs sac à dos. Des sacs à dos verts. Exactement comme celui que Bill portait. Le voilier échoué a disparu. Le garçon repense à Cireur lui demandant de se tenir à l'écart du bateau. À bien y réfléchir, c'était peut-être un avertissement afin qu'ils n'embarquent pas du tout.

— Tout le monde est déjà en position, dit Carmen. Nous devons nous dépêcher de les rejoindre.

— Allez, avance, renchérit Marcus en attrapant Shy par le poignet.

— Deux minutes.

Autre chose lui revient en mémoire : Cireur sortant un vaporisateur du sac et en humant le contenu sur le dos de sa main. Un vaporisateur identique à ceux avec lesquels les chercheurs aspergeaient la végétation.

— Shy ! s'exclame Carmen, exaspérée.

— Attendons encore un peu, répond-il en croisant son regard. Nous avons le temps. Surtout qu'il leur reste les malades à déplacer.

Un bruit de moteur s'élève depuis l'océan et tous trois se tournent pour regarder les Zodiac s'éloigner du bateau en direction du rivage. Les pilotes conduisent leurs embarcations jusqu'au terrain de golf et lèvent le pouce à l'intention de leurs collègues à terre.

— Écoute, dit Marcus, tu fais ce que tu veux, mais moi j'y vais. Maintenant. Tu viens avec moi ? demande-t-il à Carmen.

— Je veux juste rentrer à la maison, s'excuse-t-elle auprès de Shy.

— Moi aussi, mais il y a un truc qui cloche.

Shy se rapproche du bord de la falaise et entend quelqu'un aboyer des ordres. Il observe la scène à travers d'épais buissons. Au lieu d'installer le premier groupe de passagers dans l'un des Zodiac, tous les membres de l'équipe de chercheurs plongent la main dans leur sac en même temps et en sortent des mitraillettes. Puis ils les pointent sur les survivants et ouvrent le feu.

L'air se trouve aussitôt saturé de cris et du bruit de la fusillade.

Quelques personnes essaient de s'enfuir, mais aucune n'arrive à faire plus de quelques pas avant d'être abattue.

Le souffle court, Shy se baisse pour se mettre hors de vue tandis que Carmen et Marcus remontent les escaliers à toute vitesse et viennent se cacher derrière lui.

Il regarde pétrifié d'horreur les corps tomber l'un après l'autre sur le gazon, puis les cris se font de moins en moins nombreux jusqu'à se tarir complètement. Les coups de feu se poursuivent quelques minutes, puis s'éteignent à leur tour. En bas, seuls les membres de l'équipe de recherche sont encore debout. Sauf que ces types ne sont pas des chercheurs mais, comme Shy le craignait, des employés de LasoTech.

— Oh ! mon Dieu. Oh ! mon Dieu, répète en boucle Carmen.

Marcus, les yeux exorbités, contemple le massacre, bouche bée.

Le cœur de Shy bat si fort qu'il semble vouloir jaillir de sa poitrine. Les « chercheurs » sont à présent en train d'entasser les cadavres dans les Zodiac, tandis que sur le pont d'autres hommes installent deux lance-roquettes. Dans le même temps, un individu met le feu au canot afin qu'il n'y ait plus aucun moyen de quitter l'île. Une fois qu'il a terminé, il désigne l'escalier en criant quelque chose à ses gars ; en réponse, deux d'entre eux lèvent leurs armes en direction de Shy, Marcus et Carmen, et ouvrent le feu.

Shy plonge derrière la cabine de téléphérique, entraînant Carmen et Marcus avec lui. Tous trois se tiennent là, tremblants, serrés les uns contre les autres tandis que les balles ricochent autour d'eux, causant de rapides explosions sur les murs et allumant des feux. Shy fait immédiatement le rapprochement avec la substance répandue par les chercheurs un peu plus tôt.

La fusillade dure pendant près d'une minute avant de s'arrêter. Shy en profite pour jeter un coup d'œil par-dessus le muret et voit les deux hommes armés grimper les marches quatre à quatre.

— Ils arrivent ! s'exclame-t-il en tirant Marcus et Carmen par le T-shirt.

Il n'en faut pas plus aux trois jeunes gens pour prendre leurs jambes à leur cou. Après avoir dépassé en courant l'hôtel et le belvédère, ils empruntent le sentier par lequel ils étaient redescendus quelques minutes plus tôt. Tandis qu'ils montent vers le sommet des falaises, Shy entend les balles déchirer les buissons autour d'eux et le son étouffé de leur course.

C'est alors que les tirs cessent.

— Ils s'en vont, crie Marcus.

Shy et Carmen arrêtent de courir et font volte-face pour voir leurs poursuivants repartir précipitamment. Shy essaie désespérément de reprendre son souffle à côté de Carmen et Marcus qui sont tous deux penchés en avant, les mains sur les genoux.

— Où vont-ils ? demande Marcus entre deux halètements.

Shy secoue la tête, perdu. Il ne comprend rien. Pas plus le massacre des survivants que cette poursuite, ou la raison pour laquelle ces hommes ont fait demi-tour. Mais il est certain que ce n'est pas fini.

De nombreux arbres et buissons sont en feu, illuminant le ciel assombri par la tombée de la nuit.

Tous trois attendent en silence, puis Shy se redresse.

— Je vais aller voir.

— Non, tu restes ici ! s'exclame Carmen en lui agrippant le bras. Si ça se trouve, c'est un piège.

— Nous devons aller aider les malades, proteste Shy.

— Sortons du sentier dans ce cas. Peut-être pourrons-nous apercevoir le bateau depuis le bord de la falaise.

Shy ouvre la marche et ils coupent à travers la végétation. L'angle de vue n'est pas optimal, mais il distingue l'un des Zodiac accolé au bateau et l'équipage qui transfère les cadavres de l'un à l'autre. De toute évidence, ils ont l'intention d'effacer toute trace de ce qu'ils ont fait.

— Où est Cireur ?

Personne ne répond.

Une fois le dernier corps chargé, les hommes embarquent à leur tour, puis remontent les Zodiac.

— Ils sont tous à bord, dit Shy. Il faut que nous allions aider les malades à sortir de l'hôtel et à rejoindre la plage. Une partie du bâtiment est déjà en train de brûler.

À peine a-t-il fini sa phrase qu'une boule de feu jaillit du bateau, survole l'océan et vient exploser contre l'un des murs de l'hôtel.

D'autres détonations suivent, résonnant dans toute l'île, et l'hôtel encaisse tir après tir jusqu'à être entièrement dévoré par les flammes. Même l'appartement-terrasse où quelques malades sont encore vivants n'est pas épargné. Shy n'a jamais rien vu de tel. L'équipage du bateau tire sur l'île au lance-roquettes dans le but évident de tout détruire. La peur lui noue la gorge au point qu'il a du mal à respirer.

Ils repartent en courant vers le sentier. Bien que ne sachant pas où aller, Shy prend la tête de leur petit groupe. Mais quand une boule de feu atterrit dans la végétation devant eux, tous trois font demi-tour et, sans même se concerter, remontent la colline.

Plusieurs arbres et buissons ont pris feu. Les flammes sautent de branche en branche et s'élèvent haut dans le ciel, illuminant les alentours. La fumée est devenue si dense qu'ils ne voient plus à deux mètres, et bientôt ils se mettent à tousser en se couvrant la bouche de leur T-shirt. Sans un endroit sûr où aller, ils vont mourir brûlés avec le reste de l'île.

Soudain un homme surgit d'un buisson en feu, tombe à terre et roule sur lui-même afin d'éteindre les flammes qui dévorent ses vêtements. Puis il bondit sur ses pieds.

Cireur.

— C'est du napalm ! Ils ont l'intention de faire brûler toute l'île. Suivez-moi !

Shy lui emboîte le pas en courant, Carmen et Marcus sur les talons. Ils continuent de gravir la colline tandis que le feu se répand autour d'eux. Le garçon est incapable de penser, il peut juste courir. Cependant il a une conscience accrue de ce qui l'entoure : les flammes, la fumée, les changements de direction de Cireur, la présence de Carmen et de Marcus dans son dos… Plus ils avancent, plus il lui semble évident qu'ils vont finir pris au piège par l'incendie. La seule façon de descendre de la falaise est par l'escalier, c'est-à-dire sous le nez de l'équipage du bateau. Par ailleurs toute l'île sera bientôt recouverte par les flammes. Il n'y a aucune issue.

Cireur leur fait quitter le chemin et les mène au bord de la falaise, là où se trouve la piste d'hélicoptère.

Là où Shy a failli faire le grand saut un peu plus tôt dans la journée. Tous les quatre se tiennent au bord et regardent l'eau, une vingtaine de mètres en contrebas. Ils sentent derrière eux la chaleur de l'incendie qui se rapproche.

— Et maintenant ? demande Shy.

Cireur prend la radio des mains de Marcus et le sac marin de celles de Shy.

— Qu'est-ce que vous faites ? crie Marcus.

— C'est bon, je l'ai, lui répond Cireur en fourrant la radio dans le sac.

Puis il murmure à l'oreille de Shy :

— Assure-toi qu'ils me suivent.

Il se retourne et saute en balançant le sac devant lui.

Carmen hurle et les trois jeunes se rapprochent du bord, les yeux rivés sur Cireur qui tombe en agitant les bras et les jambes jusqu'à crever la surface de l'océan dans une explosion d'eau.

— Oh ! non. Pas moyen ! marmonne Marcus en reculant d'un pas.

Shy jette un coup d'œil aux flammes qui les entourent.

C'est la seule solution.

Shy contourne Carmen et s'avance vers Marcus, mains levées.

— Pas besoin de sauter. Nous pouvons redescendre par le sentier…

Sans finir sa phrase, il pousse Marcus de toutes ses forces et le regarde tomber en hurlant dans l'eau.

Puis il prend la main de Carmen.

Le visage de la jeune femme est déformé par la peur, mais elle acquiesce d'un signe de tête et ils s'élancent dans le vide. Shy tend les bras comme pour attraper quelque chose et donne des coups de pied tandis que l'air siffle dans ses oreilles. Il n'a plus conscience de son poids et se sent envahi d'une étrange sensation de liberté. Le souvenir de l'homme à la calvitie tombant du bateau surgit de sa mémoire. Il tourne la tête et voit Carmen à côté de lui, les yeux exorbités. La seconde d'après, il crève la surface de l'eau et s'enfonce profondément. Il se débat, mais cela ne fait qu'empirer les choses, aussi finit-il par relâcher tous ses muscles. L'eau l'enveloppe et le remonte, lentement, mais régulièrement. Shy lutte pour ne pas ouvrir la bouche malgré ses poumons brûlants. Il jaillit enfin hors de l'eau en prenant une grande inspiration, puis tourne sur lui-même en fouillant frénétiquement la nuit du regard jusqu'à se retrouver face à face avec Carmen.

50

Cinq nœuds

— Par ici, appelle Cireur en leur faisant signe de le suivre.

Il est dans l'eau, contre la falaise, avec le sac marin. Tout le côté droit de Shy, là où il a heurté l'eau, est engourdi. De même que son esprit. Carmen et Marcus nagent devant lui. Puis il aperçoit le voilier avec la voile déchirée, celui par lequel, d'après Carmen, Cireur était obsédé. Le garçon a du mal à croire qu'il ait réussi à le remettre à flot, et pourtant il est là. Cireur est maintenant en train d'escalader la falaise. Idée qui peut paraître discutable étant donné que toute l'île est à présent ravagée par les flammes. Une fois arrivé lui aussi au pied de la falaise, Shy le voit s'engouffrer dans une grotte qui se trouve environ à quatre mètres au-dessus du niveau de l'eau. L'homme tend la main à Carmen et l'aide à grimper. Puis c'est au tour de Marcus, et enfin Shy. À l'intérieur, la cavité s'élargit de façon considérable.

Cireur se dirige vers une pile de gilets de sauvetage et en lance un à chacun.

— Vous allez en avoir besoin.

Les trois jeunes les enfilent. Puis Cireur prend une grande couverture pliée.

— Qu'est-ce qu'on va faire ? demande Carmen.

— Monter à bord du voilier.

À l'idée de retourner dans l'eau, Shy sent un frisson glacé le parcourir.

— Impossible, crie Marcus depuis l'entrée de la grotte. Le bateau avance droit dessus.

Tous se précipitent pour voir de leurs propres yeux une boule de feu jaillir du bateau et atterrir à seulement quelques mètres du voilier.

— Ils essaient de le couler ! s'écrie Carmen.

Cireur se penche à l'extérieur et hurle à l'intention du prétendu bateau de recherche :

— C'est ça, mes salauds ! Montez un peu jusqu'à cinq nœuds pour voir !

Une seconde boule de feu manque le voilier.

Puis une troisième.

Shy a les yeux rivés sur le bateau qui se rapproche de plus en plus vite tout en continuant à tirer. L'un des projectiles tombe si près du voilier qu'il le fait presque chavirer, et envoie une flammèche sur la voile déchirée qui s'embrase aussitôt.

— Allez, hurle Cireur. Plus vite !

Shy entend au-dessus d'eux le bruit tonitruant du feu en train de ravager l'île. Quelque chose le tracasse.

— Pourquoi voulez-vous qu'ils accélèrent ?

— J'ai passé tout l'après-midi à piéger ce foutu bateau. Au cas où.

Carmen se glisse près de Shy et regarde le bateau en question foncer sur le voilier sans défense.

Alors qu'une autre boule de feu manque encore le voilier de justesse, c'est l'embarcation de leurs assaillants qui est secouée par une violente explosion. Suivie de près par une seconde qui emporte l'arrière du navire et fait voler des débris jusqu'à l'entrée de leur grotte.

Les trois jeunes gens se tournent vers Cireur, les yeux écarquillés de surprise, et le voient hocher la tête d'un air approbateur.

— Qu'est-ce que c'était que ça ? s'exclame Carmen.

— J'ai relié leurs propres explosifs au moteur du bateau de façon qu'ils explosent une fois les cinq nœuds atteints.

— Alors vous saviez qu'ils allaient tuer tout le monde ? s'étonne Marcus.

— Non. Je savais seulement qu'il ne s'agissait pas de chercheurs. (Il reporte son attention sur l'eau et sur ce qu'il reste du bateau.) Mais je n'ai activé le mécanisme que quand j'ai eu la certitude qu'ils avaient l'intention de brûler l'île.

— Et que se serait-il passé si nous étions tous montés à bord ? demande Carmen.

— Je l'aurais désarmé.

Les trois jeunes le regardent avec admiration.

— Bon sang, mais qui êtes-vous ?

— Juste un cireur de chaussures, répond Shy en se rappelant toutes les fois où il a posé la même question.

Cireur lui sourit et ajoute :

— Il est possible que j'aie aussi passé un peu de temps dans l'armée. Et plus exactement dans les forces spéciales.

Shy se retourne avec tout le monde pour regarder le brasier qui achève de consumer le bateau, illuminant la nuit tandis que l'ombre des flammes dévorant l'île se reflète dans l'eau devant leur grotte.

Cireur désigne le voilier miteux à une centaine de mètres à droite de l'épave en feu.

— Prêts pour une nouvelle séance de natation ?

Ils acquiescent d'un signe de tête. Le vieil homme jette à Shy le sac marin et récupère la couverture avant de sauter à l'eau.

Shy balance le sac sur son épaule et s'élance à sa suite.

Jour 8

51

Les survivants

Quand Shy se réveille sur le voilier le lendemain, tremblant et l'esprit embrumé, il est encore tôt. Il s'est passé tant de choses la veille qu'il a du mal à remettre de l'ordre dans sa tête. Et il est incapable de parler. D'ailleurs, il n'est pas le seul. Après avoir sorti du sac la lettre de l'homme à la calvitie, il la lit à plusieurs reprises. Mais les révélations qu'elle contient sont si atroces qu'il finit par la reposer pour cesser d'y penser. Il regarde alors autour de lui. Ils n'ont pas parcouru beaucoup de chemin pendant la nuit. Quelques centaines de mètres tout au plus. Cireur a démonté la voile déchirée et à moitié calcinée, et il est en train de la remplacer par une nouvelle. Ce que Shy avait pris la veille pour une couverture est en fait une voile que l'homme a vraisemblablement assemblée à partir de morceaux de tissu récupérés depuis son arrivée sur l'île. A priori, il vient tout juste de terminer, comme s'il y avait passé la nuit. Marcus, quant à lui, est à l'avant du bateau, avec sa radio. Il capte un peu mieux à présent et Shy parvient à comprendre la plupart des mots. Le journaliste parle de frontières de fortune érigées aux États-Unis. À cause des tremblements de terre, la maladie a progressé si rapidement dans les États de l'Ouest que les gens ne sont plus autorisés à se rendre à l'Est. Ce dans l'espoir de contenir l'épidémie. Les côtes californiennes ainsi que celles de l'Oregon et de l'État de Washington ont été mises en quarantaine, en attendant que les scientifiques développent un vaccin. Mais pour le moment, ils n'ont découvert aucune piste.

Shy serre le sac sur ses genoux, conscient qu'ils vont devoir le donner aux bonnes personnes le plus vite possible. Des milliers de vies sont très certainement en jeu.

Il se souvient de la dernière fois qu'il était en mer sur un bateau, agrippant ce même sac. Addie était avec lui. Il repense aux nuits qu'ils ont passées blottis l'un contre l'autre pour se tenir chaud, et à leurs conversations. Le garçon la revoit déchirer le poisson à mains nues. Il l'entend encore murmurer à son oreille, cette fameuse nuit avant qu'ils soient secourus.

Où est-elle maintenant ?

Et qu'est-ce que ça peut lui faire ?

Il est désormais convaincu qu'au moment où ils se sont séparés devant le restaurant, elle savait qu'elle allait quitter l'île en hélicoptère avec son père. En y repensant, il se dit qu'il aurait dû s'en rendre compte lorsqu'ils se sont parlé après le déjeuner. À cause de son regard. De ce qu'elle lui a dit. Et de ce baiser sur la joue. Avec le recul, il comprend enfin qu'elle lui disait au revoir.

Mais plus il y réfléchit, plus il est certain que la fille ignorait tout de cette affaire quand ils étaient tous les deux coincés sur le canot de sauvetage. À ce moment-là, elle était aussi perdue que lui. Il croit en ce qu'il a lu dans ses yeux. Ce qui signifie que son père a dû prendre contact avec elle sur l'île.

Mais tout cela n'a plus d'importance. Il est avec Carmen à présent.

Elle est assise à côté de lui, le regard fixé sur les débris du bateau des chercheurs éparpillés à la surface de l'océan. Les deux jeunes se tiennent la main, même si Shy ne se rappelle plus qui a fait le premier pas.

Il ferme les yeux en se concentrant sur sa respiration et sur la main de Carmen dans la sienne. C'est un miracle qu'ils soient encore en vie. Il voudrait tant que tout revienne à la normale.

Quelques minutes plus tard, Cireur marmonne :

— Je crois que cette fois-ci c'est bon.

Et lentement, il hisse sa voile de fortune. Aussitôt qu'il a terminé, le vent se prend dedans et le voilier commence à s'éloigner de l'île à une vitesse raisonnable. Cireur descend alors de l'écoutille et rejoint la barre afin de piloter le bateau, corrigeant parfois leur trajectoire en s'aidant d'un compas qu'il semble avoir fabriqué lui-même.

Les trois jeunes l'observent et proposent de participer, mais il insiste pour qu'ils se reposent.

Le voilier avance à bonne allure et le soleil se lève sur un ciel parfaitement bleu. Shy reporte son attention sur la voix du journaliste qui sort de la radio de Marcus.

Il sent le pouls de Carmen palpiter dans sa main. L'île, complètement noircie par le feu qui l'a dévastée, brûle encore par endroits. Le garçon se demande ce qu'ils vont trouver en arrivant sur le continent, et qui sera là pour les accueillir. Puis il décide de cesser de penser à toutes ces choses sur lesquelles il n'a aucun contrôle, afin de se concentrer sur la chance qu'il a d'être à bord de ce bateau, en vie, avec Cireur, Marcus et Carmen.

Glissant la main dans sa poche, il caresse sa bague porte-bonheur et dévisage ses compagnons. Marcus est en train de tripatouiller son antenne. Cireur écrit dans son carnet à couverture de cuir. Et Carmen contemple l'océan en lui serrant la main. Shy se sent incroyablement proche d'eux. Il n'a aucune idée du temps qu'il leur faudra pour rejoindre la Californie, mais il sait qu'ils y parviendront. Ils doivent y arriver.

Shy reporte à nouveau son attention sur l'océan dont il comprend à présent le langage, et s'efforce de faire le point sur les événements de ces huit derniers jours, mais c'est impossible. Aussi se contente-t-il de regarder l'île devenir de plus en plus petite à l'horizon, jusqu'à n'être plus qu'une minuscule tache sur l'eau avant de disparaître tout à fait.

En attendant de découvrir
le second volet du diptyque ***Les Vivants***
en novembre 2014…

avec d'autres romans
de la collection

www.facebook.com/collectionr

de Kass Morgan

Tome 1

Depuis des siècles, plus personne n'a posé le pied sur Terre.
Le compte à rebours a commencé...

2:48... 2:47... 2:46...
Ils sont 100, tous mineurs, tous accusés de crimes
passibles de la peine de mort.

1:32...1:31... 1:30...
Après des centaines d'années d'exil dans l'espace,
le Conseil leur accorde une seconde chance
qu'ils n'ont pas le droit de refuser : retourner sur Terre.

0:45... 0:44... 0:43...
Seulement, là-bas,
l'atmosphère est toujours potentiellement radioactive
et à peine débarqués les 100 risquent de mourir.

0:03... 0:02... 0:01...
Amours, haines, secrets enfouis et trahisons.
Comment se racheter une conduite
quand on n'a plus que quelques heures à vivre ?

LA 5e VAGUE

de Rick Yancey

Tome 1

1re Vague : Extinction des feux. 2e Vague : Déferlante.
3e Vague : Pandémie. 4e Vague : Silence.

À L'AUBE DE LA 5e VAGUE, sur une autoroute désertée, Cassie tente de *Leur* échapper... *Eux*, ces êtres qui ressemblent trait pour trait aux humains et qui écument la campagne, exécutant quiconque a le malheur de croiser *Leur* chemin. *Eux*, qui ont balayé les dernières poches de résistance et dispersé les quelques rescapés.

Pour Cassie, rester en vie signifie rester seule. Elle se raccroche à cette règle jusqu'à ce qu'elle rencontre Evan Walker. Mystérieux et envoûtant, ce garçon pourrait bien être son ultime espoir de sauver son petit frère. Du moins si Evan est bien celui qu'il prétend...

Ils connaissent notre manière de penser. *Ils* savent comment nous exterminer. *Ils* nous ont enlevé toute raison de vivre. *Ils* viennent maintenant nous arracher ce pour quoi nous sommes prêts à mourir.

Le premier tome de la trilogie phénomène,
bientôt adapté au cinéma par Tobey Maguire
et les producteurs de *World War Z*, *Argo*, *Hugo Cabret*,
***The Aviator*, *Gangs of New York*, *Ali*.**

Tome 2 à paraître en septembre 2014

de Myra Eljundir

SAISON 1

C'est si bon d'être mauvais...

À 19 ans, Kaleb Helgusson se découvre empathe : il se connecte à vos émotions pour vous manipuler. Il vous connaît mieux que vous-même. Et cela le rend irrésistible. Terriblement dangereux. Parce qu'on ne peut s'empêcher de l'aimer. À la folie. À la mort.

Sachez que ce qu'il vous fera, il n'en sera pas désolé. Ce don qu'il tient d'une lignée islandaise millénaire le grise. Même traqué comme une bête, il en veut toujours plus. Jusqu'au jour où sa propre puissance le dépasse et où tout bascule... Mais que peut-on contre le volcan qui vient de se réveiller ?

La première saison d'une trilogie qui, à l'instar de la série Dexter, offre aux jeunes adultes l'un de leurs fantasmes : être dans la peau du méchant.

Déconseillé aux âmes sensibles et aux moins de 15 ans.

Saison 2 : *Abigail*

Saison 3 : *Fusion*

de Kiera Cass

35 candidates, 1 couronne, la compétition de leur vie.

Elles sont trente-cinq jeunes filles : la « Sélection » s'annonce comme l'opportunité de leur vie. L'unique chance pour elles de troquer un destin misérable contre un monde de paillettes. L'unique occasion d'habiter dans un palais et de conquérir le cœur du prince Maxon, l'héritier du trône. Mais pour America Singer, cette sélection relève plutôt du cauchemar. Cela signifie renoncer à son amour interdit avec Aspen, un soldat de la caste inférieure. Quitter sa famille. Entrer dans une compétition sans merci. Vivre jour et nuit sous l'œil des caméras... Puis America rencontre le Prince. Et tous les plans qu'elle avait échafaudés s'en trouvent bouleversés...

Le premier tome d'une trilogie pétillante, mêlant dystopie, téléréalité et conte de fées moderne.

Tome 2 : *L'Élite*

Tome 3 à paraître en mai 2014

Nouvelle numérique inédite :
Le Prince

de C.J. Daugherty

Tome 1

Qui croire quand tout le monde vous ment ?

Allie Sheridan déteste son lycée. Son grand frère a disparu. Et elle vient d'être arrêtée. Une énième fois. C'en est trop pour ses parents, qui l'envoient dans un internat au règlement quasi militaire. Contre toute attente, Allie s'y plaît. Elle se fait des amis et rencontre Carter, un garçon solitaire, aussi fascinant que difficile à apprivoiser… Mais l'école privée Cimmeria n'a vraiment rien d'ordinaire. L'établissement est fréquenté par un fascinant mélange de surdoués, de rebelles et d'enfants de millionnaires. Plus étrange, certains élèves sont recrutés par la très discrète « Night School », dont les dangereuses activités et les rituels nocturnes demeurent un mystère pour qui n'y participe pas. Allie en est convaincue : ses camarades, ses professeurs, et peut-être ses parents, lui cachent d'inavouables secrets. Elle devra vite choisir à qui se fier, et surtout qui aimer…

Le premier tome de la série découverte par le prestigieux éditeur de *Twilight*, *La Maison de la nuit*, *Nightshade* et de Scott Westerfeld en Angleterre.

Une série best-seller de cinq tomes, publiée dans plus de vingt pays !

Tome 2 : *Héritage*

Tome 3 : *Rupture*

Tome 4 à paraître en juin 2014

La trilogie de Braises et de Ronces

de Rae Carson

Tome 1

Sera-t-elle reine au cœur de son royaume, comme au royaume de son cœur ?

Princesse d'Orovalle, Elisa est l'unique gardienne de la Pierre Sacrée. Bien qu'elle porte le joyau à son nombril, signe qu'elle a été choisie pour une destinée hors normes, Elisa a déçu les attentes de son peuple, qui ne voit en elle qu'une jeune fille paresseuse, inutile et enveloppée... Le jour de ses seize ans, son père la marie à un souverain de vingt ans son aîné. Elisa commence alors une nouvelle existence loin des siens, dans un royaume de dunes menacé par un ennemi sanguinaire prêt à tout pour s'emparer de sa Pierre Sacrée.

La nouvelle perle de l'*heroic fantasy*, pour les fans de la série *Game of Thrones*

Le premier tome d'une trilogie « unique, intense... À lire absolument ! » (Veronica Roth, auteur de la trilogie *Divergent*).

Tome 2 : *La Couronne de flammes*

Tome 3 : *Le Royaume des larmes*
à paraître en avril 2014

de Lissa Price

Vous rêvez d'une nouvelle jeunesse ?
Devenez quelqu'un d'autre !

Dans un futur proche : après les ravages d'un virus mortel, seules ont survécu les populations très jeunes ou très âgées : les Starters et les Enders. Réduite à la misère, la jeune Callie, du haut de ses seize ans, tente de survivre dans la rue avec son petit frère. Elle prend alors une décision inimaginable : louer son corps à un mystérieux institut scientifique, la Banque des Corps. L'esprit d'une vieille femme en prend possession pour retrouver sa jeunesse perdue. Malheureusement, rien ne se déroule comme prévu... Et Callie prend bientôt conscience que son corps n'a été loué que dans un seul but : exécuter un sinistre plan qu'elle devra contrecarrer à tout prix !

Le premier volet du thriller dystopique phénomène aux États-Unis.

« Les lecteurs de *Hunger Games* vont adorer ! », Kami Garcia, auteur de la série best-seller, *16 Lunes*.

Second volet : *Enders*

Nouvelles numériques inédites :
Starters 0.1 : Portrait d'un Starter
Starters 0.2 : Portrait d'un marshal

Cet ouvrage a été imprimé en France par

à Saint-Amand-Montrond (Cher)
en février 2014

N° d'édition : 53677/01 – N° d'impression : 2006680
Dépôt légal : mars 2014